"몸" 잘 쓰는
배우가 "연기"도
잘한다 :)

몸 잘 쓰는 배우가 연기도 잘한다.

발 행 | 2024년 5월 17일

저 자 | 김하용

펴낸이 | 김하용   디자인 | 김은희

펴낸곳 | 주식회사 부크크

출판사 등록 | 2014.07.15.(제2014-16호)

주 소 | 서울특별시 금천구 가산디지털1로 119 SK트윈타워 A동 305호

전 화 | 1670-8316

이메일 | info@bookk.co.kr

ISBN | 979-11-410-8557-5

www.bookk.co.kr

"몸" 잘 쓰는 배우가 "연기"도 잘한다 :)

배우를 위한 몸 사용 설명서

김하용 지음

BOOKK

2장_이족보행

3장_원리와 요령

4장_신체훈련

5장_식이와 운동

6장_분석과 표현

7장_충동과 즉흥

머리말

우리의 몸은 200개의 뼈와 600개가 넘는 근육, 100개가 넘는 관절로 이루어져 있다. 이것을 유기적으로 동시에 움직인다. 로봇이라면 엄청난 매커니즘으로 설계되어야 하는 이 복잡한 행위를 자연스럽게 할 수 있다. 태어난 그 순간부터 몸을 이렇게 자유롭게 움직일 수 있었을까. 일어나 걷기까지 수많은 시행착오가 있었다. 이를 반복하며 점점 몸을 바로 세우고 힘을 쓰기 위한 구조를 찾았다. 아무도 가르쳐주지 않았는데 어떻게 일어나 걸었을까.

움직임은 본능이다. 사실 모든 답은 이미 우리 안에 있다. 그러나 우리는 종종 배워야만 알 수 있다는 착각에 빠진다. 그것은 목적보다 목표를 우선하며 살아왔기 때문이다. 빠르게 성취하고자 타인의 답에 의존하며 살아왔기 때문이다. 답을 찾는 방법은 사실 대단한 것이 아니다. 그저 차근차근 시행착오를 돌아보면 알 수 있다. 복잡한 사색 끝에 단순한 진리 하나를 깨닫는다. 그것은 분명 최초에 내가 이미 알고 있던 답이다. 하지만 이 과정을 반복하는 사이 그것은 다른 무게로 내 안에 자리 잡게 된다. 익숙했던 진리가 다시 태어나 새로운 가치로 전환된다.

고전주의 극작가 쉴러는 졸렬한 예술가는 소재를 보여주고 평범한 예술가는 자신을 보여주며 위대한 예술가는 우리에게 대상을 보여준다고 했다. 이 말은 졸렬한 예술가는 현상과 소재를 재현하는 예술을 하고 위대한 예술가는 세상과 시대를 빗대어 일깨우는 전환적 가치를 담는다는 말이다. 누구나 처음에는 모방과 재현부터 한다. 그러나 흉내에 그치지 않고 곱씹어 본질. 기본이 되는 이치와 원리를 깨닫게 된 사람은 익숙하고 사소한 것도 의미 있게 만든다. 흥미롭고 자극적인 소재부터 관념을 뒤짚는 메시지까지. 관객 수준에 상관없이 모두에게 울림을 주는 예술을 한다. 위대한 예술가는 은유와 비유를 통해 세상을 일깨우는 전환의 안내자다. 그렇다면 배우는 어떤 예술을 해야하는가. 무엇을 어떻게 전환할 것인가.

배우는 온몸으로 연기를 한다. 움직임은 화술로 드러난다. 몸을 통제하고 반응할 수 있다는 자신감은 에너지가 된다. 그 어떤 상황에서도 몰입할 수 있다. 이것이 배우가 움직임을 탐구하는 이유다. 그렇다면 당신은 어떠한가. 당신은 어떤 수준에 머물고 있는가. 뻔히 보이는 특징을 그대로 따라 하는 것만으로도 어색하고 벅차지 않은가. 누군가는 나보다 활력 넘치고 여유롭게 연기하는데 나는 왜 그조차 어려울까. 모두가 똑같이 스스로 일어서 걷고 움직여 살아왔는데 어째서 이런 차이가 생겨난 것일까. 이 문제에 대한 답을 찾기 위해서 우리는 체화된 모든 습관과 경험을 돌아보아야 한다. 몸의 구조와 원리를 돌아보고 굳어버린 몸을 깨워야 한다. 그래야 필요한 만큼 무너뜨리고 원하는 대로 다시 세울 수 있다.

사람들은 막연하게 행동한다. 앉고, 서고, 걷고, 뛰고 단순히 살아가기 위한 움직임이 반복되다 습관이 생긴다. 자신이 어떤 자세로 어떻게 움직이며 살고 있는지, 왜 그렇게 하고 있는지 의문을 품지 않는다. 사는데 별문제가 없으니까. 몸에 이상이 생기면 그제서야 돌아본다. 잘못된 움직임을 교정하고 통제하려면 먼저 온전히 몸을 의식해야 한다. 의식하지 않으면 변할 수 없다. 무의식에 머물던 것을 의식으로 끄집어내 전환하는 순간이 바로 운명의 순간이다. 운명을 바꾸기 위해서는 당연하다고 여겨온 것들을 전부 다시 들여다봐야 한다.

사람은 자신의 현재 상태와 수준에서 의식할 수 있는 것만 받아들인다. 그래서 보고 싶은 것만 보고, 듣고 싶은 것만 듣고 믿고 싶은 것만 믿는다. 때문에 입문자들 수준에서 궁금해하고 모르는 것들은 전문가들이 잘 설명해주지 않는다. 아니, 못한다. 정작 전문가들에게 이런 것은 너무 쉽다고 여겨지거나 당연시되어 오히려 미지의 영역에 남아았다. 전문가들이 제대로 모르고 있는 경우도 허다하다. 그들은 오래전 입문하여 효율적이고 체계적인 시스템을 통해 성장했다. 그러다 보니 자신의 성취가 어떤 세부 과정을 거쳐 이루어졌는지 알지 못한다. 그런 이들이 누군가를 지도할 때면 '열심히 하다보면 된다.' 라는 말들만 늘어놓기도 한다. 물론 하다보면 되겠지. 하지만 그게 대체 언제란 말인가. 그들은 둔재의 심정을 모른다. 그들은 평범한 우리와 달리 뛰어난 감각과 재능으로 단계를 뛰어넘었다. 그러니 직접 보여줄 수는 있으나 가르칠 수가 없다. 뛰어난 선수가 반드시 뛰어난 지도자가 되는 것이 아니다. 이 책은 그런 문제의식에서 출발했다.

안타깝게도 시중에 판매되는 대부분의 책들은 특정 메소드를 다룬 세부적인 내용만 있거나 지나치게 알아듣기 어려운 전문적인 용어와 기술 분야만을 논하고 있다. 이런 책들은 처음 배우의 길을 들어서는 평범한 사람에게는 막막하고 답답할 뿐이다. 이 책은 입문자를 위한 길라잡이다. 최대한 학술적 용어보다 누구나 알아들을 수 있도록 직관적인 표현을 하고자 했다. 쉽게 풀어 쓰려고 했으나 정말 쉽지 않았다. 삽화나 사진을 첨부하고 싶었으나 여의치않아 최대한 글로 풀어 적었다. 여전히 난해하거나 개선했으면 하는 부분은 귀담아듣고 추후 개정판에 반영하도록 하겠다. 이 책이 당신을 깨우는 작은 울림이 되길 소망한다.

제 1 장

직 립

．．．．．．

"움직임은 본능이다."

 모든 생명체는 스스로 몸을 움직이고 다스릴 줄 안다. 누가 가르쳐주지 않아도 스스로 반문하고 도전하며 반복하여 깨닫는다. 이처럼 움직임은 본능이다. 생존하기 위해 간절히 갈망하며 움직였던 욕망의 결과다. 이러한 움직임이 반복되고 숙달되고 자동화되었다. 결국 체화된 결과만을 남겨오면서 과정을 잊어버렸다. 그렇다면 다시 돌아보자. 어떤 단계를 거쳤기에 그것이 가능했는지. 돌아보면 움직임의 원리를 발견할 수 있다.

인간은 왜 두 발로 걷기를 선택했을까?

 동물들은 네발로 걷는다. 덕분에 복부를 바닥으로 향하게 하여 내장을 보호한다. 네 개의 기둥으로 책상처럼 지면을 딛고 설 수 있다. 척추는 상체와 하체를 연결하고 지지한다. 단면으로 연결되어 있다. 사족보행을 하는 동물은 척추가 수평으로 누워있다. 단면으로 연결되었어도 힘을 쓰기 위한 안정적인 구조가 갖춰져 있다. 그렇다면 인간은 어떠한가. 인간의 척추는 단면이어도 수직으로 서 있다. 불안정한 두 발로 서기를 선택했다. 왜 그랬을까? 사실 인간은 자연에 어울리지 않는 존재다. 동물처럼 날카로운 발톱도 이빨도 없으며 햇빛과 추위를 이겨낼 털도 없다. 인간이 직립을 선택한 것은 살아남기 위함이었다. 척박한 자연환경 속에서 맨몸으로 살아남기 위해서. 두 손의 자유를 선택했다. 바로 도구를 창조하기 위해서 직립을 선택했다. 창조하는 능력을 통해 인간은 만물의 영장이 되었다. 하지만 하나를 쥐려면 하나를 놓아야 하는 법. 사지의 자유를 얻은 인간은 무엇을 잃었을까. 바로 힘을 쓰기 위한 이상적인 구조를 잃었다. 네 발로 바닥을 책상처럼 지지하고 있는 동물들과 달리 인간은 두 발로 불안정한 구조를 유지하며 살고 있다. 그만큼 유약하며 아픈 곳도 많다. 그럼 어떻게 해야 아프지 않고 움직일 수 있을까. 어떻게 해야 직립상태에서도 제대로 힘을 쓸 수 있을까? 이것이 바로 활기찬 배우의 몸을 만드는 방법이다.

1. 숨쉬기

아기는 어떻게 걸음을 익혔을까?

우리는 누구나 아기였다. 양수를 컥컥 내뱉으며 첫 숨을 내쉰다. 낯선 감각에 두려워 엉엉 울다가 지쳐 잠이 든다. 가쁜 숨을 천천히 몰아쉰다.

숨을 쉰다. 이것이 직립의 첫 번째 요령이다. 아기는 양수에서 헤엄치며 웅크리고 있었다. 팔다리는 약하고 마음대로 가눌 수도 없다. 갓 태어난 아기에겐 숨 쉬는 것만이 유일한 운동이다.

숨은 누구나 쉬고 있다. 그러나 올바르게 숨 쉬는 사람은 많지 않다. 왜 그럴까. 숨 가쁘게 살아왔기 때문이다. 그저 살아야 하니 숨을 쉴 뿐 어떻게 숨을 쉬어야 하는지 잊어버렸다. 아기의 호흡을 떠올려보자. 그것이 올바른 숨쉬기다.

아기의 숨쉬기는 어떻게 다를까?

몸의 뒷면으로 척추가 지나고 앞면은 소화기관을 비롯한 내장들이 자리 잡고 있다. 우리의 척추는 단면으로 상하체를 연결하고 지지하고 있다. 단면으로 연결되어 있는데 수직으로 세워 직립하니 불안정할 수밖에 없다. 양면으로 연결되어야 안정적이다.그러나 몸의 앞면은 뼈가 없다. 장기가 자리하기 위해 비어있다. 어떻게 해야 양면으로 연결할 수 있을까.

우리 몸처럼 길다란 풍선에 살짝 바람이 빠져있다고 해보자. 그 풍선의 가운데를 잡고 움켜쥐었다. 어떻게 될까. 위아래로 팽팽하게 뻗어나가며 부풀어 오를 것이다. 몸도 마찬가지다. 이것이 몸을 바로 세우는 첫 단추가 된다. 다시말해 몸의 앞면. 뼈가 없는 복부에 복강내압을 만들어야 한다.

잠이 든 아기의 배와 허리를 보라. 아기의 배는 호흡을 들이마실 때 앞뒤 좌우로 깊고 크게 부풀어 오른다. 이렇게 호흡하며 안쪽 깊숙하게 자리 잡은 근육들을 자극하고 키워나간다. 호흡을 통해 갈비뼈가 들썩여 횡격막 활성도가 높이고 심부코어근육이 발달한다. 이를 이용하여 다리 올리기, 뒤짚기, 기어다니기, 일어서기를 한다. 아기의 이런 호흡을 복식호흡이라 한다. 아기는 복식호흡을 통해 복강내압을 높이고 심부코어근육을 단련했다. 안정적으로 바로 설 수 있는 첫 단추를 꿰었다.

복식호흡이란 무엇일까?

복식호흡을 알려면 일단 흉식과 복식의 차이에 대해 알아야한다. 누워서 다리를 의자에 올리고 가슴 위 흉골에 손을 대보라. 그대로 가슴이 부풀어 오르게 숨을 쉬어보라. 그것이 흉식이다. 사실 흉식과 복식은 명확하게 구분 지을 수 없다. 우리의 몸은 유기적으로 연결되어 개입의 차이로 구분할 뿐이다. 이번엔 배꼽보다 살짝 아래에 손을 얹어보라. 그대로 아랫배까지 부풀어 오르게 숨을 쉬어보라. 그것이 복식이다. 그러나 이것만으로는 횡격막 활성도를 높일 수 없다. 갈비뼈 안쪽까지 공기를 채워서 횡격막을 더 자극할 수 있도록 해야 한다. 횡격막이란 포유류에만 있는 근육막으로 폐와 위 사이에 자리한 근육이다. 횡격막은 복압을 조절한다.

복식호흡은 어떻게 하는걸까?

흔히 복식호흡이라 하면 배가 볼록하게 나오게 하는 호흡이라 생각하는데 그렇지 않다. 갈비뼈가 하강하며 움직이는 호흡이 제대로 된 복식호흡이다. 양손을 갈비뼈 아래쪽에 대고 갈비뼈를 바깥으로 벌어지게끔 천천히 숨을 마셔보자. 한번에 크게 들이마시면 흉식이 더 많이 개입되고, 근육이 경직되어 흉곽의 움직임을 제대로 느낄 수 없다. 천천히 깊게 마셔보자. 만일 갈비뼈가 벌어지는 느낌이 부족하다면 잘못된 호흡 습관과 구부정한 자세로 인해 주변 근육들이 단축되고 굳어버린 것이다. 차근차근 스트레칭과 운동으로 반드시 유연하게 고쳐야 한다. 유연해질수록 더 민감하게 호흡과 심부근육을 인식할 수 있다.

이제 복식호흡을 해보자. 골반과 고관절 (다리가 시작하는 V라인)의 살짝 위쪽(서혜부)에 손을 올려놓고 부풀어 올라오게 호흡해보자. 다음은 양손을 허리 뒤쪽에 얹어놓고 호흡해보자. 이렇게 전후좌우앞뒤가 모두 부풀어 오르게 호흡해야한다. 숨을 내쉬며 갈비뼈가 하강하면 배에 힘이 살짝 들어온다. 올바른 복식호흡은 코어 근육을 자극한다.

지금처럼 의자 위에 다리를 올려놓아도 좋고 바닥에 눕거나 엎드려서 호흡해도 좋다. 접지되는 면이 있어야 압력과 자극을 더 쉽게 느낄 수 있다. 이번에는 숨을 마시면서 바닥을 밀어내고 흡 또는 합 하는 소리와 함께 기합을 넣으면 튕겨 내보자. 바닥이 있어서 확실하게 밀어내거나 튕겨내는 느낌을 알 수 있다. 튕겨내려면 숨을 마셔서 채워 넣는다는 이미지가 아니라 마신 후 짧게 뱉으면서 그 상태를 유지하려고 해보자. 이때 복압을 더 정확하게 인식할 수 있다.

복식호흡을 하면 무엇이 좋을까?

만일 가슴으로 호흡한다면 갈비뼈 안쪽의 압력을 내리기 위해 목 근육이 개입되며 긴장하고 뻣뻣해진다. 갈비뼈가 벌어지는게 아니라 위아래로 들썩거리며 소흉근이 호흡에 가담하여 피로해진다. 당연히 가만히 앉아있을 때조차 안정성을 얻을 수 없다.

복식호흡은 건강한 삶에 필수적이다. 식도는 횡격막을 거쳐 위로 이어진다. 호흡을 제대로 쓸 수 있다면 음식물이 역류하지 않아 식도를 보호할 수 있고, 위아래로 위와 장을 자극하여 소화를 돕고 연동운동을 활발히 한다. 또한 식도가 보호되면 성대를 지킬 수 있고, 폐활량이 커지고 심폐기능이 강화된다. 복압을 활용하면 발성까지 달라지게 할 수 있다. 홀

류한 배우는 자기관리를 철저히 한다. 좋은 작품을 위해 언제나 몸가짐을 바로 하며 최상의 컨디션을 유지하자.

왜 복식호흡을 잘하지 못할까?

그것이 목적보다 목표에 사로잡혀 살아온 모습이다. 격렬하게 빠르게 움직일 때는 어쩔 수 없이 흉식을 사용하게 된다. 그만큼 숨 가쁘게 살아왔다는 증거다. 그저 살아야 하니 숨을 쉴 뿐 어떻게 숨을 쉬어야 할지 돌아보지 못했다. 아기 때는 분명 당연하게 할 줄 알았는데 삶에 떠밀려 바른 호흡의 방법과 가치를 잊어버렸다. 호흡에 맞춰 몸이 변했고 딱딱하게 굳어버렸다. 그래서 돌아보아야 한다. 무의식에 있던 모든 습관을 의식으로 꺼내 살펴보아야 한다.

복식호흡은 아기처럼 편안하게 정적인 자세를 유지해야만 온전히 유지하고 느낄 수 있다. 기울어지면 횡격막이 움츠러들고 다른 근육들이 과하게 개입되어 유지하기 어렵다. 이따금 갑자기 뛰거나 오래 달리다 보면 배가 당기고 아프기도 한데 그것이 복식호흡을 놓쳤기 때문이다. 음식을 먹고 뛰어도 마찬가지다. 소화를 위해 위에 혈액이 모이니 본능적으로 흉식을 사용하게 된다. 그래서 운동 전에는 위를 비우고 천천히 호흡하고 깨워서 운동을 시작해야 한다. 익숙해지면 달리는 중에도 복식호흡을 적당히 개입시키고 산소를 온몸 구석까지 순환시켜 보낼 수 있다.

일단 가볍게 복식호흡에 익숙해지자. 아기처럼 편안하게 누워 천천히 숨 쉬어보자. 복식호흡은 부교감신경을 활성화하여 근육이 이완되고 편안한 상태로 나를 이끈다. 잔잔한 시냇물과 따사로운 햇볕. 풀 내음 가득한 바람의 향기를 들이마시자. 내쉬는 숨에 나를 옭아매는 생각과 감정들을 한데 모아 뿜어내자. 인디언은 말을 타고 한참을 달린 뒤에는 멈추어 달려온 길을 한참 동안 바라본다고 한다. 영혼이 따라오는 시간을 기다려 주기 위해서. 인생은 속도가 아니라 방향이다. 천천히 아주 천천히 숨을 인도하자. 몸 안의 길을 따라 구석구석 쉬어갈 쉼터를. 당신만의 숨터를 내어주라.

2. 뒤척이기

아기에게 세상은 무겁고 답답하다. 뒤척이고 버둥거리다 자세를 바꿔 잡는다. 그러다 세상에 내 마음대로 되는게 하나도 없다는 사실에 좌절한다. 울음을 터트린다. 소리 높여 울다보니 배와 엉덩이가 점점 탄탄해진다. 어느새 아기는 엎드려 있다.

아기의 뒤짚기처럼 자세나 자리를 바꾸기 위해서는 '무게이동'이 있어야 한다. 이 무게이동으로 보여지는 결과가 바로 움직임이다. 무게이동을 알기 위해서는 먼저 우리 몸의 '무게중심'을 알아야 한다. 그렇다면 우리 몸의 무게중심은 어디일까. 우리는 무게중심을 이용해 움직이고 살아가고 있지만 제대로 인식하지 못하는 경우가 대다수다. 안다는 착각에서 벗어나야 한다. 차근차근 돌아보아야 한다.

몸의 무게중심은 어디일까?

먼저 자리에서 일어서보자. 그대로 고개를 앞으로 숙여보라. 넘어지는가. 아니라면 이번엔 양팔을 앞으로 뻗어보라. 넘어지는가. 아니라면 이번엔 골반을 앞으로 내밀어 보라. 종전과 달리 뒤뚱거리는 자신을 느끼게 될 것이다. 지금 느끼는 것처럼 무게중심은 바로 이 부근이다. 상체와 하체가 구분되는 지점. 골반과 엉덩이, 갈비뼈와 배꼽이 자리 잡는 이 부근이 바로 '무게중심'이다. 더 정확한 무게중심은 뒤에서 더 자세히 살펴보자. 모든 움직임은 이 무게중심으로부터 무게이동이 일어나며 시작된다. 어떠한 동작에 과하게 힘이 들거나 불편하다면 무게중심을 어떻게 보조하고 있는지 살펴보자. 아기의 뒤짚기는 이 무게중심을 이용했던 결과다. 아기처럼 누워보자. 방금 배운 무게중심을 버둥거리듯 흔들어보자. 몸이 들썩거린다. 그 느낌을 이용하면 몸을 뒤짚어 진다. 아기처럼 오른쪽으로 왼쪽으로 굴러보자.

3. 기어다니기

뒤짚기에 성공한 아기는 굴러다닌다. 이제 앞을 바라보며 나아가고자 한다. 팔다리를 꿈틀거린다. 팔꿈치로 바닥을 밀어내어 고개를 든다. 양손으로 바닥을 움켜쥐고 도마뱀처럼 기어다닌다.

아기가 기어가기 위해 팔꿈치로 바닥을 밀어내면서 몸을 들어 올렸다. 나아갈 공간을 보아야 하니 고개를 들고 두 팔로 바닥을 밀어 가슴을 열었다. 팔꿈치를 펴고 구조를 완성 시켰다. 힘을 쓰기 위한 구조를 찾고 균형을 유지한다. 그 시작은 고개를 드는 것부터 시작되었다. 왜 고개를 들게 되었을까. 고개를 세우는 것은 어떤 의미일까.

거북목은 왜 고치기 어려울까?

흔히 고개가 앞으로 빠져 기울어진 상태를 거북목이라 부른다.거북목이 지속되면 고개와 어깨를 이어주는 양쪽 승모근이 머리 무게를 받치느라 두꺼워지고, 어깨가 안으로 말리면서 등 근육이 늘어나게 된다. 움츠리게 되니 가슴근육은 짧아진다. 몸을 바로 세우면 짧아진 가슴근육, 축 늘어난 등 근육은 당연히 피로하다 느낀다. 금새 느슨해진 상태로 돌아가고자 한다. 이처럼 거북목을 개선하고자 몸만 곧게 펴서는 안된다. 가동 범위의 한계로 인한 보상작용으로 다른 문제가 생길 뿐이다. 보여지는 일부가 아니라 전체를 보아야 한다. 대부분의 학습자들이 피드백을 들으면 그것만 고치려 한다. 그것만 수정하면 문제가 사라진다는 착각을 한다. 결국 피드백으로 쌓이고 얼룩져 전체 흐름이 뒤틀어진다. 한쪽을 막으면 다른 한쪽이 터져 나온다. 왜 그런 문제가 발생했는지 직접 이유인 인과 간접 이유인 연을 모두 살펴야 한다. 중력에 저항하지 않고 축 늘어져 있고 싶은 본능을 거슬러야 한다. 엄마 뱃속처럼 무중력 상태에 머물고자 한다면 근골은 무너지고 사지는 아기처럼 말랑해진다. 이런 상태로는 아무것도 이룰 수 없다. 인간은 욕망이라는 전차를 타고다니며 이성이 뒤따라와 수습한다고 한다. 본능을 거스르는 것이 좋은 습관이다. 좋은 습관은 당장은 힘들어도 훗날에 더 큰 보상을 주며, 나쁜 습관은 당장은 달콤할 수 있어도 갑자기 감당하지 못할 심각한 문제로 터져버린다. 흐르는 강물을 거슬러 오르는 힘찬 연어처럼 본능을 거슬러 오르자.

거북목이 지속되면 어떤 문제가 생길까?

당연하게도 거북목의 불균형은 아주 많은 문제를 일으킨다. 무거운 머리를 떠받치느라 목덜미가 뭉치고 딱딱해져 아프기 시작하여 두통과 피로가 생긴다. 당연히 능률이 떨어지고, 통증 때문에 예민해져 신경질이 난다. 심해지면 목디스크가 생겨 팔의 저림도 나타나고 불면증이나 어지럼증이 나타나기도 한다.

고개를 바로 세운다면 어떤 효과가 있을까?

거북목 자세로 양팔을 앞으로 들어보자. 어디까지 들어 올릴 수 있는가. 이번엔 턱을 당겨 붙이고 고개를 바르게 세워보자. 마찬가지로 두 팔을 올리고 돌리면서 움직여보라. 차이를 느끼겠는가. 자유롭게 움직일 수 있고 탄탄하게 힘이 들어간다. 힘을 쓸 수 있는 구조가 완성된 것이다. 이처럼 고개, 목뒤의 뼈인 경추를 바로 세우면 두 팔의 움직임에 자유가 생긴다. 더불어 나아갈 곳을 똑바로 바라볼 수 있다. 이것이 인간이 직립을 선택한 이유다. 이처럼 움직임은 효율을 추구하는 본능의 결과다. 인간은 이렇게 진화했다. 고개가 바로 서면 경추에서 흉추로 요추까지 힘이 전달된다. 요추도 바로 서게 된다. 두 팔처럼 두 다리도 더 쉽게 들어 올릴 수 있다. 움직임에 더 큰 자유가 생긴다. 이처럼 바로 세울 줄 알아야 표현에 자유가 생긴다.

거북목 고치려면 어떻게 해야 할까?

거북목을 고치려면 복압의 이해와 더불어 몸의 협응 구조를 이해해야 한다. 우리의 몸은 근육, 인대, 힘줄 등과 그 위를 덮는 근막으로 사슬처럼 얽혀있다. 한 부위를 움직이면 유기적으로 함께 움직인다. 뻣뻣해져 가동성 한계가 생겼는데 동작을 수행하려 하면 몸이 뒤틀려 버린다. 어떻게든 수평 수직의 구조를 맞추려고 전신이 꿈틀댄다. 마치 팔굽혀펴기를 한 개도 제대로 수행할 수 없는데 억지로 수행하라고 하면 온몸을 비틀며 하는 것과 마찬가지다. 거북목으로 경추가 구부러지면 어깨를 수직으로 들어 올릴 수 없다. 이 상태에서 두 팔을 수직으로 들어 올리려면 무릎이 구부러진다. 앞으로 내밀어 균형을 맞추려 든다. 이처럼 한 부위라도 가동성에 한계가 생긴다면 2차적인 자세 변형이 일어난다.

원활하게 움직이려면 먼저 단축된 근육과 구조를 정상으로 되돌려야 한다. 과하게 늘어난 근육은 강화하고 조여야 하며, 짧아진 근육은 풀어주고 늘려야 한다. 거북목 상태가 고착되면 승모근은 무거운 머리를 지탱하기 위해 두꺼워 진다. 등은 과하게 늘어나서 어깨가 안으로 말려 들어온다. 가슴은 쪼그라들어 짧아진다. 부위별로 마사지와 스트레칭. 그리고 장력을 유지하기 위해 강화하는 운동을 해줘야 한다. 거북목 교정에 좋은 맨몸운동에는 팔굽혀펴기가 있다. 스트레칭과 함께 단계별로 정확한 자세로 수행한다면 교정에 효과를 거둘 수 있다. 이는 3장과 4장에서 자세히 언급해두었다.

스트레칭과 더불어 마사지를 해주는 것은 매우 중요하다. 근섬유가 적절한 길이와 장력을 유지하지 못하면 근육이 딱딱하게 뭉쳐버린다. 이러한 부위를 통증유발점. 트리거 포인트라고 부른다. 트리거를 풀어주지 않고 스트레칭을 한다면 트리거의 주변만 늘어나게 된다. 오히려 약해지거나 다른 문제가 생길 수 있다. 꼬인 매듭을 계속 잡아당기면 끊어지는 법이다. 만져보았을 때 그 부위가 달그락거리는 느낌이 들고 통증이 심하다면 그 부위를 꾸준히 풀어주어야 한다. 지압뿐만 아니라 괄사, 마사지볼, 폼롤러를 사용해주면 좋다. 특히 폼롤러는 굴리며 정확하게 인지할 수 없는 트리거 포인트를 포괄적으로 풀어준다. 가장 통증이 심한 부위에서 멈추고 지그시 눌러주면 좋다. 이처럼 잘 풀어준 뒤 스트레칭으로 장력을 정상화하고 운동으로 근육을 강화하자. 무엇이든 한쪽에 치우치는 훈련은 좋지 않다. 유연성에 집착하여 근육이 과하게 늘어나면 안정성이 떨어지고, 근성장에 집착해 근육이 짧아지면 가동성이 떨어진다. 각 관절은 각기 다른 안정성과 가동성을 추구하는데 이것이 제대로 활성화되지 못하면 거북목의 사례처럼 몸이 제 기능을 하지 못하고 망가진다. 얽힌 실타래를 풀 듯 하나씩 천천히 교정해야 한다. 거북목을 교정하기 위한 노력이 직립상태에 어떤 영향을 주고 전신에 어떤 활기를 가져오는지 느껴보자.

4. 무릎으로 기어다니기

아기는 엉덩이를 뒤로 빼고 고양이처럼 두 팔로 몸을 일으켜 세운다. 이제는 허벅지가 아니라 무릎으로 바닥을 쓸고 다닌다. 파충류가 아니라 포유류처럼.

엉덩이 근육이 발달한다면 어떤 도움이 될까?

아기는 이제 파충류가 아닌 포유류처럼 사족보행을 시작했다. 인간은 파충류와 달리 길이나 뼈와 관절의 구조가 다양한 운동범위를 만들어 낼 수 있다. 모든 생물은 자신의 구조에서 더 나은 움직임을 추구한다. 대칭을 이용하여 어떻게든 가장 효율적인 방법을 찾아낸다. 아기도 움직이고 싶은 의지가 반영되어 이러한 움직임을 만들어 냈다. 무릎으로 기면서 아기의 엉덩이 근육은 점점 더 발달한다. 엉덩이는 우리 몸에서 가장 큰 근육에 해당한다. 엉덩이 근육이 탄탄하고 강해진다면 중심이 무너지거나 흔들리지 않는다. 엉덩이는 전체적인 균형과 안정성의 바탕이다. 이는 3장에서 더 자세히 살펴보자.

5. 쪼그려 앉기

아기는 이제 두 발로 일어서고자 한다. 두 손으로 바닥을 밀어 상체를 세우고 다리를 벌려 엉덩이를 바닥에 대고 앉는다. 뒤로 발라당 넘어지다 결국 앉기에 성공한다.

직립을 선택한 인간은 무엇을 얻었을까?

아기는 사족보행을 넘어 직립을 시도한다. 파충류에서 포유류를 지나 이제 영장류가 되고 있다. 앞서 인간이 직립을 선택하게 된 가장 큰 목적은 사지의 자유가 생기기 때문이라고 했다. 두 손이 자유롭다는 것은 도구를 만들 수 있다는 것이다. 그리스 로마신화에서 프로메테우스는 인간에게 불을 주었다. 불은 생각하고 창조할 수 있는 능력을 상징한다. 두 손의 자유는 창조의 도구면서 소통의 도구가 되었다. 손짓으로 의사를 더욱 분명하게 전달하고 소통할 수 있게 되었다. 허리를 세우니 두 다리도 더 크게 움직일 수 있게 되었다. 나무에 올라 열매를 채집하고 멀리까지 내다보며 미래를 그려갔다. 그러나 얻는 것이 있다면 잃는 것도 있는법. 직립을 통해 잃은 것은 무엇일까.

직립을 선택한 인간은 무엇을 잃었을까?

인간은 사지의 자유에 의존하며 전신의 움직임을 대체하기 시작했다. 결국 힘을 쓰기 위한 구조를 잃었다. 바닥에서 올라오는 반동이 머리까지 울리지 않게 하려고 골반은 앞으로 기울어졌다. 덕분에 바닥에서 올라오는 반동을 허리에서 끊어줄 수 있었다. 대신에 사족보행 시절보다 강한 힘을 낼 수 없게 되었다. 두 팔과 다리에 의존하다 보니 더욱 구조의 힘을 이용하지 않게 되었다. 수직으로 몸을 세우고 있으려니 불안정하고 쉽게 휘청거린다.

가동성이 크다는 말은 그만큼 불안정하다는 뜻이다. 가동성이 작다는 말은 그만큼 안정적이라는 뜻이다. 그렇다면 가동성과 안정성을 둘 다 가질 수는 없을까. 직립의 구조는 유지하면서 힘을 쓰는 방법은 없을까. 인간은 가동성과 안정성. 양립하는 두 가지를 모두 갖추기 위해 연구해 왔다. 이것을 테크닉이라고 한다. 테크닉은 양극단의 특성을 적절히 조합하여 가장 효율적이고 이상적인 상태를 찾는 것이다. 아기가 누워서 숨 쉬고 기고 앉기까지도 스스로 테크닉을 연구한 결과다.

당신은 아기처럼 사지가 부드럽고 유연한가. 다리를 벌리고 편안하게 쪼그려 앉을 수 있는가. 불가능하다면 가동성도 안정성도 잃어버린 상태다. 일단 여기서부터 시작해야 한다. 하루에 10분이라도 쪼그려 앉아보자. 뒤꿈치가 바닥에서 떨어진다면 책을 받치거나 기둥을 잡고 앉아보

자. 이렇게 인류의 진화를 역으로 돌아가보면 잃어버렸던 기능들을 회복할 수 있다. 아기는 사족보행을 통해 직립하는 힘을 얻었다. 그렇다면 직립하며 무너진 몸은 어떻게 고칠 수 있을까. 끊어진 구조와 힘은 어떻게 연결할 수 있을까. 필자는 진화과정과 아기의 직립 과정을 돌아보며 이 답을 찾을 수 있다고 했다. 그렇다면 우리가 가장 효율적으로 힘을 되찾는 테크닉은 무엇이고 어떻게 해야할까.

6. 일어서기

아기는 한 손을 떼어본다. 중심을 잃고 휘청. 쿵 하고 넘어진다. 칠전팔기. 아기는 주위를 둘러보고 구석으로 기어간다. 한쪽 벽면에 몸을 기대어 일으켜 세운다.

복압은 직립에 어떤 영향을 줄까?

척추는 단면으로 연결되어 있다. 쉽게 무너지기 쉬운 구조다. 어떻게 해야 수직구조가 탄탄하게 세워질까. 앞서 기다란 풍선의 가운데를 움켜쥐는 것을 예시로 들었다. 풍선 안의 공기가 위아래로 밀려 나가며 팽창되어 서게 된다. 마찬가지다. 상하체의 중간에 움켜쥐는 것처럼 압력을 만들어 내면 된다. 복압을 만들면 척추와 함께 양면으로 힘이 연결된다. 복압이 척추를 밀어내면서 펴주니 더욱 바르고 안정적으로 유지하게 한다. 당연히 부상의 위험도 줄어든다. 복압은 안정적인 직립을 만든다. 이 것이 가동성과 안정성을 모두 갖추는 테크닉이다.

어떻게 복압을 만들어 낼까?

복압은 복강내압의 줄임말이다. 복막에 의해 둘러싸인 배 안의 공간에 공기를 압축하는 것이다. 더 강한 복압을 만들려면 심부코어근육에 해당하는 4가지의 근육을 강화해야 한다. 위로는 횡격막, 아래로는 골반기저근, 뒤에서는 다열근, 앞에서는 복횡근이 사방에서 공기를 눌러주어 복압을 잡는다. 비어있는 공간에는 공기가 들어가 있다. 진공상태에 머무르지 않는다. 복압을 배에 공기를 채워 부풀려 채운다고 인식하는 경우도 있는데 그것은 복압을 인식하기 위한 복식호흡의 단계일 뿐이다. 오히려 공기가 가득 들어차 팽창되면 사방으로 분산된다. 순간 힘을 쓰기는 좋다고 생각될 수 있으나 피부가 터지거나 장기내부에 치명적인 손상을 일으킬 수도 있다. 위로는 뇌혈관에, 아래로는 항문탈장, 뒤로는 디스크에 문제를 일으킬 수도 있다. 올바른 복압에 대해서는 여러 의견이 있지만 필자는 복압은 채우는게 아니라 눌러주어야 한다고 여긴다. 다시 풍선을 떠올려보라. 움켜쥐었기에 위아래로 팽창되며 똑바로 서게 되었다. 마찬가지다. 움켜쥐어야 한다.

횡격막은 들숨에 복압을 만들어 주는 근육이다. 횡격막은 부드럽고 탄력이 있어야 한다. 탄력이 있다면 숨을 쉬는 것도 소리를 내는 것도 수월해진다. 당연히 움직임에도 영향을 준다. 횡격막에 탄력이 생기려면 갈비뼈가 부드럽게 움직일 수 있어야 한다. 이를 위해 전거근과 같은 갈비뼈와 날개뼈 주변 근육의 스트레칭과 복식호흡을 꾸준히 해야 한다. 숨 가쁘게 흉식에 의존해온 몸을 바꾸어야 한다. 흉식이 지나치게 개입되면 어깨가 들썩거린다. 이는 승모근의 지나친 발달과 함께 여러 문제를 일으킨다. 승모근이 약해지면 팔을 들수 없다. 그러나 흉식에 의존하여 거북목이 심해지면 상부 승모근만 발달한다. 어깨도 좁아 보이고 통증과 두통도 생긴다. 중부와 하부 승모근은 점점 약해진다. 어깨가 들썩거리지 않도록 날개뼈를 서로 모아준다는 느낌을 가져보자. 복식호흡의 요령을 떠올려보자. 배가 나오는게 아니라 흉곽이 하강해야 한다고 했다. 갈비뼈가 벌어졌다가 끝까지 닫는다는 느낌으로 숨을 쉬어보자. 갈비뼈가 하강할 때 배에 힘이 들어간다면 잘하고 있다.

골반기저근은 날숨에 복압을 유지하는 근육이다. 장기를 떠받치고 있는 심부근육이다. 항상 내장의 무게를 버티고 있다. 단련하지 않는다면 나이가 들수록 쳐지고 배가 나오게 된다. 앞서 호흡하면 횡격막이 위아래로 움직인다고 했다. 그렇다면 아래로 밀려 내려오는 공기를 다시 아래에서 받쳐주고 끌어올려 줄 수 있어야 한다. 엉덩이 운동은 골반기저근의 발달에 매우 효과적이다. 하체와 고관절 굴곡근, 장요근 등을 강화하고 안정적인 복압을 만들 수 있다. 끌어올리는 느낌은 남자에게는 고환을 끌어올리고 여자에게는 질을 조여주는 느낌이다. 케겔 운동이라 부르는 운동으로도 단련할 수 있다. 바지 지퍼를 끌어올린다는 이미지로 끌어 올려보자. 뭔가 안쪽 깊숙하게 찌릿하고 뻐근한 느낌이 든다면 잘하고 있다. 익숙해지면 이 느낌은 점점 사라지고 탄탄한 압력감만 느껴진다.

복횡근은 골반기저근과 함께 복압을 유지 시켜주는 근육이다. 가로로 덮여 장기가 쏟아지지 않게 잡아준다. 배가 고파서 뱃가죽이 등에 닿는다는 이미지로 끝까지 집어 넣어보자. 너무 깊게 집어넣으면 갈비뼈가 도드라지며 가슴이 올라온다. 더불어 어깨가 안으로 말리려고 한다. 이러면 골반이 후방경사 되어 직립을 유지할 수가 없다. 눌러준다는 느낌만 남기고 과잉되지 않도록 주의하자. 이제 키가 커진다는 느낌으로 앞서 수행한 3가지 심부근육을 인식하면서 동시에 함께 해보자. 단단하게 응축되는 느낌이 드는가. 고귀한 귀족처럼 몸이 바로 서고 에너지가 집중되는가. 그 상태가 복압을 잡은 상태. 올바른 직립이다.

다열근은 척추 깊숙하게 붙어있는 근육이다. 감각적으로 자극을 느끼기는 어렵다. 양손으로 등 쪽 허리를 감싸 쥐고 천천히 복식호흡을 해보자. 눌러주는 부위가 튀어 올라왔다가 가라앉는 느낌을 느껴보라. 잘 느껴지지 않으면 주먹을 쥐고 꾸욱 눌러보라. 마시면서 밀어내고 내쉬면서도 계속 밀어내려고 해보자. 들숨에 더 밀어내려고 해보자. 이 과정 속에서 다열근은 자극받고 복압에 개입하게 된다. 굳이 의식하지 않아도 된다. 이처럼 전후좌우위아래 사방에서 눌러주면 강한 압력이 발생한다. 단면으로 연결되어 있던 척추는 반대쪽에서 눌러주는 복압으로 인해 단단하게 고정된다. 이제 양면으로 몸을 바로 세우니 직립상태에서 힘을 쓰기 위한 구조가 완성되었다.

사실 복압은 자연스럽게 유지되고 있다. 호흡을 마실 때는 횡격막이 아래로 내려가며 호흡을 내쉴 때는 횡격막이 올라간다. 압력을 유지하게 위해 복강의 근육이 조여져 압력을 유지해준다. 그러나 이것은 생존하기 위한 복압이다. 우리가 원하는 것은 그저 숨 쉬는 것이 아니다. 힘을 쓰기 위한 이상적인 구조를 찾기 위함이다. 더 탄탄한 복압을 만들기 위해 심부코어근육을 단련해야 한다.

　이따금 복근이 보이게 힘을 주듯 복직근을 쥐어짜면서 복압으로 착각하는 경우가 있는데 순간 단단하게 만들어 외부 충격에 저항하거나 균형을 유지하기 위함이지 이상적인 직립구조를 유지하는 것과 다르다. 힘을 주면 피로하여 지속할 수가 없다. 다시 상기하자. 우리가 원하는 것은 직립하면서 잃었던 힘의 구조를 되찾는 것이다. 힘을 과하게 쓰면 조금만 어긋나도 뒤틀려 중심이 무너진다. 다치기도 한다. 우리가 구조를 이해하는 것은 역동적인 상황에서 다치지 않고 자유롭게 탄력적으로 움직이기 위함이다. 그것이 온몸으로 연기하는 배우로서 필요한 능력이기 때문이다.

　복압을 잡는 방법에 정답은 없다. 제안한 방법은 필자가 이상적으로 생각하는 하나의 요령에 불과하다. 운동목적과 강도에 따라 다르게 적용해야 한다. 무게를 들고 수직적인 운동을 하는지, 근육의 신장에 집중하여 수평적인 움직임을 하는지 등 상황에 따라 납작하게 만들지 빵빵하게 부풀릴지 다를 수 있다. 예를 들어 대소변을 볼 때는 밀어내야 하니 부풀려서 복압을 만들어야 한다. 횡격막이 복압을 만들어주는 근육이라면 아래 나오는 골반기저근과 복횡근은 복압을 유지시키는 근육이다. 즉, 날숨에 사용되는 근육이 복압을 유지 시켜준다. 호흡을 일정하고 길게 뱉는 연습을 해준다면 더 안정적인 복압을 유지할 수 있다.

올바르게 복압을 잡는다면 그것을 유지한 채로 편안하게 숨 쉬고 말하고 걸을 수 있다. 물론 조금의 피로감이야 있겠지만 오히려 사지의 관절과 근육에 가해지는 부담은 줄어든다. 오래 서있어야 하는 상황에서 복압을 잡는다면 체력소모는 덜하고 위엄과 품격은 덤으로 보여지게 된다. 몸은 마음을 담는 그릇이다. 심동일체. 복압을 잡으면 말투와 표정. 목소리도 이에 맞춰 변화된다. 복압을 잡고 말하고 움직이는 사람의 모습은 진중하고 기품이 넘친다. 아름다운 것이 꼭 좋은 것은 아니지만 아름다운 것은 반드시 좋다.

불안정한 자세는 어떤 문제를 일으킬까?

올바른 직립을 유지하는 것은 아무리 강조해도 지나치지 않다. 거북목처럼 경추가 구부러지고 흉추를 통해 요추가 힘을 전달 받으면 골반이 뒤로 기울어진다. 요추가 먼저 구부러져도 마찬가지다. 이 상태를 골반이 후방경사 되었다고 한다. 골반이 후방경사 되면 거북목이 된다. 허벅지 뒤쪽 햄스트링이 짧아지고 허벅지 안쪽 내전근도 약해지니 걸음에 박차고 나갈 힘이 없다. 발바닥의 중심이 새끼발가락 쪽으로 벌어지면서 발목이 점점 꺾인다. 활력이 없고 터벅터벅 걷게 된다.

인간은 누구나 살짝 골반이 전방경사 되어있다. 덕분에 바닥에서 올라오는 반동은 골반에서 끊어져 머리로 올라오는 충격을 보호할 수 있다. 바른 직립은 척추를 일자로 만드는 것이 아니다. 배를 집어넣어 복압을 잡으면 날개뼈가 모이고 가슴이 살짝 앞으로 올라와 전방경사가 유지된다. 하지만 전방경사가 심하다면 그만큼 꺾인 허리에는 점점 무리가 온다. 허벅지 뒤쪽은 과하게 늘어나 엉덩이 탄력이 줄어들고 반대로 허벅지 앞쪽은 짧아져서 뻣뻣해져 휘청대고 불안정하다. 무엇이든 과하면 좋지 않다.

댄서들은 추구하는 장르의 특성과 캐릭터를 강조하기 위해 전방경사나 후방경사 자세를 지속하기도 한다. 섹시한 캐릭터나 여유롭고 느긋한 움직임을 보이기 위해 극단적으로 활용하는 경우도 있다. 일상에서도 몸을 기울어진 구조에 맞춰 걷고 움직이기도 한다. 발레리나도 턴아웃 자세를 유지하려는 습관이 일상까지 이어져 문제가 생기기도 한다. 장인은 위대하지만 나이가 들면 골병이 든다. 직업병은 필연적이지만 늦출 수는 있다. 오래 업을 이어가려면 대칭구조에 대해 고민하고 유지하려고 애써야 한다. 이는 3장의 대칭과 조화에서 더 자세히 살펴보자.

배우가 바른 자세는 왜 중요할까?

앞서 직립을 통해 두 팔과 두 다리에 자유가 생기며 표현의 자유가 생겼다고 했다. 더 좋은 움직임을 하려면 허벅지부터 종아리까지 내려오는 자세에 대한 감각. 내 몸이 어디에 어떻게 위치하는지 느끼는 감각. 고유수용성 감각을 키워야 한다. 마치 3자 시선으로 보는 것처럼 내 움직임을 인지할 수 있어야 한다. 고유수용성 감각을 키우려면 다양한 운동과 다채로운 동작을 해야 한다. 어떤 역할이든 소화해야 하는 배우는 누구보다 바른 자세로 다양한 움직임과 운동을 통해 건강한 삶을 영위해야 한다.

바른 자세에서 보여지는 이미지와 에너지는 어떠한가. 활력이 넘친다. 안광과 풍격이 다르다. 우리는 왜 이런 모습에 호감을 느낄까. 몸을 바르게 쓰고 사지를 통제하고 있으니 무엇이든 해낼 것 같은 당당한 에너지와 이미지가 전해지기 때문이다. 바른 직립 자세는 힘을 쓰기 위한 구조를 만드는 일. 발성과 발음에도 영향을 준다. 소리도 결국 몸으로 만든다. 듣기 좋은 소리는 바른 자세에서 만들어진다.

배우는 호감 가는 사람이어야 한다. 그래야 관객이 나를 흥미롭게 집중하고 바라본다. 메러비안의 법칙에서는 첫인상을 결정하는 요소가 시각이 55% 청각이 38% 언어가 7%라고 한다. 즉 시각 이미지가 절반 이상을 차지한다. 몸짓을 전해지는 비언어적 표현이 이렇게나 중요하다. 유명한 배우들의 소리와 자세. 분위기를 보라. 그들과 내 모습은 어떻게 다른가. 호감 가는 인간의 특징을 탐색해보자. 그들에게는 반드시 바른 자세. 이상적인 직립이 따라온다. 다시 상기하자. 아름다운 것이 반드시 좋은 것은 아니지만 좋은 것은 항상 아름답다. 아름다운 배우가 되자.

7. 걷기

아기는 벽을 잡고 한걸음 내딛는다. 그러다 휘청. 쿵하고 넘어지기를 수 차례. 다시 한걸음을 내딛고 조심스레 허리를 내민다.

아기는 벽을 잡고 일어서 발을 떼는 것에 익숙해졌다. 그러나 반복한 끝에 엉덩이를 먼저 내미는 방식에 문제가 있음을 깨닫는다. 과정을 반대로 시도한다. 발을 먼저 내딛고 엉덩이를 내민다. 이러면 나아갈 방향과 간격을 정할 수 있고 중심은 연결된 두 지점을 따라오기만 하면 된다. 이것으로 걸음이 수월해졌다. 그러나 이것이 이상적인 걸음일까. 아니다. 이것은 이상적이지 않다. 한 단계 더 나아가야 한다. 이는 2장의 이족보행과 달리기에서 다시 살펴보자.

우리가 아침에 일어나 침대에서 나오자마자 하는 것이 걸음이다. 우리는 걸을 수 있기에 새로운 세상을 마주할 수 있다. 아기가 누워서 뒤집고 구르고 기어다니다 앉고 일어나기까지 이 모든 과정의 목표는 걷기 위해서였다. 이제 앞서 전했던 모든 과정을 복기해보자. 아기라고 생각하고 누워보자. 구조와 원리를 이해했으니 이제 아기의 움직임 구조를 구체적으로 떠올리고 유사하게 재현할 수 있을 것이다. 아기처럼 움직이다 보면 이제는 완전히 잊어버린 아기의 심정까지 헤아릴 수 있을 것이다. 이것은 배우가 인물을 알아가는 과정과 같다. 배우는 관찰을 통해 분석하고 이해, 분해, 재구축하여 인물을 보여준다. 이미 알던 것을 다시 깨닫는 과정이 공부다. 관찰하고 상상하고 몸의 구조와 원리를 아는 만큼 내가 원하는 대로 무너뜨릴 수도 있고 내가 원하는 대로 세울 수도 있다.

일전에 보았던 한 공연이 떠오른다. 공연 내내 감초로 곱추 역할을 했던 배우. 구부정한 자세로 어리숙한 인물을 연기하던 모습이 정말 등이 굽은 사람이 아닌가 싶었다. 커튼콜 때 그가 몸을 바로 세워 품위 있게 인사를 했다. 작품을 위해 고생스러움을 마다하지 않고 과감히 자신을 내던질 수 있는 사람. 사소한 습관부터 걸음걸이까지 온몸을 바꿀 수 있는 사람. 이런 사람에게 반하지 않을 수 있을까. 할 수 있으나 하지 않는다.

그는 몸의 구조와 원리를 알고 있다. 작품을 위해 얼마든지 자신을 내려놓았다. 대중의 한 걸음 앞에서 계도하는 전환의 안내자이며 시대의 리더다. 진짜 배우다. 당신은 어떤 배우가 되고 싶은가. 그러기 위해서 몸을 어떻게 가꾸고 운용해야 하는가.

제 2 장

。

이
족
보
행

．．．．．．

앞서 몸이 구부정하게 말려있으면 힘을 쓸 수 없는 구조가 된다. 그런 자세는 두 팔과 두 다리의 움직임도 자유롭지 못함을 알았다. 몸을 세우지 못하면 다리를 들어 올릴 수 없다. 균형을 잡지 못하니 앞에 내려놓을 수도 없다. 제대로 걷기 위해서는 먼저 제대로 설 줄 알아야 한다. 이를 위해 지금까지 이상적인 수직구조를 살펴보았다. 이제 수평으로 나아가 보자.

1. 뒷꿈치부터 걷기

바르게 걷는다는 것은 어떤 것일까?

발바닥은 크게 앞꿈치와 뒷꿈치로 구분되어 있다. 평발이 아닌 이상 발바닥의 중간은 바닥에 닿지 않으며 발바닥의 앞꿈치와 뒤꿈치만 바닥에 닿는다. 발바닥은 몸의 무게를 안정적으로 떠받치기 위해 이런 아치형 구조로 되어있다. 발바닥의 구조를 더 명확하게 이해하기 위해서는 발바닥의 내재근을 활성화 해보자. 맨발로 수건을 한 장 깔고 발가락으로 꼬집어 당겨보자. 그래야 내재근이 자극받고 강화된다. 맨발로 천천히 걸어보자. 뒤꿈치 끝부터 앞꿈치 끝까지. 마치 선명한 발자취를 남긴다고 생각하고 온전히 무게를 실어 집중해서 디뎌보자. 엄지발가락을 세워서 뒤꿈치가 먼저 바닥에 닿도록 체중을 앞쪽으로 서서히 내려놓으면서 걸어보자. 발바닥의 어디부터 어디까지 어떻게 닿으면서 어떤 구도로 무게가 이동하는가.

엄지발가락이 나머지 발가락보다 더 높이 올라가는 이유는 전경골근이라 부르는 종아리 근육이 사선으로 무릎과 연결되어 있기 때문이다. 이 근육은 엄지발가락을 들어주는 역할을 한다. 덕분에 다리에 장력이 발생하여 단단하게 중심을 유지할 수 있고 발가락이 땅에 끌리지 않는다. 우리의 발은 전경골근으로 인해 새끼발가락이 엄지발가락보다 살짝 쳐진 형태를 띄게 된다. 이런 구조는 발디딤에서 새끼발가락을 먼저 디딘 후 엄지발가락으로 체중이 이동하게 한다.

발바닥에서 무게이동이 어떻게 이루어지는지 다시 살펴보자. 뒷꿈치에서 새끼발가락으로 그리고 다시 엄지발가락으로 이동하면서 삼각형 구도를 이루게 된다. 덕분에 허벅지 안쪽 내전근이 조여진다. 덕분에 두 다리의 힘이 끊어지지 않고 서로 연결된다. 이는 더욱 안정적으로 직립을 유지하게 한다.

엉덩이 근육은 사선으로 안쪽결로 모여있다. 발바닥의 무게중심이 삼각형 구도로 이동하면 사선으로 된 엉덩이 힘을 극대화 할 수 있다. 엉덩이에 힘을 주고 서보면 움푹 들어가는 엉덩이 부위가 있는데 여기가 중둔근이다. 중둔근은 좌우로 흔들거리는 중심을 잡아주는 역할을 한다. 삼각형 구도로 인해 중둔근이 자극받고 활성된다. 보다 안정적으로 걸을 수 있다. 또한 무릎을 펴면서 바닥을 밀어내니 햄스트링에 장력이 생긴다. 고관절이 반응하면서 엉덩이에 자극이 더욱 살아난다. 탄력적으로 바닥을 밀어내게 한다. 보폭을 10센티만 늘려서 걸어보라. 확실하게 엉덩이가 자극과 힘의 연결을 느끼게 된다.

무릎을 펴서 뒷꿈치부터 확실하게 디디며 걸음을 이어나가보자. 종아리 겉근육 (비복근, 가자미근) 이 아닌 송아리 속근육 (장부지굴근, 상지굴근, 후경골근) 까지 자극을 준다. 두 개로 나뉜 종아리뼈를 안정화시키고 혈액순환을 촉진한다. 겉근육은 체중을 지탱하는데 쓰이므로 걷기만 해도 단련이 되지만 속근육은 정확한 자세로 걸음을 이어가야 자극을 받는다.

뒤꿈치부터 걸으면 빠르게 반응할 수 있을까?

점점 속도를 내보자. 가장 느린 걸음을 1이라고 가정하고, 달리기 직전의 빠른 걸음을 10이라고 해보자. 1부터 10까지 서서히 속도를 내보자. 1, 5, 10, 3, 7, 9, 3, 1 등으로 변화를 주면서 기준과 차이를 느껴보자. 이제는 각각의 속도마다 내회전, 외회전하며 방향을 바꿔보자. 어떠한가. 느린 걸은 방향전환에 큰 어려움이 없었지만 빠른 걸음일 때는 방향 전환에 한계가 생긴다. 왜 그럴까. 그것은 구조적 한계 때문이다. 뒤꿈치부터 내딛는 걸음에는 이러한 한계가 있다.

엄지발가락을 발목 쪽으로 끌어당겨 뒤꿈치만 닿게 한 뒤 무릎을 만져보자. 무릎이 어떠한가. 단단하게 관절을 움켜쥐고 고정되어있다. 이 동작을 통상적으로 '플렉스'라 부른다. 족관절 저측굴곡이라는 단어도 있지만 간단하게 플렉스라 부르기로 하자. 플렉스 상태는 이처럼 다리를 단단하게 고정 시킨다. 우리가 걸음을 걸을 때 전경골근을 당겨서 플렉스를 했던 이유는 쓰러지지 않기 위해서였다. 내딛는 동시에 지지대를 단단하게 만들기 위해서였다. 아기가 최초로 직립을 성공하고 발바닥 전체로 내딛은 첫 걸음은 쿵소리와 함께 무너졌다. 그래서 넘어지지 않는 구조를 스스로 만든 것이다. 이는 앞으로 이동하기에는 아주 유용했으나 방향을 전환하기에는 그렇지 않다. 느린 걸음에서는 고정되어 무게이동이 안정적이지만 빨라지는 걸음에서는 고정되는 만큼 탄력이 부족하여 민첩하게 움직일 수 없다. 한계가 생긴다. 그럼 어떻게 해야하는가. 그저 하다보면 가능할까. 그렇지 않다. 가능하도록 구조를 바꾸어야 한다.

2. 앞꿈치부터 걷기

빠르게 방향을 바꾸려면 어떻게 걸어야 할까?

앞서 우리는 뒤꿈치부터 걷기를 통해 플렉스라는 상태와 한계를 알았다. 그렇다면 빠른속도에서도 방향전환을 하려면 어떻게 해야할까. 바로 플렉스의 반대의 상태. 바로 앞꿈치부터 걷는 것으로 해결할 수 있다.

힘을 풀고 발목을 늘어뜨려보자. 그리고 다리를 들어 올려보자. 플렉스 상태와 달리 어디가 구부러지는가. 바로 무릎이다. 무릎이 구부러진다는 것은 단단하게 고정된 상태가 아니라는 뜻이다. 완충의 준비가 되었다는 것을 의미한다. 탄력을 만들 수 있는 구조다. 그대로 다리를 들었다가 툭하고 떨어뜨려 보자. 다리를 뻗어내서는 안된다. 그대로 들었다가 그대로 앞에다 툭하고 내려놓는다. 이 방법은 뒤에서 나올 달리기에서 중요한 구조가 된다. 마치 살금살금 발소리를 내지 않으며 걷는 걸음과 같다. 소리를 내지 않고 걷는 것은 어떤 상황인가. 들키지 않아야 하고 들키면 언제든 달아날 준비가 된 상황이다. 즉, 방향전환을 빠르고 강하게 순식간에 할 수 있어야 한다. 탄력적으로 튀어나갈 수 있는 구조를 갖춰야 한다. 달아나야 하는 상황이 찾아오면 무의식중에 이런 걸음 방식을 떠올리고 행동한다. 하지만 무의식적 반응만으로는 충분하지 않다. 강조해왔듯 왜 그렇게 했는지 돌아보고 이유를 찾아야 한다. 그것이 구조를 이해하는 과정이다. 배우는 필요에 따라 민첩하게 섬세하게 생생하게 표현할 수 있어야 한다. 무엇을 하느냐가 중요한게 아니라 어떻게 하느냐가 더 중요하다. 구조의 이해와 활용이 수준의 차이가 된다.

플렉스와 대비되는 발의 상태. 앞꿈치부터 내딛기 위한 상태. 발목으로 아래로 늘어뜨리고 발가락을 뾰족하게 모아보자. 이 상태를 통상적으로 '포인' 이라한다. 족관절 배측굴곡이라는 단어가 있으나 어려우니 마찬가지로 포인이라 하자. 화살표 모양으로 발모양을 하고 방향을 가리키듯 뻗어나가는 발모양이라 하여 포인이라고 부른다. 포인의 형태를 만드는 게 아니다. 뻗어나가는 방향성이 있어서 그 형태가 갖춰진 것이다. 이따금 포인을 예쁘게 만드는 것에 집착하는 경우가 있는데 그것보다 왜 포인을 해야하는지 알아야 한다. 단지 미적인 목표를 위해서 포인을 해서는 안된다. 뻗어나가는 이 느낌을 알아야 다리를 높게 차고 들어 올릴 수 있다. 걸음을 가볍고 경쾌하게 움직일 수도 있다. 포인이 만들어지는 이유와 그로 인해 얻는 효과를 살펴보자.

포인 상태로 무릎을 만져보라. 어떠한가. 플렉스 상태와 달리 부드럽게 말랑말랑해진다. 무릎이 구부러지기 좋은 상태. 방향 전환이나 가속 등 급격한 움직임 속에서도 반동을 완충시킬 수 있게 된다. 마찬가지로 가장 느린 걸음을 1이라 하고, 가장 빠른 걸음을 10이라 하고 걸어보자. 대부분 느린 속도에서는 앞꿈치부터 내딛는 걸음을 유지할 수 있지만 빠른 속도에서는 다시 뒷꿈치부터 걷고 있는 경우가 많다. 그만큼 체화되지 못했기 때문이다. 일단 앞꿈치부터 걷는 것에 익숙해지자. 포인을 애써 만들지말고 편안하게 발목을 툭 떨어뜨리고 걸어보자.

많은 사람들이 할 줄 안다는 착각에 기본을 가벼이 여긴다. 아는 것과 할줄 아는 것. 할 줄 아는것과 할수 있는 것에는 큰 차이가 있다. 착각에 빠져서 안된다. 기본기는 아무리 해도 부족하다. 한해 두해 반복하다보면 미처 모르던 것이 발견된다. 그것은 이미 내가 알고 있었으나 간과했던 것이기도 하다. 항상 새롭다. 기본기를 다시 알게 될수록 해결되지 않던 문제들도 해결된다. 다채로운 응용과 변화의 요소들도 발견된다. 기본기는 빠르던 느리던 조급하던 여유롭던 어떤 상황에서도 바로 튀어 나올수 있어야 한다. 무의식의 영역에 머물 때까지 반복하여 체화시켜야 한다. 발성과 화술을 신경 쓰며 연기하면 결코 몰입할 수 없다. 몸도 마찬가지다. 지금처럼 필요한 순간에 활용하기 위해 기본을 갈고 닦아야 한다.

걸음은 일상이다. 의지만 갖는다면 금새 앞꿈치로 걷기를 익숙하게 할 수 있다. 연습은 따로 시간이 나서 하는 것도 아니지만 시간을 내서 하는 것도 아니다. 일상에서도 얼마든지 할 수 있다. 의지만 있다면 시도 때도 없이 연습한다. 버스를 타고 이동하든 침대에 누워 잠을 자기 전에도 심상을 통해 훈련할 수 있다. 하루에 5분의 시간을 투자하면 한달에 2시간 30분이다. 낙수물에 바위가 뚫리듯이 가랑비에 옷이 다 젖듯이 그 약간의 차이가 훗날 큰 차이로 벌어진다.

익숙해졌다면 마찬가지로 1-3-9-4-10-5-7-2 이렇게 가속과 감속을 반복하며 갑작스럽게 방향 전환을 해보자. 가속과 감속도 부드럽게 이어지지 않는가. 나아가 스케이트를 타듯 미끄러지며 발걸음을 옮겨보자. 수평구조가 안정되어 더 민첩한 움직임이 가능해진다. 이것이 몸을 잘 쓰는 배우가 연기도 잘하는 이유다. 순간 구조를 이용해 발걸음을 통제할 수 있으니 그만큼 과감하게 움직이고 연기할 수 있다. 긴장과 불안이 없으니 오롯이 상황에 몰입하고 집중할 수 있다.

3. 달리기

맨발로 달리려면 어떻게 디뎌야 할까?

지금까지 1부터 10의 속도로 구분하여 걸어보았다. 그렇다면 10을 넘어가면 어떻게 될까. 경보를 넘어 달려야 한다. 맨발로 뛰어보자. 뒷꿈치가 닿을 수 있는가. 반드시 앞꿈치부터 디딘다. 이처럼 몸은 본능적으로 몸을 보호하고 효율적인 구조를 찾는다.속도가 빨라지면 무게와 속도 및 방향을 제어할 수 있는 구조로 바뀌어야만 한다. 무릎이 쉽게 구부러지는 형태. 앞꿈치부터 떨어지는 포인의 형태로 전환되어야 한다. 이를 위해 몸이 알아서 구조를 변경하였다.

그렇다면 뒤꿈치부터 내딛으며 달리는 것은 완전 불가능할까. 운동장을 달릴 때를 떠올려보라. 뒤꿈치부터 내딛으며 달린다. 운동화를 신었기 때문이다. 운동화의 쿠션을 통해 충격이 줄어들고 연속적으로 발을 옮길 수 있도록 한다. 이렇게 되면 뒤꿈치부터 걷는 걸음처럼 땅을 단단하게 지지하는 구조를 만들게 된다. 근육의 힘을 덜 쓰게 된다. 발가락 땅에 끌리지도 않으니 더 쉽게 오랫동안 달리는 운동을 지속할 수 있다. 하지만 이런 형태의 달리기가 장기적으로 반복되는 것은 좋지 않다. 두 팔과 두 다리의 자유에 의존한 인간이 병을 얻듯 도구의 편의성에 의존하면 마찬가지로 병이 생긴다.

다른 운동이 동반되지 않은 채 이런 형태의 달리기만 지속할 경우 무릎과 허리에 충격이 점점 쌓이게 된다. 신발을 신었기에 발바닥의 내재근도 제대로 활성 되지 못하고 발목의 힘도 기르지 못한다. 무게중심을 잘 잡도록 도와주는 중둔근과 내전근의 발달도 방해받는다. 마라토너들도 몸의 균형을 위해 달리는 훈련만큼이나 다른 근육훈련도 병행한다. 운동화를 신고 무작정 달리는 것은 오히려 좋지 않다. 사람에게든 도구에게든 마찬가지다. 의지하되 의존해서는 안된다.

몸의 원리를 어느 정도 깨닫기 전까지 운동화는 일단 벗어두도록 하자. 맨발을 통해 감각을 깨우고 차후에 필요에 따라 양말과 운동화로 하나씩 감각을 덧칠해가자. 인간이 두 손을 사용하기 위해 직립을 선택했으나 구조의 힘을 잃은 것처럼 도구에 의존하면 깨달을 수가 없다. 맨발에 익숙해지자.

4. 빠르게 달리기

걷기와 달리기는 속도, 보폭, 높이가 달라진다. 달리기를 하면 발의 높이가 높아지기 때문에 발가락이 끌리지 않는다. 걸을 때처럼 발가락을 발목으로 당기는 동작이 필요가 없다. 다만 걸을 때보다 충격이 더 많이 온다. 이 충격을 분산하고 안정시켜야 한다. 이를 위해 달리는 속도에 따라 착지방식이 다르다. 달리기 선수들은 힐스트라이크, 미드풋, 포어풋 등으로 자신의 종목 특성에서 가장 이상적인 착지 방식을 찾아 연구한다.

빠르게 달리려면 어떻게 해야 할까?

걸을 때 새끼발가락에서 엄지발가락으로 삼각형 구도를 이루어 안정적인 걸음을 이어갔다. 엉덩이 근육은 사선으로 척추를 향해 뻗어있다. 마찬가지로 빠르게 달리려면 안쪽으로 스케이트를 타듯 지그재그로 안쪽으로 모아주며 뛰어야 한다. 그래야 힘을 끝까지 활용할 수 있다. 또한 앞으로 기울어진 몸을 유지할 수 있을 만큼 다리를 빨리 교차하도록 해야 한다. 페달을 밟고 자전거를 타듯 굴려야 한다. 더불어 계단을 오르듯 수직으로 무릎이 구부러진 상태를 유지해야 한다. 만일 빨리 나아가고 싶은 욕심이 다리를 앞으로 멀리 뻗어 딛는다면 구조적으로 가속과 감속을 반복하므로 체력소모만 커진다.

빠리 달릴 수 있다는 것은 민첩하게 몸을 움직일 수 있다는 말이다. 이를 위한 네 가지를 명심하자. 첫째, 상체 숙이기. 방향이 잡히면 그 방향으로 상체를 숙여라. 그래야 경사각이 확보되고 무게에 의해 치고 나갈 수 있다. 둘째, 사선밀기. 가장 큰 근육인 엉덩이 대둔근은 사선으로 되어 있다. 약간 사선으로 스케이팅 타듯 뛰어야 한다. 셋째, 몸통회전. 두 팔을 크게 휘둘러 탄력을 만들어내고 추진력을 얻는다. 당연히 몸의 무게가 좌우로 흔들리니 그만큼 제어하기 위한 큰 근육이 더 필요하다. 또한 큰 근육에서 나오는 폭발력도 있다. 넷째, 다리회수. 한 다리가 내려감과 동시에 튀어 올라와야 한다. 무릎을 올리는게 아니라 바닥을 박차고 튀어오르듯 해야한다.

빠르게 달리기 위해 어떤 훈련을 할까?

빠르게 달리기 위한 훈련으로 가장 대표적인 것이 제자리 뛰기다. 다리를 빨리 회수해야 앞으로 빨리 또 내딛을 수 있다. 무릎과 고관절이 바로 신전할 수 있는 구조를 유지해야 한다. 계단 위에 다리를 올려두듯이 무릎을 굽혀서 수직과 수평으로 내딛어야한다. 선수들은 이를 위해 다양한 방식으로 고안된 런닝드릴 훈련을 한다. 발가락도 바닥을 탄력적으로 밀어내야 하니 강화해야 한다. 플렉스 상태로 발가락을 벽에 걸쳐준다. 그리고 벽을 밀어낸다. 엎드린 자세에서도 밀어내보고 두 발로 선 자세에서도 이러한 발가락으로 꼬집어 바닥을 당기고 앞으로 나아가보자. 발바닥의 내재근이 활성화 되어 탄력을 보조하고 더 강한 힘을 낼 수 있게 한다.

왜 자꾸 다리를 멀리 뻗을까?

몸이 본능적으로 착지 안정감을 원하기 때문이다. 앞으로 날아가는 몸의 속도를 잡기 위해서 자꾸 다리를 멀리 뻗게 된다. 모든 테크닉은 본능을 거슬러야 얻을 수 있다. 앞서 언급했듯 다리를 뻗는게 아니라 툭하고 떨어뜨리는 느낌으로 디뎌야 튀어나가는 탄성을 얻게 된다. 일단 제자리에서 감을 잡고 천천히 걸어보면서 이 감각에 익숙해져야 한다. 기울어지며 튀어나갈 때 몸의 중심선이 일자에 가까워질수록 안정적으로 치고나갈 수 있다. 빨리 달리려는 욕심을 내면 다시 다리를 뻗게 된다. 익숙해질때까지 천천히 달리면서 이 방법을 유지해보자.

단거리 선수들은 왜 몸집이 크고 근육질일까?

단거리 선수는 10초 남짓에 근육을 쥐어짜고 에너지 다 써야한다. 시간과 집중도가 중요가 중요하다. 그래서 몸집이 크고 한눈에 보기에도 근육이 많다. 이는 보디빌딩의 훈련과도 같다. 간과 근육에 저장된 글리코겐은 짧은 시간 강도 높은 운동을 할때 탄수화물부터 소비한다. 그러니 탄수화물이 부족해지고, 더 많이 저장하기 위해 근육을 키운다.

5. 오래 달리기

오래달리기를 잘하려면 어떻게 해야 할까?

바닥을 스치듯 수평을 이루며 뛰어야 한다. 순간적인 폭발력으로 내달리는 단거리 달리기와 다르게 장거리 달리기는 지속력을 극대화하기 위한 구조가 필요하다. 걷기와 빠르게 달리기의 중간상태인 오래달리기는 어느 쪽에 치우지지 않고 모든 근육이 충격을 흡수하며 동작을 수행하도록 보조한다. 그 모습은 마치 바닥을 스치듯이 수평으로 내달리는 모습이다. 엄지발가락을 플렉스로 발목 쪽으로 당겨 발이 땅에 끌리지 않도록 유지한다. 그러다 보면 자연스레 뒤꿈치와 앞꿈치의 중간지점부터 바닥에 닿게 된다. 이것을 '미드풋' 이라고 한다.

장거리 선수들은 왜 말랐을까?

장거리선수는 안정적으로 공급되는 에너지를 필요로 한다. 금방 소모되는 탄수화물이 아닌 지방을 이용하기 위한 시스템을 구축해야한다. 일정시간 이상 오래 달리고 나면 그 다음부터는 오히려 더 편해지는걸 느낀다. 이것은 에너지 대사과정이 달라지기 때문이다. 오래 달리면 탄수화물이 아닌 지방을 대사하기 시작한다. 이것이 유산소 운동의 필요성이다. 지방은 우리 몸은 넘치게 많다. 장거리선수들은 굳이 큰 근육을 만들어서 탄수화물을 저장할 필요가 없다. 오히려 근육이 무거우면 순간은 빠를 수 있으나 오래 달리면 결국 부담을 더 주게 된다. 때문에 상체 근육을 키우지 않는다. 에너지 대사에 대해서는 5장에서 다시 살펴보자.

6. 멈추기

힘으로 속도를 제어한다면 지면의 반동을 온몸으로 받아야 한다. 정확하게 빠르게 감속하는 요령을 터득해야 원하는대로 몸을 가눌 수 있다.

조립의 역순은 분해고, 분해의 역순이 조립이다. 직립에서 잃었던 힘을 되찾는 방법도 마찬가지였다. 감속은 가속 요령의 역순이다.

잘 멈추려면 어떤 요령이 필요할까?

달리는 상태를 떠올려 보자. 몸은 앞으로 기울어 있고, 지면을 박찬다. 앞꿈치가 먼저 바닥에 닿는다. 바로 무릎을 구부려 당겨야 하니 살짝 굽혀진 상태를 유지한다. 발을 뻗어내지 않는다. 그대로 툭 하고 떨어뜨려 수직에 가깝게 한다. 튀어 오른 다리를 빠르게 당겨오며 바닥을 박차고 달린다. 마치 계단을 오르는 듯한 모습이다.

조립의 역순이 바로 분해다. 이 구조를 반대로 하면 감속이 된다. 먼저 몸을 뒤로 젖히면 상체의 무게만큼 속도가 줄어든다. 무릎을 펴서 앞으로 내던지고 발바닥 전체를 바닥에 닿도록 한다. 이처럼 지면 반발력을 최대로 활용해야 한다. 이것은 내리막길에서 더욱 효과적이다. 무작정 의지만 갖고 목적을 이루려 하면 힘과 체력만 낭비하게 된다. 시행착오를 통해 결국 깨닫겠지만 너무 오랜 시간을 헤매야 한다. 무작정 따라하거나 부딪혀 깨닫기보다 지금처럼 신체의 구조와 원리를 이해하자. 지금처럼 역순으로 빠르게 요령을 찾아낼 수 있다. 다른 움직임에서도 마찬가지다. 무용수들의 움직임을 살펴보면 이 원리와 요령을 적절히 활용하고 있다.

정리 해보자. 빠르고 효과적으로 멈추려면 첫째, 상체 뒤로 젖히고 둘째, 다리를 앞으로 길게 뻗어서 지면 반발력을 이용해 뒤로 땅을 밀어낸다. 이처럼 거리와 시간을 스스로 조절할 수 있어야 달리기가 쓸모가 있다.

7. 방향 바꾸기

달리는 중에 방향을 바꾸려면 어떻게 해야 할까?

　운전을 하든 달리는 중이든 방향을 바꾸려면 먼저 감속을 해야한다. 그러니 방향전환의 요령도 감속과 마찬가지다. 몸통을 기울여주면 된다. 발은 그에 맞춰 사선으로 밀어준다. 무용수들의 움직임을 잘보라. 그들이 어떻게 방향을 바꾸는지 잘 살펴보라. 찰나의 감속이 있고 회전이 있다. 무대 위에서는 배우는 무용수들처럼 순발력이 있어야 한다. 돌발상황은 언제 어떻게 벌어질지 알 수가 없다. 사람도 상황도 한순간에 달라진다. 유비무환. 미리 대비해야 근심이 없다. 기회는 준비된 자만이 잡는다.

8. 뒤로 걷기

　반드시 빈 공간을 충분히 확보하자. 그리고 천천히 뒤로 걸어보자. 앞으로 걸을 때처럼 편안하고 부드럽게 걸음이 이어지는가. 뒤뚱거리거나 불안하지 않은가. 왜 그럴까. 과연 앞을 보지 못해 그런 것일까. 물론 그런 이유도 있겠지만 몸이 불편하게 움직인다는 것은 구조에 문제가 있다는 뜻이다. 어떤 문제가 있을까.

뒤로 걸을 때 뒤뚱거리는 이유는 무엇일까?

뒤꿈치부터 걷는 방식이 자동화가 되버린 탓이다. 어떤 상황이든 같은 방식으로 걸으려 하기 때문이다. 무릎은 경첩관절이다. 한쪽으로만 구부러진다. 때문에 앞으로 걷는 것과 뒤로 걷는 것은 다른 구조를 만들어야 안정적이다. 앞서 우리는 앞꿈치부터 디뎠을 때 무릎이 굽혀질 수 있고 완충하여 이동을 제어하기 쉽다는 것을 알았다. 뒷걸음질도 앞꿈치부터 디디긴 하였으나 그 다음이 문제다. 무게중심이 앞꿈치에서 뒷꿈치로 이동하며 플렉스 상태가 된다. 플렉스 상태가 되면 무릎이 펴지며 단단하게 고정된다. 뒤로 걸을 때는 연속적인 흐름에 방해가 된다. 부드럽게 이어가려면 플렉스를 만들지 않고 걸어야 한다. 걸음을 옮길 때 뒤꿈치부터 떼어 내딛어보자. 옮기는 걸음마다 발은 바로 포인이 되고 앞꿈치부터 내려놓게 된다. 무릎은 부드럽게 굽혀지고 중심을 잡기 수월해진다. 이렇게 하면 뒤로 걸으며 플렉스 상태는 전혀 나오지 않는다. 바닥을 스치듯 슥슥 선을 그려나가며 수평으로 걸음을 옮길 수 있다. 수평구조로 움직이니 균형잡기가 쉬워진다. 속도를 좀 높여도 수월하게 중심을 잡을 수 있다. 물론 처음에는 이 연결이 어색할 것이다. 뒤꿈치부터 내딛으며 앞으로 걷는 방식이 익숙하기 때문이다. 앞꿈치부터 걷기와 마찬가지로 일상에서 연습하며 반복 숙달시키도록 하자. 이 방식을 몸에 붙이고 나면 어떤 돌발상황에서 유연하게 대처가 가능하다. 만일 상대방의 액션이 과격하여 나를 밀치더라도 몸을 통제할 수 있다는 확신이 있으니 적절히 반응할 수 있다.

숙련된 걸음을 연기에 그대로 사용해도 될까?

　연기할 때 이러한 걸음의 요령을 그대로 사용해서는 안된다. 우리가 드러내고자 하는 인물은 일상 속 누군가다. 무술가나 무용수처럼 훈련받은 사람이 아니다. 그러니 지나치게 안정적인 균형감각과 구조는 오히려 의아함을 불러온다. 사람은 누구나 비범해지고 싶다. 그러나 비범해질수록 평범함에서 멀어진다. 비범해지는 것에 심취한 예술가는 '니들이 예술을 알아?' 라는 헛소리를 하기도 한다. 누구를 위한 예술인가. 무엇을 위해 비범해지고자 했나. 그것을 잊어서는 안된다. 평범한 사람들을 대변하고 그들의 억압된 울분을 해소하게 하려고 시작한 일이 아니었던가. 편향적 사고에 빠져있는 사람들을 계도하고 일깨우고자 작품을 만들지 않았던가. 훌륭한 예술가가 작품으로 전하는 전환적 가치는 무엇인가. 양극단으로 나뉘어 벌어진 간극을 채우는 일이다. 서로를 돌아보게 하는 것이다. 빠르게 너무 멀리 앞서 가버린다면 뒤따르던 사람들은 따라가기를 포기하고 흩어진다. 한 걸음 앞에서 눈높이 맞춰가야 한다. 그들의 관심사를 자극하고 흥미를 끌어야 한다. 웃겨주고 울려주며 함께 걸어야 한다. 그것이 올바른 예술가의 길이다. 시대를 대변하는 선구자이며 리더의 모습이다. 사람은 누구나 자신의 경험과 기준으로 세상을 본다. 강한 사람은 약한 사람의 심정을 알지 못한다. 개구리는 올챙이 시절을 잊는다고 하지 않던가. 비범함에 매료되어 평범함을 잊지말자. 우리가 연기하는 인물들은 현실 속 누군가의 모습이다.

　운동신경이 발달한 사람이라면 자연스럽고 당연하게 뒤꿈치부터 들어 올려 앞꿈치부터 내려놓는다. 경험이 감각을 발달시켜 본능적으로 발현된다. 재능이 넘치는 지도자들이 어설픈 초심자를 지도할 때 간과하는 부분이 이 지점이기도 하다. 훌륭한 선수가 훌륭한 지도자가 되지 못하는 이유도 마찬가지다. 어설프게 알거나 재능으로 단계를 뛰어넘은 자들은 표면적인 일부만 지적하여 연출하려 든다. 제대로 핵심을 짚어 교정하지 못한다. 추상적인 표현만 늘어놓고 답답해한다. 자신을 기준 삼아 쉽게 가늠하고 단정 짓는다. 우월감에 도취되어 과시하고자 함부로 조언과 충고를 하기도 한다. 학습자의 수준과 상태를 파악하지 못한 채 자신의 성장 방식을 고집하며 자신의 진리를 강요한다. 결국 흥미를 잃게 만든다.

사람은 자신이 의식할 수 있는 수준의 것들만 의식한다. 그래서 눈높이 교육이 필요하다. 학습자가 의식할 수 있는 수준에 맞추어 풀어내지 못한다면 원리와 본질을 제대로 모른다는 뜻이다. 학습자가 의식할 수 있는 수준의 예시를 다양하게 들 수 있어야 비로소 안다고 할 수 있다. 아는 것과 할 줄 아는 것, 할 줄 아는 것과 이해시키는 것은 이처럼 다르다. 자신에게 당연했던 것들이 누군가에겐 당연하지 않다. 강한 사람은 약한 사람의 심정을 알지 못한다. 처음이니까 못하는 거고 못하는 것은 당연하다. 기다려줘야 한다. 함부로 재능을 재단하고 단정해서는 안된다. 연구하고 공부하며 정립하는 이유는 결국 재능 없는 자들을 위함이다. 우리는 모두 어설프고 재능이 없다. 그래도 하고 싶으니까 한다. 느리더라도 앞으로 나아가는 수밖에 없다. 기어가더라도 앞으로 나아가면 된다. 걸음마를 배울 때도 그러했다. 당신은 이미 한번 스스로 답을 찾아냈다. 다가가고 싶어서 기었고, 눈을 맞추기 위해 일어섰고, 자유롭게 살고 싶어서 걸었다. 마찬가지로 정말 간절하다면 어떻게든 방법을 찾아낼 것이다.

제 3 장

원리와 요령

・・・・・・

　본능은 생존 욕구다. 이 간절한 욕망이 우리를 일어서고 걷게 만들었다. 인간은 이족직립을 선택하며 사지의 자유가 생겼고 도구를 창조할 능력을 얻었다. 가동성의 자유는 얻었으나 불안정해졌다. 그렇다면 가동성과 안정성. 둘 다 가질수는 없을까. 이러한 욕망의 결과가 테크닉이다. 양극단을 적절히 조화롭게 조합하며 본능을 거슬러야 얻을 수 있는 가치다. 테크닉은 다시 정체성이 된다. 무의식에 새겨져 당연하게 받아들인다. 이처럼 정체성으로 확립된 본능이 바로 무의식이다. 또다시 우리는 다시 본능을 거스르기 위해 의식한다. 이처럼 정체성이 추구하는 이성이 바로 의식이다. 이러한 본능과 이성, 무의식과 이성의 성찰을 통해 인간은 진화하고 성장한다. 앞서 우리는 직립과 이족보행의 과정을 돌아보며 신체 구조와 보행의 원리에 대해 살펴보았다. 우리가 어떤 테크닉을 완성했고 이용했는지 알았다. 그림 그리기로 비유하자면 연필을 어떻게 쥐어야 하는지 왜 그렇게 쥐어야 하는지 살펴보고 선을 그어본 셈이다. 그렇다면 이제 둘 중 하나를 선택할 수 있다. 바로 그림을 그려보거나 연필을 깎아 보는 것. 반드시 무엇이 먼저일 필요는 없다. 일단 그림을 그려보고 연필을 깎아 나가도 좋고, 연필부터 다듬고 그림을 그려도 좋다. 무엇을 먼저 하든 결국 그 경험들은 순환되며 쌓여간다.

3장에서 언급되는 용어들은 보편적으로 통용되는 용어가 아니다. 필자가 적합한 단어로 여기는 것뿐이니 본인이 알고 있는 개념과 혼동하지 않길 바란다. 수학에서 공식을 외워두면 연산이 빨라지는 것처럼 자신만의 방식으로 자신만의 용어로 정의해두어야 바로 행할 수 있다. 사색하며 일지를 쓰고 청소를 하는 이유와 마찬가지다. 정리를 해야 여유 공간이 생긴다. 공간이 생기면 그 자리에 무얼 채우고자 하는지 상상하게 된다. 원리를 깨닫게 된다면 자기만의 기준으로 갈무리하고 통용되는 용어든 자기만의 용어든 반드시 정리해두자. 그래야 빠르게 이해, 분해, 재구축 할 수 있다. 사람들은 자기가 원하는 것만 골라 들으며 한 번에 쉽게 터득할 수 있는 마법의 비법이 따로 있는 것처럼 여긴다. 그런 것은 없다. 각자의 골격이 다르고 경험이 다르듯 각자의 요령도 다르다. 스스로 반문하며 반복해야만 알 수 있다. 완전무결한 원리라 하더라도 스스로 깨달은 것만이 의미가 있다.

1. 균형과 정렬

정렬 상태란 어떤 상태일까?

복압에 집중하여 구조적으로 안정적이고 근육의 힘을 덜 사용할 수는 있지만 피로감은 있다. 그런 의식 없이 편안하게 바로 서보자. 어느 한쪽으로도 기울어지지 않고 직립을 편안하게 유지할 수 있는 이완된 상태.

필자는 이 상태를 정렬이라고 칭한다. 흔히 이완이라고 하면 몸을 느슨하게 힘을 다 풀고 축 늘어져 있는 상태를 떠올리는데 그것이 아니다. 정렬이란 바로 바로 액션과 리액션이 가능한 상태. 바로 내적충동을 오감각을 통해 표현할 수 있는 준비된 상태다. 가지런히 정렬되어 있을 뿐. 힘이 빠진 상태가 아니다.

발을 팔자로 벌리지 말고 골반 너비로 11자로 나란히 평행하게 서보자. 이 상태를 평행이라는 뜻을 가진 '페러럴' 이라고 부른다. 이렇게 하면 자연히 엉덩이는 위로 올라붙은 모양이 되고 허리는 위쪽으로 세워진다. 날개뼈를 모은다는 느낌으로 어깨를 편안하게 내려보자, 고관절을 살짝 바깥쪽으로 벌리며 바로 서면 엉덩이에 살짝 힘이 들어가는 것을 느끼게 된다. 덕분에 팔꿈치와 무릎이 좀 더 편안하게 구부러지게 된다. 이 상태가 움직임을 시작하는 가장 이상적인 구조와 상태다. 이 상태를 좀 더 느껴보자. 두 발로 직립하며 끊어졌던 힘이 서로 연결되어 있다. 힘의 손실이 일어나지 않고 있다. 이 말은 힘이 온몸으로 잘 분배될 수 있음을 의미한다. 힘의 연결, 이동, 분배가 호흡을 통해 척추를 바로 세움으로써 동시에 일어난다. 움직일 준비가 되었다.

우리가 발가락을 들고도 두 발로 서있을 수 있는 이유는 무게중심이 뒤쪽으로 자리 잡고 있기 때문이다. 무게중심은 6대4의 비율로 뒤로 치우쳐 있다. 몸이 약간 앞으로 이동하면 발가락이 몸을 멈추도록 하는 구간이 있는데 거기가 무게중심이다. 이 상태가 항상 유지되어야 한다. 용천혈이라 부르는 발바닥 위치에서 수직 정렬이 맞춰진 상태다. 육상에서는 미드풋이라 하여 고관절과 수직으로 떨어져 기저면과 가장 좋은 접지를 가진 상태를 말한다. 그 상태가 가장 지치지 않고 속도도 적당히 나는 효율이 좋은 달리기를 위한 상태다. 정렬된 상태다. 직립에서도 마찬가지다. 그 상태가 되면 살짝 엉덩이에 긴장이 들어가 있다. 몸을 바로 반응할 수 있도록 준비가 된다.

균형 상태란 어떤 상태일까?

정렬 상태가 무너지면 몸은 넘어지지 않기 위해 균형을 잡는다. 귀에는 평형기관이 있다. 귀가 기울어져 수평이 무너지면 몸은 균형을 잡는다. 사지와 근육이 협응하여 넘어지지 않게 유지하려 든다. 이것이 균형이다. 그렇다면 균형은 안정적인가. 그렇지 않다. 정렬이 아닌 균형 상태로 들어갔다는 것은 그만큼 불안정하다는 뜻이다. 힘이 과하게 개입된다. 달리기에서도 마찬가지였다. 발을 중심보다 멀리 뻗어냈거나 몸이 앞으로 기울어진다면 무너지지는 않는다. 어쩌면 더 폭발적인 힘을 낼 수도 있다. 그러나 편안하지는 않다. 체력소모가 크다.

한 다리를 들고 서보자. 이 상태는 균형인가 정렬인가. 누군가에게는 균형을 잡고 있을 테고 누군가는 두 발로 서있는 것처럼 편안하게 자세를 유지할 수 있다. 편안하다면 그만큼 신체가 잘 발달되어 있다는 것을 뜻한다. 이처럼 균형상태를 마치 정렬 상태처럼 유지할 수 있다면 움직임에 통제권이 생긴다. 균형을 정렬처럼 여길 수 있다면 들어 올린 발을 어디에 어떻게 내려놓을지 결정할 수 있다. 이것이 중심축에 대한 이해다. 적절한 힘의 조합이다. 구조에 대한 이해다. 내적충동을 원하는대로 표현하고자 한다면 신체 훈련을 통해 힘을 키우고 감각을 예민하게 갈고 닦아야 한다. 균형상태를 정렬처럼 편안하게 느끼고 움직일 수 있어야 한다.

2. 대칭과 조화

몸치들은 왜 몸치가 되었을까.

우리가 걸을 때를 다시 떠올려보자. 두 팔과 두 다리가 어떻게 움직이고 있는가. 서로 엇갈려서 반대 방향으로 움직인다. 대칭구조를 이루고 있다. 왜 그럴까. 그래야 안정적이기 때문이다. 중심이 무너진 만큼 반대 방향으로 힘이 작용하고 몸이 대칭을 만들어야만 넘어지지 않고 이동할 수 있다. 어류, 파충류, 포유류 모든 생물체는 이 대칭을 이용하여 몸을 가누고 움직인다. 이것이 조화로운 움직임이다. 그러나 앞서 이야기했듯 영장류인 인간만이 이족보행을 선택하고 진화하면서 힘의 연결이 끊어져 때때로 이 대칭구조를 찾지 못한다. 유독 그런 사람들을 몸치라 부른다. 그것이 이족보행으로 직립을 선택하면서 생긴 비애다. 감각이 뛰어난 사람들은 배우지 않아도 알아서 대칭구조를 빠르게 찾는다. 이런 사람들은 운동신경이 좋다는 평을 받는다.

인간의 몸은 언제나 대칭으로 유지할 수가 없다. 이미 간과 심장이 한쪽에 치우쳐 있으니 횡격막의 구조나 길이가 양쪽으로 균등하지 않다. 흉곽의 형태도 그렇다. 심지어 생활 습관이나 훈련방식, 운동 목표에 따라 서서히 이 대칭구조는 무너지고 삐뚤어진다. 그래서 운동선수나 무용수들도 재활을 하며 교정을 받는다. 항시 완벽한 대칭과 조화로운 몸짓을 이루고자 연구하고 훈련한다. 잘 움직이고자 하는 사람들은 대칭을 통한 협응 구조를 찾는다. 힘의 손실 없이 이용하고자 연구한다.

근골격계 변화보다 신경계 변화가 빠르다. 어린 시절부터 몸을 단련해오지 않았다면 성인이 돼서 골격을 바꾸는 것은 쉽지 않다. 하지만 움직임은 바꿀 수 있다. 움직임이 바뀌면 몸의 구조가 바뀐다. 더 안정적이고 손실 없는 힘의 연결이 가능해진다. 이러한 신경계 변화는 영구적이다. 우리가 수영하고 자전거 타는 법을 익혀두면 오랫동안 하지 않아도 잊지 않는 이유도 이런 이유다. 몸이 기억한다. 근육만 강화하면 나이가 들수록 어쩔 수 없이 기능이 떨어진다. 그러나 구조와 원리를 이해한다면 자신의 현재 수준과 상태에 맞춰 기능을 극대화하여 이용할 수 있다. 은퇴한 운동선수들의 기량이 유지되는 이유도 마찬가지다. 구조와 원리를 이해하고 좋은 움직임 패턴을 익혀야 한다. 그것이 오랫동안 좋은 연기를 할 수 있는 바탕이 된다.

대칭구조를 왜 연구해야할까?

대칭은 크게 점대칭과 선대칭으로 구분할 수 있다. 점대칭은 한 점에서 180도 회전하는 대칭이다. 즉, 꼬는 동작이다. 선대칭은 중심선으로부터 좌우가 균일하게 선으로 그려지는 대칭이다. 즉, 펼쳐지는 동작이다.

선대칭은 중심점으로부터 확장 시켜서 펼치고 휘두르는 움직임이다.

선대칭에서 대칭을 만드는 방법은 간단하다. 한쪽이 밀어내는 만큼 반대쪽에서는 당겨주면 된다. 모든 대칭 움직임은 팔다리가 아닌 중심축에서 시작되어야 한다. 중심축에 맞추어 척추와 갈비뼈, 허리 등의 움직임이 우선되고 거기에 맞춰 팔다리가 대칭을 만들어 내야 한다. 그러나 직립을 통해 두 팔과 다리의 자유를 얻은 인간은 팔과 다리에 의존하는 습관이 남아있다. 팔다리로 움직임을 만들려고 한다. 이 습관을 고쳐야 한다. 조립의 역순이 분해. 분해의 역순이 조립이므로 이족보행을 통해 잃어버린 힘과 구조. 팔다리에 의존하는 움직임은 사족보행을 통해 고칠 수 있다. 이는 4장에서 다시 살펴보자.

점대칭은 경첩관절이 아닌 관절들이 상호작용하며 기교를 만들어내는 동작이다. 이러한 꼬는 동작은 힘을 한 지점으로 모아준다. 공을 던지는 투수의 움직임을 떠올려보자. 투수가 바닥 내딛으며 올라온 힘이 고관절을 회전시키고 골반과 척추, 복근을 거쳐 상체로 전달된다. 이때 글러브를 쥔 팔과 공을 던지는 손이 서로 엇갈려 있고, 그냥 던지는게 아니라 양손이 서로 반대방향으로 꼬듯이 비틀어준다. 내회전과 외회전을 동시에 대칭을 이루고 있다. 그래야 더 강한 힘을 압축하고 폭발시킬 수 있다. 이러한 꼬는 방식이 점대칭이다. 정권을 지르는 무도가도 마찬가지다. 외회전 되어있던 팔꿈치가 내회전 되어 강력한 힘을 내지른다. 이처럼 대칭은 중력가속도와 위치에너지 등을 이용해 타이밍을 맞춰야 이상적이다.

인간의 몸은 평면이 아니다. 그래서 점대칭과 선대칭은 동시에 일어난다. 앞서 살펴봤던 무게중심을 떠올려보자. 올바른 무게중심을 만들려면 몸이 약간 앞으로 이동하면 발가락이 멈추도록 하는 구간이 있는데 거기가 무게중심이라고 했다. 몸을 직립하게 하는 세로축이 척추고 가로축에서는 상체에서 흉곽, 하체에서는 골반이다. 이들 사이에 점을 하나 찍어보자. 그 점에 구슬이 하나 들어있다고 상상해보자. 그 구슬에 사지로 이어지는 선이 연결되어 있고 구슬이 돌아가는 회전에 맞춰서 몸통이 움직이고 팔다리가 그에 맞추어 대칭과 조화를 이룬다고 상상해보자. 안쪽에서의 작은 각도는 바깥쪽에서 큰 각도로 벌어진다. 처음에는 쉽지 않지만 이것이 점대칭과 선대칭을 동시다발적으로 사용하는 요령이 될 수 있다. 순간적으로 그 구슬을 가속 시키면 다음에 나올 압축과 폭발을 이상적으로 사용하는 구조를 만들 수도 있다. 중심에서 뻗어나가 움직인다는 심상은 사지의 흐름을 조화롭게 이끈다. 이것은 하나의 요령이다. 사람마다 키와 뼈의 길이. 장기와 근육의 길이도 모두 다르다. 그만큼 대칭을 맞추기 위한 방법은 매우 다양하다. 정확하게 하나씩 짚어 나가며 교정할 수가 없다. 가장 이상적인 간격과 움직임은 결국 스스로 찾아야 한다. 이런 심상 요령이 있다. 이미지를 느끼고 사지와 연결하면서 스스로 연구하고 탐구하게 한다. 모든 요령은 스스로 만들어내야 한다. 누구도 이게 절대적인 방법이라며 가르쳐줄 수 없다. 반문하고 반복하며 자신만의 길을 찾아야 한다.

몸이 편안한지 정렬 상태를 확인해보자. 어느 한쪽으로 힘이 치우쳐 쓰이거나 부담이 느껴진다면 대칭구조에 문제가 있다는 말이다. 대칭은 진화의 관점에서 보면 당연한 원리다. 어느 정도 스스로 진단하고 교정할 수 있다. 심상과 감각으로도 해결이 되지 않는다면 거울이나 촬영을 통해 문제를 진단해보자. 그래도 부족하다면 전문가를 통해 교정받는 것도 필요하다. 염증이나 파열이 있는건 아닌지. 잘못된 습관으로 근육의 길이가 단축되거나 지나치게 신장된 것은 아닌지 고유수용성 감각에 문제가 있는건 아닌지 천천히 하나씩 찾아 해결해야 한다. 사람마다 장기의 크기도 다르고 습관도 다르다. 비대칭이 없는 사람은 없다. 정도의 차이가 있을 뿐이다.

어깨 비대칭은 어떻게 해결할 수 있을까?

고개를 좌우로 기울여 보자. 한쪽이 불편하다고 느껴지는가. 이번에는 도리도리 돌려보자. 누구나 잘되는 방향이 있고 잘되지 않는 방향이 있다. 분명 잘되지 않는 방향의 어깨가 더 높을 것이다. 어쩌면 어깨가 앞으로 더 나와 있을 것이다. 그것은 어깨가 비대칭 되었다는 뜻이다. 우리의 몸은 언제나 대칭으로 유지할 수가 없다. 골격에 따라 장기의 크기도 다르고 습관이나 운동 목표에 따라 비대칭이 심화된다. 학생들의 경우 쉬는 시간마다 책상 위에 엎드려 한쪽 팔을 배게삼아 쪽잠을 청하고는 하는데. 이런 자세가 비대칭을 더욱 크게 만든다. 거북목도 비대칭 증상이다. 비대칭으로 살아간다면 부상 위험도 커지고 근육도 불균형하게 발달된다. 당연히 보기에도 좋지 않고 점점 심각해져 움직임에 무리를 준다. 습관에 주의하며 꾸준히 수시로 교정하는게 필요하다.

어깨의 비대칭은 사실 어깨와 목의 문제가 아니다. 바로 근막사슬이 연결되어 있는 척추 아래쪽이 돌아가 휘어있기 때문이다. 그러니 목과 어깨를 아무리 스트레칭하고 마사지해도 전혀 효과는 없다. 문제가 경추가 아닌 흉추와 요추이기 때문이다. 이 문제를 해결하려면 내복사근을 풀어주어야 한다. 거북목과 마찬가지로 척추 뒤쪽의 근육이 단축되어 단단해졌고 앞쪽 근육은 늘어나면서 약해졌다. 그러니 내버려 두면 점점 문제가 커진다.

　오른쪽으로 잘 돌아가지 않는다면 앉은 자세에서 오른다리를 구부려 앞으로 기울여 내려놓고 왼다리는 뒤로 마찬가지로 기울여 내려놓는다. 요가에서 인어자세라고 한다. 그 자세에서 양손을 가슴에 대주고 멀리 뻗어나가듯 앞으로 숙여 오른쪽으로 비틀어준다. 이러면 뒤쪽이 당기는데 좌측 내복사근의 후측면 근육을 늘려준 것이다. 이제 다리를 바꾸어준다. 다리는 바뀌었지만 회전방향은 동일하다. 마찬가지로 앞으로 뻗어내듯 비틀어준다. 너무 빨리 비틀어주면 오히려 경추를 꺾어 숙이려는 보상작용이 일어나고 가슴이나 갈비뼈에 힘이 들어가니 크게 포물선 그리듯이 뻗어내야 자극을 제대로 줄 수 있다. 이러면 앞쪽 내복사근에 힘이 들어간다. 이 과정은 늘어난 근육에 저항을 주어 장력을 만들고, 짧아진 근육을 이완시켜 늘려준다. 굳어있는 근육에 갑자기 자극을 주면 쥐가 난다. 천천히 해주도록 하고 쥐가 날것같으면 무리하지 않고 잠시 쉬었다가 다시 시도하자. 이제 고개를 기울여보고 돌려보라. 거울로도 어깨를 확인해보라. 교정된 것이 보이는가. 물론 이는 일시적이다. 하루아침에 교정될 수 없다. 다시 몸은 원래대로 돌아가려고 한다. 비대칭을 완전히 없앨 수는 없다. 정상화하더라도 다시 비대칭은 생겨난다. 그러니 비대칭을 없애는게 아니라 최대한 덜 틀어지도록 노력하며 살아야 한다. 꾸준히 반복하며 최대한 정상화하려고 노력해야한다.

3. 이동과 회전

이동과 회전은 단어만 들어도 떠올릴 수 있다. 당신이 알고 있는 그대로다. 다시 이족보행을 떠올려보자. 두 팔과 다리가 엇갈려가며 대칭을 만들고 빈 공간을 향해 쭉쭉 걸어나갔다. 이것이 이동이다. 그렇다면 방향을 바꾸고자 하면 몸은 어떻게 되는가. 구심축을 두고 돌아간다. 이게 몸통의 회전이다. 사지는 이를 보조한다. 회전은 척추와 관절의 유연성을 향상 시키고 자세를 개선해준다.

회전동작을 잘하려면 어떻게 해야 할까?

보통 몸통의 회전이라고 하면 무작정 제자리에서 비틀어 돌리는 것을 상상하는데 그래서 몸이 중심을 잃고 비틀거리는 것이다. 특히 어떻게든 회전이라는 목표만 달성하고자 팔다리를 어떻게든 휘둘러서 회전하려고 하기 때문이다. 이것이 이족보행을 선택하고 사지의 자유를 얻게 되면서 의존해온 습관이다. 제자리에서 회전하려면 구조가 직립하여 균형을 유지해야 이상적이다. 그래야 구심축이 바로 잡힌다. 팔다리를 먼저 휘두르게 되면 몸통에서 팔다리가 분리된 상태가 되어 힘의 연결이 끊어지게 된다. 구심축도 기울어지고 치우치게 된다. 먼저 몸통을 바르게 회전시키고 팔다리는 이에 보조하며 협응해야 한다. 대칭의 요령과도 같다. 우리의 목적은 하나다. 몸을 바로 세우고 상하체의 힘의 연결을 유지하고 구조와 원리를 이용하는 것. 그로 인해 생기는 활력을 연기에 이용하는 것이다.

회전은 곡선이다. 곡선을 이어가면 원이 된다. 다시 말해 선이 그려져야 한다는 말이다. 어디서 출발하고 어디로 이어가는지 명확하게 인식하고 그려내야 흔들리지 않는다. 그러기 위해서 가장 먼저 구심점을 바로 잡는게 중요하다. 구심점을 단단하게 바로 세우고 고정할 수 있어야 한다. 그래야 곡선이 찌끄러지지 않고끝까지 전달될 수 있다. 바깥으로 나가려고 하는 원심력과 안으로 들어오려고 하는 구심력이 서로 맞물려 평형을 이루어야 한다. 구심점을 중심으로 힘이 맞물려 서로 반대 방향으로 저항해야한다. 이러면 팽팽한 장력이 발생한다. 이것을 한쪽으로 놓아주면 탄력이 생겨 한쪽 방향으로 튀어 나간다. 이 힘을 구심축에서 붙잡아준다. 이에 사지가 보조하여 안정성을 유지한다. 장력을 만들려면 유연성이 아닌 가동성을 위한 훈련을 해주어야 한다. 장력을 만드는 방법은 뒤에서 다시 언급하겠다. 이러한 요령들은 다른 부위의 회전에서도 마찬가지다. 사지는 내회전과 외회전으로 회전하며 몸통과 협응한다.

사지의 협응을 돕는 훈련으로는 막대기를 활용하면 좋다. 막대기는 직선이고 구부러지지 않는다. 팔의 연장선처럼 활용해도 되고, 어깨나 손사이에 끼워서 활용해도 좋다. 부딪히거나 걸리지 않고 끊임없이 움직임을 이어가려면 전신을 크게 이용해서 곡선을 만들어야 한다. 끊어지지 않고 곡선을 이어가기 위해 강구하는 과정에서 중심과 균형, 이동과 회전을 위한 신체능력이 성장한다.

모든 움직임은 천천히 연습해야 한다. 세밀하게 톱니바퀴를 맞추는 것과 같다. 천천히 움직일 수 있다면 빠르게 움직일 때 더 안정적이다. 빠르게 연습한 사람은 결코 천천히 할 수 없다. 순식간에 지나가 스스로 인지하지 못하므로 당연히 교정할 수도 없다. 또한 모든 움직임은 크게 해야 한다. 안에서 작은 각도는 바깥에서 큰 각도가 된다. 크게 학습한 사람은 더 명확하게 이해하고 표현하다. 섬세하게 작게 움직일 수도 있다. 그러나 작게 학습한 사람은 결코 크게 표현할 수 없다. 발성도 마찬가지다. 일정한 기준을 만드는 방법은 똑같다. 무엇이든 과감하게 용기 있게 하자. 타인의 눈총에 움추러 든다면 시간만 낭비하게 된다.타인의 눈총을 즐기고자 무대에 서려고 하지 않았던가. 염려하지마라. 고민하고 노력하는 모든 존재는 아름답다.

회전에 허리가 어떻게 도움을 줄까?

허리의 움직임은 사실 고관절의 움직임이다. 허리가 돌아가면 고관절이 같이 움직인다. 이것을 이해하면 허리의 움직임을 더 쉽게 이해할 수 있다. 두 다리를 어깨너비로 벌리고 발끝을 바깥쪽으로 돌려보자. 편안하게 무릎을 구부리고 왼쪽에서 오른쪽으로 체중을 보낸다. 왼무릎은 펴지고 오른무릎은 계속 구부러진다. 이때 뒤꿈치에서 앞꿈치로 체중이 이동하는 것을 느껴보자.

이번에는 허리를 개입시켜보자. 왼무릎을 펴면서 오른쪽으로 체중을 보낼 때 허리를 함께 돌려보자. 어떠한가. 발바닥에서 밀어내는 힘이 더 부드럽고 명확하게 느껴진다. 몸이 회전하며 구조적으로 더 안정적인 자세가 만들어졌음을 느낀다.

이번에는 고관절을 이용해보자. 오른쪽 고관절은 눌러주고 왼쪽 고관절은 밀어주자. 같은 움직임으로 보일텐데 미묘하게 무게감이 달라짐을 느끼게 된다. 다음은 오른발은 계속 바닥으로 눌러주고, 왼발은 밀어내서 무릎을 펴보자. 서로 저항한다는 느낌이다. 힘의 균형이 서서히 이동하는 쪽으로 천천히 밀려나가도록 해보자. 어떠한가. 허리나 고관절을 움직이려 하지 않았는데 마치 끌려가듯이 자연스럽게 허리가 돌아간다. 발바닥은 바닥에 더 단단하게 고정된다. 구심축이 안정화되었으니 회전은 더 수월하다. 허벅지 안쪽 근육을 서로 조여주면 두 다리가 하나로 연결된 듯 느껴진다. 이것이 허리의 회전이다.

여기서 조금 더 진행해보자. 바닥으로부터 올라오는 힘에 의해 몸이 점점 일어서게 된다. 회전 후에 일어서는 동작이 있다면 이렇게 하면 된다. 그렇다면 일어서지 않고 계속 아래로 눌러주면 어떠할까. 왼다리의 밀어주는 힘과 오른다리의 눌러주는 힘이 계속 맞물리면서 점점 구심점이 압축된다. 그리고 압축되는 힘을 모았다가 놓아보자. 탄성과 함께 몸이 일어서고 휙하고 돌아가는 회전이 이루어다. 점에서 선으로. 직선에서 곡선으로. 이것이 회전의 요령이다. 이 회전 움직임에는 사실 지금까지 살펴보았던 앞으로 언급할 모든 원리와 요령이 포함되어 있다. 이해, 분해, 재구축하기 위해 나눠 살펴볼 뿐 톱니바퀴처럼 모든 원리가 맞물려 있으며 융합되어 동시다발적으로 이루어졌다.

허리회전에 대해 다시 생각해보자. 회전은 두 다리가 붙어있는 고관절 회전이다. 허리 회전만으로는 지면의 힘을 끌어올려서 압축시키고 폭발시킬 수가 없다. 두 다리가 바닥을 밀어내고 눌러주면서 압축되고 고관절이 돌아가면서 허리가 돌아가게 된 것이다. 결국 무게이동이 있었기에 가능했다. 그러니 회전을 이해하려면 무게이동을 알아야 한다. 이동과 회전 사이에는 시간차가 생기게 되는데 이 시간차가 너무 길면 힘이 끊어지고 너무 짧으면 중심이 빠르게 위로 떠버리면서 일어서게 되고 힘이 부족하게 된다. 그래서 이 간격을 맞추는 연습을 해야한다. 이처럼 아는 것과 행하는 것 사이에는 이만큼이나 간극이 있다.

회전할 때 흉곽이 어떻게 도움을 줄까?

허리가 회전하면 팔다리는 어떻게 되는가. 덜렁거리지 않게 끝까지 뻗어내어 대칭을 만들어 보조 해야한다. 그러나 다들 회전을 하려고 하면 팔을 휘둘러 돌리려고 한다. 이족보행에서 얻은 팔의 자유 때문에 모든 움직임을 팔에 의존하여 해결하려 든다. 팔을 휘둘러 돌리면 원심력에 치우치게 되니 구심축은 불안정하고 바깥쪽으로 비틀거리게 된다. 구조가 무너진다. 어떻게 보조해야할까.

먼저 구조부터 살펴보자. 척추는 경추, 흉추, 요추로 구분하며 팔은 경추와 흉추 사이 부근에서 시작된다. 흔히 팔을 휘두른다고 하면 어깨를 움직인다고 생각하는데 어깨는 날개뼈라 하는 그릇에 들어가 있는 구조처럼 되어있다. 때문에 어깨만 들어올리려고 하면 가동범위에 한계가 있고, 무리하면 극상극이라 불리는 근육이 견봉에 찝혀 통증이 생기기도 한다. 가동범위는 어깨가 아니라 날개뼈가 움직여서 각도를 만들어 주어야 한다. 그럼 이 날개뼈는 어디와 연결되어 있는가. 갈비뼈와 붙어 있다.

전거근이라 불리는 근육을 통해 어깨의 회전을 보조한다. 그렇다면 팔을 제대로 움직이려면 어디부터 움직여야 할까. 바로 갈비뼈다. 갈비뼈는 흉추에 양옆으로 양동이처럼 매달려 몸의 안정성과 가동성을 만들어준다. 갈비뼈를 회전시킨다는 이미지로 움직여보라. 팔의 힘을 사용하지 않고 팔을 뻗어낼 수 있다. 이 갈비뼈 움직임에 맞춰서 팔을 협응시켜보자. 날개뼈를 벌리고 눌러 손끝까지 팔을 장력을 만들어서 뻗어 내보자. 장력은 서로 반대방향으로 작용하는 힘이라고 했다. 뻗어내고 당겨준다. 눌러주고 밀어준다. 이러한 대칭과 조화, 정렬과 균형이 완성되면 힘이 끊어지거나 무너지지 않고 끝까지 전달된다. 이상적인 구조와 흐름을 만들면 팔의 모습도 아름다워 보인다.

회전할 때 시선은 어떻게 해야 할까?

회전의 정도에 따라 시선 처리는 달라진다. 통상적으로 4분의 3바퀴까지는 시선이 먼저가고 몸이 따라가는 식으로 반응하면 된다. 그러나 4분의 4바퀴. 한 바퀴가 되면 달라진다. 어지러움을 느낀다. 발레리나들이 회전할 때 시선을 정면을 주시하고 고개만 빠르게 획하고 돌리는 모습을 본적이 있는가. 그 모습이 1바퀴 또는 그 이상 회전을 할 때 필요한 시선 처리다. 흔히 '스팟' 이라고 부른다. 스팟. 즉, 점을 찍고 점을 계속 바라보게 한다. 고개가 가장 늦게 출발해서 가장 빠르게 돌아와 정면을 계속 응시하게끔 만든다. 물론 회전할 때마다 꼭 이렇게 시선을 처리해야 하는 것은 아니다. 목표로 하는 움직임의 특성에 맞추어 활용하면 된다. 시선이 잘 돌아가지 않는다면 앞서 대칭과 조화에서 언급한 고개 비대칭 교정법을 참고해보자.

4. 압축과 폭발

압축과 폭발은 가장 원초적인 원리에서 시작되었다. 바로 호흡이다. 들숨과 날숨의 원리와 같다. 발성의 원리를 떠올려보자. 복식호흡을 통해 복압을 만들고 후두를 접지시켜 압력을 만든다. 그리고 하품하듯 열며 소리를 내면 울리는 소리가 난다. 압력을 만들고 폭발시켰기 때문에 사방으로 퍼지는 울림이 생긴다. 이것을 공명이라 한다. 몸도 마찬가지다. 압력을 만드는 구조를 만들면 된다. 어떻게 하는가. 계속해서 언급했던 가동성과 장력을 만들어 내면 된다. 서로 반대 방향으로 저항하는 힘. 구심력과 원심력이 맞물리며 만들어지면 장력이 생기고 그 지점에 힘이 압축된다. 그 힘을 한쪽 방향으로 폭발시키면 탄력이 생긴다. 빠르게 강하게 뻗어나간다.

압력은 어떤 상태에서 만들어 낼까?

활을 떠올려보자. 활대는 구부러져 탄성을 받아내기 좋은 구조로 되어 있다. 활시위는 팽팽하게 위아래로 잡아당겨져 있다. 화살을 멀리 쏘아 보내기 위해 중앙의 한 지점에 손을 꼬집어 당겨준다. 이것이 압축이다. 구조가 흔들리지 않게 유지하면서 활시위를 놓아준다. 그럼 화살은 탄력에 의해 튕겨 나간다. 활대가 구조를 잡고 흔들리지 않았다면 원하는 방향으로 그대로 힘의 손실 없이 쏘아 보내진다. 더 강한 화살을 날리려면 어떻게 해야할까. 어떤 상태의 활시위가 더 멀리 강한 힘을 내게 할까. 위아래로 더욱 강하게 팽팽하게 당겨져 있어야 한다. 마찬가지다. 가장 이상적인 압축은 바른 직립에서 온다. 하체는 땅으로 눌러주고, 상체는 하늘로 뻗어내어 서로 당기듯 저항해보자. 장력이 발생한다. 단순히 세운다는 느낌 이상으로 서로 잡아당겨 늘린다고 느껴야 한다. 이제 더 강한 압축을 만들 수 있는 구조가 되었다. 활대가 만드는게 장력이라면 활 시위를 당기는게 압축이다. 그리고 놓아줄 때 생기는 힘이 복원력, 탄력이다. 무슨 동작이든 활대와 활시위를 떠올려 적용해보자. 팔다리의 움직임도 마찬가지로 활대와 활시위처럼 대입하면 장력을 만들고 접고 펴면서 탄력을 이용하여 움직일 수 있다. 허리를 펴고 몸을 앞으로 숙이면 허벅지 뒤쪽에 장력이 생긴다. 무릎을 구부리면 탄력에 의해 몸이 튀어 올라온다. 팔을 뻗어내고 장력을 만든다. 팔꿈치를 구부리면 탄력이 만들어져 팔꿈치가 회전한다.

　다리를 벌리고 무릎을 굽혀 기마자세를 해보자. 그리고 회전과정을 다시 복습해보자. 복압과 직립의 원리를 떠올리며 복강내압을 유지하자. 턱을 들어서 경추를 세우지말고 턱을 당겨서 경추를 세워야 한다. 그렇게 되면 지면에서 몸을 타고 올라가려고 하는 힘을 경추가 눌러서 그 사이에 있는 몸통에 압력이 생긴다. 지나치게 턱을 당기면 또 구부러져서 힘의 연결이 끊어진다. 압축이 되는 딱 적당한 상태를 찾아야한다. 결국 경추의 기울기가 요추에서도 평행하게 이루어져야 압력이 제대로 반영된다. 이것을 반영하면 자세가 높든 낮든 고관절과 무릎의 각도가 같아진다. 엇각이니까. 각도가 같으면 버티는 힘이 비슷해진다. 즉, 당기는 힘과 펴는 힘을 공존시키며 엇비슷하게 균형을 유지하고 있는 상태. 이게 압축의 상태다. 구조와 움직임이 맞물려서 생기는 힘. 이 압력 구조를 누가 더 잘 만드느냐에 따라 수준이 나뉜다. 이것이 다음에 나올 무게와 관성의 요령이기도 하다. 압축하고 터트리면서 생기는 폭발을 이용하면 안정적이고 자연스러운 움직임이 만들어진다. 다시 말해 몸통의 압력을 어떻게 만들고 분배시키느냐. 그 조화에 따라 수준 차이가 생긴다.

무용수들이 턴하는 모습을 보라. 압축을 폭발시킬 때 눌려서 살짝 돌아갔던 허리가 반대쪽으로 탄력을 받고 관성을 이용해 끝까지 힘을 보내준다. 아름다운 턴이 완성된다. 복싱선수들이 주먹을 뻗는 것을 보라. 팔이 외회전에서 내회전으로 전환되는 순간 힘이 폭발한다. 모든 동작이 마찬가지다. 막연히 힘을 써서 동작을 수행하면 방향성이 한쪽으로 쏠린다. 결국 근육의 힘이 지나치게 개입되고 뻣뻣해져 균형이 무너진다. 그러나 압력을 쓰게 되면 모였던 힘이 사방으로 퍼지기 때문에 중심을 잡기 용이하다. 불필요한 궤적을 그리지 않고 짧은 간격 안에서도 제대로 힘차게 운용할 수 있다는 장점도 있다. 이처럼 동작을 막연히 흉내 내지 말고 원리를 이용해야 한다. 모든 동작에 이 원리를 적용해보자. 정확한 타이밍에 압축된 힘을 폭발시켜보자.

5. 무게와 관성

부드럽게 움직이려면 어떻게 해야 할까?

관성이란 움직인 물체는 계속 움직이려 하고, 정지한 물체는 계속 정지하려고 하는 성질이다. 이를 이해하려면 무게부터 돌아보아야 한다. 야구공과 볼링공이 있다고 하자. 야구공은 가볍고, 볼링공은 무겁다. 평평

한 잔디밭에서 야구공을 굴려보면 어떨까. 이리저리 튀다가 멈춘다. 볼링공은 어떨까. 흔들리지 않고 속도나 방향이 일정하게 계속 나아가다가 멈출 것이다. 이런 차이는 왜 일어나는가. 바로 관성의 차이다. 즉, 무게가 관성이 된다. 그렇다면 우리의 몸은 시시각각 무거워질 수 있는가. 그럴 수 없다. 하지만 무거워진 것처럼 움직일 수는 있다. 구조를 만들면 관성을 이용할 수 있다는 말이다. 힘을 쓰는 구조를 만든다는 것은 속도와 방향이 일정하게 움직이는 구조를 만든다는 말이다. 구조를 정확하게 만들면 일정하게 흐름을 이어 나가며 움직일 수 있다. 정확한 타이밍에 압축하여 튕겨 나가거나 비틀거리지 않고 버틸 수 있다.

압축을 통해 모인 힘이 폭발하며 사방으로 퍼진다. 그래서 근육의 힘을 쓰지 않고 중심을 잡기가 수월해진다고 했다. 이 힘을 퍼트리지 않고 원하는 방향으로 적절하게 내보내면 어떨까. 원하는 이상적인 움직임이 된다. 지나치게 강하게 내보내면 직선으로 튀어 나간다. 부드럽게 이완시키며 전하면 곡선으로 이어진다. 코너를 도는 자동차를 떠올려보라. 강한 탄력에는 그만큼 반동이 있다. 반동을 제어하려면 찰나에 이완시켜 감속시켜야 한다. 이완은 느슨하게 힘을 풀어 버리는 게 아니다. 중립과 정렬. 즉, 움직이기 위한 최적의 상태를 갖추는 것이다. 무게와 관성은 이렇게 활용된다. 내 몸을 무겁게도 가볍게도 만들어서 필요한 움직임을 만들어 낸다. 무게와 관성을 적절하게 통제하는 모습을 보면 마치 순간적으로 멈춘 것처럼 보인다. 그러나 멈춘 것처럼 보일 만큼 느려질 수 있어도 정지한 상태가 아니다. 느려지는 시간성이다. 이를 정중동이라고 한다. 멈춤 속에 움직임이 있다는 말이다. 에너지는 한순간도 멈추지 않는다. 끊임없이 흘러간다. 연기를 잘하는 배우들은 잠시 멈춘 듯이 사이 시간을 잘 만들고 연결한다. 무게와 관성을 잘 이해하고 있다. 이러한 찰나의 안정화 과정은 사지의 협응능력을 통해 이루어진다. 그래서 근지구력, 유연성, 균형감각 등을 발달시키기 위한 신체훈련을 적절히 반드시 해야 한다. 반동은 관절과 인대가 흡수하므로 관절과 인대의 가동성을 늘려주는 훈련을 해야 한다. 이는 4장에서 자세히 설명하겠다.

6. 장력과 탄력

양 끝에서 서로 당겨지는 힘이 장력이다. 앞서 활대와 활시위를 떠올려 보자. 그리고 이것을 놓아주었을 때 다시 원래 상태로 돌아가려고 하는 힘이 바로 탄력이다. 다시 말해 물체가 외부에서 힘을 받아 변형되었을 때 물체 내부에서는 원래의 상태로 되돌아가려는 힘이 탄력이다. 즉, 탄력은 복원력이다. 모든 물체는 어느 정도의 탄력이 있다. 마찬가지로 인간의 몸에도 탄력이 있다. 탄력을 만들고 활용하려면 먼저 장력을 만드는 구조를 만들어야 한다.

일어서 가볍게 경쾌하게 무릎을 굽혀보라. 튕겨 올라오게 된다. 엉덩이와 허벅지 뒤쪽 근육이 늘어나며 장력이 발생하고. 튀어 오르며 수축할 때 탄력이 만들어진다. 이번에는 허리를 펴고 쭉 뻗으면서 앞으로 숙여 보자. 허벅지 뒤쪽 근육이 팽팽하게 당겨온다. 그 상태에서 무릎을 살짝 굽혀보자. 튕겨 올라오는 힘이 느껴진다. 그 힘을 끝까지 관성을 이용해

올려보내면 편안하게 몸을 바로 세울 수 있다. 무릎을 굽혀서 생기는 탄력을 좌우로 기울여 방향성을 만들 수도 있다. 이처럼 탄력을 이용한다면 불필요한 체력과 에너지 소모 없이 효율적인 움직임을 이어 나갈 수 있다. 탄력과 함께 호흡이 맞물려 이루어진다면 더욱 수월하다. 모든 동작에 이 장력과 탄력을 이용해보자.

탄력을 기르려면 어떻게 해야 할까?

근육은 수축밖에 할 수 없다. 늘어나는 신장성 수축과 줄어드는 단축성 수축뿐이다. 왜 둘 다 수축이라 부르는가. 근육에 힘이 들어가 있는 상태라면 이완 과정이라 하더라도 근육 자체의 수축상태는 계속해서 유지가 되기 때문이다. 그래서 근육이 늘어나도 수축이라는 표현을 쓴다. 이 두 가지 방향의 운동을 병행해야 신축성 있는 근육이 완성된다. 그러나 우리는 대부분 밀어내는 동작 위주로 몸을 쓴다. 당기는 동작을 하는 상황은 많지 않다. 당겨주는 움직임이 부족하니 당기는 근막 사슬은 약화 된다. 대칭과 조화가 어긋나니 탄력이 줄어든다. 당기는 운동이 반드시 필요하다.

장력을 발생시켜야 탄력도 생긴다. 미는 동작도 구심축을 고정하고 당기는 힘이 양쪽 동시에 대칭적으로 작용해야 탄력적이다. 탄력을 만들려면 먼저 장력을 만드는 가동성 운동을 해야한다. 유연성과 가동성은 다르다. 유연성은 외부의 힘에 의한 최대 길이다. 유연성만 훈련한다면 근육과 인대는 마치 늘어나버린 바지 고무줄처럼 맥없이 탄력을 놓치게 된다. 가동성은 스스로 늘릴 수 있는 최대 길이다. 서로 양쪽으로 저항하며 팽팽한 장력을 유지하는 스트레칭 훈련을 해야 발달한다. 유연성이 좋다고 반드시 가동성도 좋은 것은 아니다.

힘으로 동작을 수행하면 오히려 긴장되니 조금만 틀어져도 중심을 잃는다. 빠르게 달리는 자동차의 핸들을 잡고 있을 때 꽉 움켜쥐고 있으면 어떻게 되겠는가. 조금만 틀어져도 확 틀어지니 조정하기가 힘들다. 오히려 힘을 빼야 더 조정하기 쉽다. 그래서 핸들링은 기술이다. 이 모든 원리가 조합되어 가능한 테크닉이다. 브레이크 페달은 어떠한가. 부드럽게 밟아줘야 반동이 적다. 코너를 돌 때 적절히 감속시켜야 다시 가속했을 때 이상적인 탄력을 만들어 낼 수 있다. 발성도 마찬가지다. 소리를 크게 내려고 할수록 불필요한 힘이 들어가 공명 되지 못한다. 편안하게 호흡에 소리가 얹혀져 나아갈 때 공명 되고 더 큰 소리가 나온다. 잘하고자 할수록 욕심이 생긴다. 욕심이 생기면 긴장한다. 긴장하니 굳어버린다. 욕심을 버려야만 더 잘할 수 있다. 샌드백을 힘껏 치려고 하는 사람보다 가볍게 툭 내던지는 사람이 더 강하다. 팔과 힘에 의존하지 않고 몸의 구조를 이용하기 때문이다. 팔이 없다고 생각될 만큼 휘둘러봐야 쓸데없는 힘이 다 빠지고 이상적인 구조를 알게 된다. 그 어떤 진리도 들어서 안다고 행할 수 없다. 사력을 다해 땀 흘리고 연습해서 깨달아야만 한다. 기지개를 켜듯 몸을 깨워 나가자. 천천히 힘을 빼고 크게 반대 방향으로 뻗어나가며 장력을 인식하자. 장력이 만들어지는 이상적인 구조를 찾아보자. 탄력을 이용하면 더 빠르고 역동적으로 움직일 수 있다.

힘에는 방향만 있을 뿐이다. 빨리 뛰려고 할수록 다리가 꼬여 넘어진다. 이를 악물수록 이만 상한다. 내려놓아야 한다. 완벽은 채움이 아니라 비움에서 완성된다.

7. 형태와 공식

역사는 왜 기록하는가. 그것은 같은 시행착오를 겪지 않길 바라는 선조들의 마음이다. 마찬가지로 움직임은 끊임없이 연구되고 기록되며 계승되었다. 아기는 걸음을 스스로 익혔지만 사실 아기의 곁에 두 발로 걷는 사람들이 있었기에 빠르게 학습할 수 있었다. 이처럼 인간은 타인을 모방하며 닮아간다. 모든 움직임에는 공통적인 형태가 있다. 걷는 모습, 달리는 모습, 물건을 나르는 모습, 바느질하는 모습을 떠올려 보라. 어렴풋이 떠오르는 이미지가 있다. 이것이 움직임의 형태다. 그리고 이 움직임 형태에서 더 효율적으로 수행하기 위해 연구된 것을 공식. 즉, 기본기라 부른다.

기본기는 왜 강조할까?

움직임은 충동이다. 날것의 몸짓으로 시작된다. 이 움직임에는 어떠한 형태도 공식도 없다. 날것은 아름답지만 결코 효율적이라 볼 수가 없다. 원하는 목표와 목적을 빠르게 달성하기 위해 움직임의 형태를 연구한 공식이 바로 기본기다. 공식을 외우면 연산이 빨라진다. 물론 공식만 외워서 바로 문제를 풀어낼 수 있다. 빠르고 실용적이고 효율적이다. 그러나 그것만으로 충분할까. 인간은 창조하는 능력이 있어서 만물의 영장이 되었다. 그래서 두 팔을 쓰고자 직립을 선택했다. 직립을 무얼 얻고 무얼 잃었으며 둘 다 갖기 위해 어떤 구조를 갖춰야 하는가. 우리는 공식이 만들어진 원리를 살펴보았다. 그것이 결국 조합하고 창조하는 능력이 된다. 의지하되 의존하지 말자. 이처럼 현상의 원리를 이해하는 것은 창조의 바탕이 된다. 이해, 분해, 재구축의 과정을 거치기 때문이다. 그래서 우리는 이미 걸을 줄 알고 있음에도 걸음을 다시 돌아보았다. 다시 말해 걸음의 기본기를 돌아보고 교정했다. 걸음에 대한 이해가 어떻게 변했는가. 분명 이미 알고 있던 진리인데도 새롭게 느껴지지 않는가. 이 깨달음은 다른 움직임에도 영향을 준다. 기본을 정립했기 때문이다.

생각이 많으면 아무것도 할 수가 없다. 반대로 생각이 없으면 역시나 아무것도 할 수가 없다. 생각을 하면서 안해야 한다. 이게 무슨 말인가. 복싱선수들이 생각을 하고 주먹을 뻗을까. 찰나의 공방이 오가는데 생각하고 행동한다면 이미 늦다. 그래서 돌발적인 변수나 상황에 대해 대처하도록 패턴을 연습한다. 그것이 스파링이다. 경기가 시작되면 반사적으로 감각적으로 대응한다. 이것이 공식이다. 기본기다. 당연히 그래야 하는 것들이다. 기본기가 무의식의 영역에 머물게 되면 의식은 다른 것에 오롯이 집중할 수 있다. 여유가 생긴다. 다시 말해 의식적 영역에 있던 것을 무의식의 영역으로 끌어냈다. 생각을 하면서 안하고 있다. 생각이 많으면 무얼 해야할지 고민하느라 할 수가 없고, 생각이 없으면 무얼 해야할지 모르니 아무것도 할 수 없다. 연습하고 쌓인 것들이 정체성으로 확립된 본능. 무의식이 된다. 기본기가 무의식적 행동반응으로 이어질 수 있어야 이상적인 선택과 집중을 할 수 있다. 연기도 마찬가지다. 발성과 화술에 신경 쓰면서 대사를 뱉을 수 있는가. 대사를 전달하는 도구는 이미 준비가 되어있어야 한다.

주먹을 뻗는다는 움직임 형태에 이상적인 움직임 공식을 합쳐서 주고받는 경기가 바로 복싱 경기가 된다. 이것이 형식이다. 그렇다면 배우는 어떠한가. 배우는 인간의 모든 모습을 담아내야 한다. 복싱선수 역할을 하려면 복싱의 형식을 알아야 한다. 그래야 관객은 진실로 몰입한다. 형식을 빠르게 이해, 분해, 재구축할 수 있어야 한다. 이게 우리가 움직임 원리를 연구하는 이유다.

어떤 움직임 형태와 어떤 움직임 공식이 만나는지. 어떤 점을 더 강조하고 돋보이게 하려는지에 따라 장르가 바뀐다. 순수무용으로는 한국무용, 현대무용 등으로 구분되고 실용무용으로는 발레, 힙합, 팝핀, 비보잉, KPOP댄스 등으로 구분된다. 무술도 마찬가지다. 태권도, 쿵푸, 공수도, 유도, 레슬링 나라마다 문화에 따라 가장 효율적인 형태로 발전되어 서로 다른 특징을 갖고 있다. 이처럼 어떤 목적을 갖고 얼마만큼의 비율로 섞어나가느냐에 따른 차이다.

때문에 기본기는 아무리 강조해도 중요해도 지나치지 않다. 어떤 장르든 기본기는 본질이다. 무결한 진리다. 해가 바뀌어 농익어 갈 때마다 새롭게 여겨진다. 아는 만큼 보이는 법이다. 색다른 형식을 배우면 서로 다른 것처럼 느껴져 헤매다가도 결국 같은 것이었음을 알게 된다. 그 끝에 고민하던 문제의 해결책은 전부 기본에 있었음을 알게 된다. 무언가 틀어진다면 기본을 돌아보라. 본질을 다시 헤아려보라. 거기서 깨닫게 된 것은 이미 최초에 내가 이미 알던 해답이었다. 그러나 그 무게와 가치는 전혀 다르게 느껴질 것이다. 기본기의 숙련도를 보면 급이 아닌 격의 차이를 느낄 수 있다. 기본기를 꾸준히 고민하며 반복한 자는 격이 달라진다. 망망대해의 시작도 빗물방울 하나였다. 성취감은 거대한 무언가를 송두리째 뒤바꾸어야만 얻는 감정이 아니다. 꾸준히 하는 작은 습관. 익숙하고 사소한 작은 하나를 꾸준히 건드는 것만으로도 스며들고 번져나간다. 작은 습관은 내가 내 자신을 통제할 수 있다는 믿음의 길을 안내한다.

8. 동작규격과 교정

기본기는 어떻게 익혀야 할까?

앞서 움직임의 공식이 기본기라고 했다. 기본기는 자신의 기준점을 찾는 과정이다. 같은 강세와 속도를 일정하게 반복할 수 있어야 한다. 기준이 있어야 변화를 인식하고 드러낼 수 있다. 한번 쏟아붓고 지쳐버린다면 힘의 분배가 미숙했음을 의미한다. 지속가능하도록 적절하고 이상적인 상태를 유지할 수 있어야 한다. 쉽고 당연하게 하고 있다면 그가 바로 기본기가 체화된 달인이다. 모든 기본기에는 목적을 효율적으로 달성하기 위해 고안된 규격이 있다. 움직임의 기본을 효율적으로 학습하기 위해서 고안된 틀을 동작규격이라고 한다. 움직임의 형식. 즉, 장르마다 이러한 동작규격이 있다. 동작규격을 반복하여 익숙해지면 점으로 나뉘었던 구분 동작이 선으로 연결되고 그 과정에서 더 안정적이고 원활한 연결을 위해 어떻게 해야할지 고민한다. 앞서 언급한 모든 원리와 요령들을 이용하여 더 탄력적으로 빠르게 느려지게 가벼워지게 언제 어떻게 강조와 변화를 주어야 할지 깨닫게 된다. 이러한 시도가 즉흥이 되고 창작이 된다.

그렇다면 제시된 동작규격만 계속 반복 한다면 수준 높은 움직임을 보일 수 있을까. 분명 그 과정에서 불필요한 힘을 버리고 어느 정도 원리를 깨닫게 되겠지만 오랜 시간이 걸리게 된다. 어쩌면 잘못된 습관이 생기기도 한다. 그래서 교정이 필요하다. 인생은 짧다. 짧은 생에 시행착오를 반복하며 스스로 깨닫는 것에는 한계가 있다. 전문적인 지식과 기술을 갖춘 전문가나 선생님으로부터 문제점을 지적받고 동작규격과 구조를 점검받아야 한다. 골반의 각도, 어깨나 팔의 위치 등을 조정한다. 물론 한 번에 교정되지 않는다. 심지어 미묘한 차이라서 바로바로 체감하기도 어렵다. 그렇게 교정을 반복하면 힘의 연결이 달라졌음을 체감하게 된다. 점점 정확한 구조를 갖춰나간다. 작은 교정 하나일 뿐인데 몸이 안정적이고 편안하게 변화하게 된다. 그러나 교정에 의존하면 안된다. 왜 그렇게 교정하였는지 이유를 묻거나 유추하여 찾아내야 한다. 의사도 진단할 때 모든 것을 풀어 설명하지 않는다. 딱 환자가 알아듣기 쉽게 필요한 만큼 진단하고 시술한다. 문제를 콕 집어 해결책을 주는 것은 시간을 아껴주기 위한 마음이다. 조상들이 역사를 기록해주는 것과 같다. 우리는 그 편리함을 쫓아 쉽게 자주 전문가에게 의존한다. 문제가 해결되었다면 그 인과를 탐구해야 한다. 아는 만큼 보이는 법이다. 교정받지 않으면 알 수 없는 문제들이 있었듯 교정을 받아도 해결되지 않는 문제도 있다. 결국 스스로 고민해야 성장한다. 어떤 원형동작이 어떻게 조합되고 변형발전 되었는지 알게 된다면 스스로 재구축하여 구현할 수 있다. 어떤 기본기가 부족하고 선행단계를 보강하면 좋을지 스스로 진단하고 관리할 수 있다.

움직임마다 목적이 다르고 과정이 다르다. 회전과 대칭으로 동작규격을 만든다. 힘을 쓰기 위한 구조를 찾는다. 적당한 비율로 힘을 쓴다. 기본적인 '형태'에 각기 다른 '공식'을 달리 섞어 다양한 '형+식'으로 파생된다. 수축팽창을 강조하면 힘차고 빠르게, 회전과 관성에 집중하면 부드럽게 움직인다. 앞서 설명한 이 개념들을 얼마만큼의 비율로 섞고 조합하느냐에 따라 특성과 장르가 달라진다. 창작도 마찬가지다. 창작은 이해, 분해, 재구축의 과정이다. 배우가 인물의 행동을 연구하는 과정도 마찬가지다. 연습이라는 것은 단순히 따라하고 반복하는게 아니라 상황에 따라 필요한 움직임을 만들어 쓰기 위해 구조와 원리를 찾는 과정이다. 무작정 동작규격만 따라 한다면 언제 어떻게 쓰일 수 있는지 연관성을 찾지 못한다. 동작규격을 더 잘하기 위해서 연구하고 나만의 요령을 발견했듯 흐름을 유지하면서 다양한 경우의 수를 고민하고 변화를 연구해야 한다. 연출이 제시해주는 방향을 고민 없이 기계적으로 수용하는 배우는 매력이 없다. 누구로든 대체가 가능하다. 연출의 의도를 아는 배우는 연출이 미처 생각지 못했던 애드립으로 극을 더 살리기도 한다.

공식을 외우면 연산이 빨라진다. 그러나 공식이 만들어진 원리와 과정을 간과한다면 평탄한 내리막을 걷게 된다. 서서히 무너져 내리고 있음에도 알지 못한다. 안다는 착각에 빠져있음을 알지 못한다. 그것이 아기의 걸음부터 다시 돌아보았던 이유이다. 잊지 말자. 의지하되 의존하지 말자. 전문가가 왜 그렇게 교정해주는지 의중을 파악하라. 일상에서도 배움에서도 항시 서브텍스트를 읽어내는 배우가 되자.

9. 연상과 심상

따라하기 어려운 이유는 무엇일까?

움직임을 학습하는 가장 좋은 방법은 움직이는 이미지를 떠올리는 것이다. 몸치들은 다리가 어떻게 움직였는지 오른발이 앞인지 왼발이 앞인지 왼팔을 휘둘렀는지 오른팔을 접었는지 이런 동작 순서에 집착한다. 이미지를 텍스트로 바꾸어 버렸으니 당연히 이미지로 출력할 수 없다. 마치 프로그래밍하듯 텍스트로 입력을 해버렸으니 로봇처럼 뚝딱거리며 출력되는 것이다. 중심축의 이동이나 흐름을 보지 않고 팔다리만 보고 어떻게든 따라 하려 든다. 이것이 이족보행을 선택하고 사지에 의존해온 결과다.

동세를 파악해야 한다. 이미지를 보아야 한다. 움직임의 이미지를 떠올리는 방법은 여러 가지가 있다. 오감을 자극하는 무엇이든 괜찮다. 댄서들은 음악 대신 입으로 노래를 부르거나 박자를 세면서 움직임의 이미지를 상상한다. 디기디기딕 갱갱갱. 후루룻 따닷. 워언투우 쓰리포! 원투! 쓰리포오. 이런식으로 자기만의 방식으로 이미지를 구현하려 한다. 앞서 대칭과 조화를 이해하기 위해 몸의 중심부에 내 사지를 움직이는 구슬이 있다고 상상해보라 제안했다. 웨이브라는 곡선 움직임도 마찬가지다. 꿈틀대게 하는 전류가 몸에 흐르고 있다고 상상하며 학습한다. 탄력적인 동작은 내 온몸이 채찍처럼 튕겨지고 휘어진다고 상상하기도 한다. 어떻게든 자기만의 방식으로 이미지를 떠올려야 한다. 그게 동작규격을 빠르게 익히는 요령이다. 더불어 형태가 만들어진 이유를 거슬러 찾아야 한다. 움직임은 멈춰 있지 않다. 멈춘 것처럼 보여도 계속 그 상태를 유지하고자 움직이고 있다. 흘러가는 감각을 느껴야 한다. 움직임은 살아있는 이미지다. 디테일을 보지 말고 점과 선이 어떻게 흘러가는지 보라. 나아가 어떤 원리가 응용되었는지 구성요소를 살펴보라.

배우는 인물의 기억을 본다. 상황이 눈앞에서 펼쳐지듯 몰입하고 상상하고 온몸으로 표현한다. 그래야 당신이 보고 있는 그 장면을 관객도 볼 수 있게 해야 한다. 공연을 보면 무엇이 남는가. 이미지가 남는다. 인상적이었던 몇 장면과 함께 여운이 남는다. 여행을 다녀오면 무엇이 남는가. 이미지가 남는다. 그때 느꼈던 감각과 분위기가 떠오른다. 이것이 심상이다. 눈으로 보고 따라 하는게 아니다. 눈으로 보고 남은 잔상을 떠올려 다시 구현해내는 것이다. 결국 외부의 자극이 내 안에서 재구성되어 개화된다는 말이다. 같은 것을 보아도 서로 다른 것이 나오기도 한다. 내 안에서 얼마든지 변형되고 발전될 수 있다. 전혀 다른 이미지가 나올 수도 있다. 그게 창작이다. 영단어를 쉽게 외우기 위해 유사한 발음의 한글 단어로 연상하여 외우듯 자기만의 연상을 하면 잔상이 오래 남는다. 의미를 부여해두었으니 익숙한 형태로 인식한다. 연결고리를 잡아놨으니 동작을 더 쉽게 간편하게 받아들인다. 그저 형태나 모양을 따라하기만 해서는 안된다. 눈으로 담고 마음으로 떠올리고 몸으로 담는 것이다. 머리로 이해하고 가슴으로 느끼고 발로 행해야 한다. 연상과 심상을 활용하라.

10. 리듬과 반복

리듬은 움직임에 어떤 영향을 줄까?

리듬이란 규칙을 갖고 움직이는 소리의 흐름이다. 시간적인 질서다. 리듬은 신체적, 운동적, 심리적 연관성이 크다. 우리는 상황에 따라 제각기 다른 리듬을 느낀다. 그리고 이 리듬을 이용하면 더욱 몰입할 수 있고 원하는 상황을 만들 수 있다. 예를 들어 아침에 늦었을 때 도전 90초에 나오는 음악을 틀어놓고 준비하면 행동이 간결하고 빨라진다. 밀린 집안 청소를 할 때 유튜브에 노동요를 검색하여 틀면 지치지 않을 수 있다. 반대로 편안한 음악을 틀어놓으면 잠이 솔솔 온다. 우리가 마주하는 모든 상황에는 리듬이 있다. 어울리는 음악이 있다. 그래서 영화나 드라마에 BGM이 깔리고 주제를 감싸는 OST가 있다. 리듬을 지배하면 상황을 지배할 수 있다. 리듬을 지배한다면 움직임과 에너지를 지배할 수 있다. 리듬은 동작을 조화롭게 연결하고 안정적으로 이어져 부상의 위험을 줄여준다.

리듬은 어떻게 이용해야 할까?

모든 기본기의 목표는 일정하고 균일한 강세과 속도를 유지하는 것이다. 가장 적절하고 편안한 상태를 지속할 수 있어야 한다. 배우의 발성도 요리사의 칼질도 모든 마찬가지다. 리듬에는 일정한 기준이 있다. 반복된다. 기준이 있어야 변화를 인식한다. 변화는 상대적인 기준이 있을 때 명확하게 느낄 수 있다. 시간은 모두에게 똑같이 흘러가지만 모두에게 똑같이 느껴지진 않는다. 내가 기준을 어떻게 세웠는가에 따라 다르다. 그래서 모든 훈련은 리듬에 의한 반복 패턴 학습이 필수적이다. 움직임도 마찬가지다. 동작규격을 배우면 리듬에 맞춰서 반복한다. 가장 이상적인 대칭구조를 찾는다. 사지를 협응시켜 최적화한다. 리듬을 훈련하는 과정 자체가 즐거움이다. 정확하게 그 순간에 내 몸을 일치시킬 때 느껴지는 성취감은 매우 짜릿하다. 활기차다.

움직임에 안정감이 생긴다면 그만큼 숙련되었다는 증거다. 무의식이 될 만큼 숙달시키면 불필요한 움직임이 없다. 간결해진다. 무엇이든 반복 숙달 시키다보면 매너리즘이 찾아온다. 깨뜨리고 싶은 욕망이 올라온다. 기준이 있어야 변화를 알 수 있듯 부자유가 있어야 자유를 알 수 있다. 이 패턴을 깨고 비틀어내고 싶어 한다. 그것이 바로 충동이다. 그 순간 리듬을 깨뜨리고 나아갈 때 강조되고 변화가 생긴다. 음악에 맞춰 춤추는 댄서의 움직임을 보라. 박자를 쪼개서 표현하기도 하고, 음악의 다른 소스에 맞춰 움직이기도 한다. 음악이 아니라 몸의 움직임에 집중하기도 한다. 어떻게든 지루함 속에서 재미와 변화를 만들기 위해 다양한 시도를 한다. 이것이 반복 연습을 많이 할수록 표현이 다양해지는 이유다. 실력이 느는 이유다. 리듬의 변화는 배우의 화술과도 같다. 움직임은 곧 화술로 반영된다. 말을 할 때는 온몸의 감각기관이 동시에 말을 한다. 눈빛으로도 손짓으로 몸짓으로 온몸이 연기한다. 몸의 리듬을 내 맘대로 바꿀 수 있다면 뻔하고 지루한 연기도 바꿀 수 있다는 말이다.

연기가 뻔하다는 이야기는 화술의 리듬이 똑같다는 말이다. 사람의 감정은 한결같을 수 없다. 시시각각 상대의 반응에 따라 전략이 실시간으로 수정된다. 어떻게 리듬이 같을 수가 있을까. 리듬이 같다는건 이미 리듬을 정해두었다는 말이다. 자극을 차단하니 충동이 없다는 말이다. 인물은 해야할 말을 미리 정해놓고 상황을 마주하지 않는다. 그 상황이 되어서 하고 싶은 말이 나와야 한다. 그러나 배우는 대사를 알고 있다. 인물을 알기 위한 단서로 삼았기에 이미 외우고 있다. 그래서 이미 어떤 순간에 어떻게 터트리고 변화를 만들어 줄지 리듬을 이미 정하고 시작하는 경우가 있다. 그것은 인물로 살아있는 것이 아니다. 인물을 흉내 내고 있다는 말이 된다. 한번도 겪어보지 않은 것처럼 받아들이고 그 순간의 리듬을 비틀어야 한다.

일정한 리듬이 있기에 다음을 예측할 수 있다. 음악을 들어보면 어떤 구간이 지나서 고조되고 이쯤에서 색다른 포인트가 어떻게 나올지 어느 정도 예측이 가능하다. EDM 음악을 떠올려보라. 그게 익숙해지면 내가 음악을 따라가는게 아니라 음악이 날 따라오는듯한 느낌이 든다. 그때가 지배하고 있는 순간이다. 연기도 마찬가지다. 내가 대사를 뱉는게 아니라 대사가 날 따라오는거다. 내 충동에 딸려서 그 대사가 뱉어질 수밖에 없던거다.

음악을 틀어놓고 일정한 리듬을 반복하며 몸에 익혀보자. 몸으로 하기 어려우면 입으로 뱉어보자. 드럼의 기본인 쿵과 딱으로. 쿵치딱치. 스네어 소리도 곁들어 보자. 쿵쿵딱. 쿵따닥. 쿠쿵따닥. 쿵치딱치쿠웅딱. 일정한 규칙안에서 조금씩 변화를 만들어보자. 이처럼 구성요소를 들여다봐야 한다. 차근차근 본질을 들여다봐야 보여지는 것에 집착하지 않는다. 언제나 학습하는 요령은 같다. 이해하고 분해하고 다시 재구축한다. 음악 자체가 이미 완성된 하나의 작품이다. 대사분석도 마찬가지다. 들리는 요소 하나씩 몸에 실어보자. 음악에서 어떤 이미지가 떠오르는가. 이 음악의 주제는 무엇일까. 이 음악이 어울리는 장면은 무엇일까. 이 음악에 어울리는 인물은 어떤 사람인가.

무릎을 굽혔다 폈다 하며 튕겨오르는 느낌을 느껴보라. 딱소리에 무릎을 굽혀보고 딱소리에 무릎을 세워보라. 어떤 이미지의 차이가 있을까. 튕겨 올라오는 에너지에 집중하면 어떤 분위기가 만들어질까. 가볍게 통통 튀는 리듬. 반대로 딱소리에 무릎을 굽혀 자세를 낮추면 어떤가. 묵직하고 끈적이는 리듬. 어떤 인물에 해당할까. 이처럼 무게에 따라 인물의 분위기도 달라진다. 6장에서 더 자세히 살펴보자. 인물마다 제각기 다른 리듬이 있다. 다양한 댄스 장르마다 리듬이 다르고 보여지는 캐릭터도 다르다. 리듬이 곧 캐릭터가 된다. 리듬을 이용할 줄 알아야 연기의 스펙트럼이 넓어진다. 리듬을 타자.

11. 접촉과 반응

리액션을 잘하려면 어떻게 해야 할까?

자극과 반응. 액션과 리액션이다. 액션을 하려면 충동이 있어야 한다. 충동은 어디서 오는가. 감정은 어디서 시작되는가. 감정은 감각에서 온다. 상황과 인물이 오감각을 통해 정보로 전달되고 감정이 피어오른다. 즉, 오감의 접촉이다. 특히 상대의 몸과 접촉하는 것은 꽤 큰 교감이다. 오감각에는 단계가 있다. 시각과 청각은 흔히 누구와도 교감할 수 있지만 촉각 교감부터는 조금씩 난이도가 있다. 손까지는 괜찮지만 포옹이라면. 접촉 면적이 커질수록 심리적 부담이 있다. 나아가 후각과 미각 교감이라면 어떠할까. 상상해보라. 쉽지 않다. 그래서 연인이 특별한 존재다. 연인은 오감을 모두 사용해 서로의 정보를 가장 많이 주고받은 사람이다. 나를 가장 많이 알고 있는 사람이기에 가장 친밀하고 편안하다. 오감각을 통해 나를 완전하게 유일하게 이해해주는 사람이니 무조건적인 내 편이 되어준다. 그래서 사랑은 가장 흔하며 가장 가치있는 소재다.

상대와 서로 밀고 당기며 접촉을 주고 받는 과정은 감각기능을 엄청나게 향상 시킨다. 이는 침묵의 대화다. 보이지 않는 에너지를 오감각의 신호로 주고 받는다. 손을 사용하기도 하고 손을 사용하지 않기도 한다. 다양한 신체 부위의 접촉은 새로운 영감이 된다. 상대를 다치지 않게 배려하느라 또는 상대를 무너뜨리느라 가장 효율적인 방법을 강구하게 한다. 이는 스스로 정확하게 사지를 통제하게 한다. 서로를 의식하고 협력하는 과정에서 다양한 속도와 방향이 생긴다. 예기치 못한 움직임과 감정으로 일어난다. 내 몸을 통제할 수는 있어도 상대가 어떻게 움직일지 미리 알 수 없으니 더욱 집중하고 흥미롭다. 이러한 상호작용은 표현의 다양성을 만든다. 자유롭게 상상하게 하며 창의적이고 예술적인 움직임을 가능하게 한다.

12. 분리와 결합

사지가 분리된 듯 움직이려면 어떻게 해야 할까?

계속해서 구조와 힘의 연결에 대해 강조했다. 그 섬세한 차이가 수준의 차이로 드러나니 동작 규격을 구분하여 반복 숙달해야 한다고 했다. 그렇다면 신체 부위가 각각 따로 따로 떨어져 움직이는 표현은 어떻게 해야할까. 구조를 무너뜨리고 힘의 연결을 끊어버리면 될까. 신체가 따로 분리된 것처럼 움직이는 이런 표현을 아이솔레이션이라고 한다. 아이솔레이션은 대비와 강조의 효과를 통해 분리된 것처럼 보이는 테크닉이다. 예를 들어 가슴이 분리된 것처럼 강조하려면 어깨를 뒤로 당겨야 한다. 자연스레 골반도 앞으로 기울어진다. 한쪽 어깨를 강조하려면 반대쪽에서 골반이 튀어나와 대칭을 잡아준다. 이는 분리된 것처럼 보일 뿐 실제로 분리되지 않았다. 웨이브라는 형식도 이런 대비와 강조를 이용한 것이다. 몸의 수평과 수직정렬을 지키고 순차적으로 부위별로 강조시켜 연결한다. 이러면 마치 몸 안으로 전류가 흐르는 것처럼 곡선으로 드러난다. 직선을 곡선으로 보이려면 이처럼 특정부위를 분리시켜 강조되게 해야 한다. 분리되자마자 결합되며 흐름이 생긴다. 곡선은 이처럼 수많은 점의 연결이다. 점이 연결되어 직선이 되고 직선 사이에 또 하나의 점이 생겨서 곡선이 된다. 점으로 보이는 구분동작을 하나하나 섬세하게 다듬으면 더 아름답고 이상적인 움직임 완성된다. 움직임의 질이 달라진다. 전류가 흘러간다고 상상하며 이미지와 함께 하면 더욱 좋다. 선이 물결치듯 흘러가다 특정 부위를 강조하며 점으로 잠시 모인다. 마치 분리된 듯 보인다. 이때 사실 힘의 연결은 끊어지지 않는다. 그렇게 보이게 만들 뿐이다. 분리와 동시에 다른 부위에서는 결합이 일어난다. 사지는 언제나 협응하고 장력을 유지하고 있다. 결국 부분이 전체이고, 전체가 부분이다. 몸의 일부가 분리된 것처럼 보일 수 있다면 갑작스러운 변화를 만들 수 있다. 기괴하게 보일 수도 있다. 다양한 인물의 특징과 모습을 강조할 수 있다. 그러기 위해서는 일단 몸이 잘 이완되어 있어야 한다. 몸이 유연하고 부드러워야 세밀하게 통제하고 조정할 수 있다. 모든 연습을 최대한 천천히 크게 하라. 미세한 톱니바퀴를 맞추듯 동작 하나를 구분하여 인식해야 교정할 수 있다. 집중하며 소중하게 담을수록 동작의 질이 달라진다. 대사를 뱉을 때와 마찬가지다. 일단 부드럽게 말할 수 있어야 원하는 포인트에 폭발시키고 강조할 수 있다. 어떤 장면도 중요하지 않은 장면이 없고 한마디도 의미 없이 나오는 대사가 없다. 그래서 소중하게 연구하고 뱉지 않던가. 오래 끓인 육수가 진하고 풍미가 있다. 천천히 크고 깊게 곱씹어 최상의 연기를 보여주자.

13. 흐름과 연속

이상적인 움직임이란 어떤 것인가?

　움직임은 물 흐르듯 끊어지지 않고 연속할 수 있어야 한다. 멈춘 것 같아도 그 상태는 멈춘 것이 아니다. 멈춘 상태를 유지하기 위해 끊임없이 움직이고 있다. 만일 힘이 끊어져도 의지는 이어진다. 정적과 공백의 순간에도 의식은 이어져 있다. 연기를 잘하는 배우들은 이 간극을 잘 이용할 줄 안다. 감정이 훑고 지나간 사이 시간을 눈빛과 에너지로 채운다. 마찬가지다. 이어질 수 있어야 좋은 움직임이다. 간단한 것 같아도 사지가 조금만 어긋나도 대칭이 깨지고 회전이 무너진다. 중심축부터 뻗어나가며 온몸을 감싸는 근막경선을 세밀하게 느끼며 장력을 만들고 탄력으로 이어나가야 한다. 사지가 움직여서 몸이 움직이는게 아니라 몸이 움직이는데 사지가 보조를 해야한다. 이를 위해 모든 움직임은 천천히 크게 연습하며 이상적인 협응을 갖춰나가야 한다.

정렬 상태로 바르게 서서 누군가 내 신체의 일부분을 툭하고 치고 지나갔다고 상상해보라. 넘어지지 않고 천천히 그 무게와 회전이 사라질 때까지 충분히 느끼고 멈추어 보라. 비틀거리고 무너질 것 같다가도 바로 세우며 이어보자. 특이한 신체 부위에 자극이 왔다고 느낄수록 더 다양한 움직임이 나온다. 눈썹이나 귓불, 발톱까지도 상상해보라. 밀치기만 한게 아니라 당겼다고도 상상해보고 빠르게 여기저기를 순차적으로 또는 동시에 일어난 것처럼 반응해보라. 그 잔상감에 계속 반응하다보면 흐름에 대해 이해하게 된다. 그 흐름에 앞서 이야기한 모든 원리와 요령이 담겨있다. 사지는 연결되고 대칭과 조화가 피어난다. 날것의 몸짓에는 그 사람의 모든 경험과 사연이 녹아있다. 그 날것이 점점 훈련되고 다듬어지면서 더 깊은 날것이 된다. 아름답다의 아름은 나라는 뜻이다. 당신이 날것이 가장 아름답다. 날것의 자연스러운 움직임이 흐름이다. 바람처럼 사그러지고 다시 불어온다. 내 스스로 붙잡아 멈추어보기도 하고 놓아주어 다시 흩어지기도 한다. 숨이 멈추었다가 쉬어지고 숨을 가두었다가 풀어준다. 긴장과 호기심을 넘나들며 침묵의 공간을 마주하고 바라본다. 보이지 않는 작은 진동과 울림을 느껴보라. 소리에 몸을 던지고 희망을 들어 올리라. 당신의 삶을 나누고 그들의 삶을 어루만지라.

제

4

장

신 체 훈 련

······

　1장에서 몸을 바로 세우는 구조에 대해 살펴보았고. 2장은 몸을 효율적으로 움직이는 요령에 대해 살펴보았다. 1장이 연필을 쥐는 방법, 2장이 연필로 선을 그리고, 3장이 연필로 그림을 그리는 요령이었다면 4장은 더 나은 그림을 그리기 위해 연필을 깎는 방법이다. 뼈와 근육, 관절과 인대의 구조와 기능에 대해 조금 더 깊이 살펴보고 어떻게 단련하면 좋을지 살펴보자.

　배우의 몸짓은 소리나 표정과 더불어 인물의 감정과 생각을 전달한다. 이를 위해서는 사실 몸의 구조와 움직임의 원리를 이해하고 반복하며 체화시켜도 충분하다. 그 과정에서 필요한 근육은 알아서 생긴다. 그렇다면 왜 근육을 키우는 훈련까지 강조하는걸까. 그것은 '활력' 때문이다. 활력은 다시 말해 에너지다. 힘을 쓰려면 근육이 있어야 한다. 온몸으로 감정을 쏟아내고 반응할 수 있으려면 안정적인 구조와 함께 근육이 있어야 한다. 근육은 근섬유를 파괴하고 휴식을 통해 회복하면서 성장한다. 쉽게 말해 고통을 주고 한계치를 늘려갈 때 성장한다. 몸은 마음을 담는 그릇이므로 이러한 신체 단련은 정신적 성장과도 직결된다.

편하게 움직이는 구조를 찾는 것은 인간의 본능이다. 앞서 본능을 거슬러 얻을 수 있는 것이 테크닉이라고 하였다. 테크닉은 상충하는 두 가지를 적절히 조합하며 완성된다. 즉, 구조적으로 불안정하고 불가능하다고 여겼던 것을 가능하게 만드는 방법이다. 그러니 무엇이든 처음에는 어색하다. 마찬가지로 운동도 시작부터 막히고 배우기 어렵다. 하지만 당연하게도 이 어색하게 느껴지는 움직임들을 연습해야 실력을 얻을 수 있다. 편하게 움직이려 하는 본능을 거슬러야 얻을 수 있는 것 중 하나가 바로 근육이다. 적당한 근육은 구조를 더 안정화하고 활력은 덤으로 따라오게 한다. 대체로 좋은 습관들은 이처럼 본능을 거슬러야 얻을 수 있다. 운동을 통해 근육을 키우고 몸의 기본값을 바꾸자. 활력이 넘쳐야 과감한 표현도 주저하지 않고 서슴없이 행할 수 있다. 상대의 액션에 긴장하지 않고 창의적이고 남다른 연기를 선보일 수 있다.

1. 맨몸운동

맨몸운동은 기구운동과 달리 언제나 어디서나 할 수 있다. 외부의 중량 개입이 없으므로 부상이 적어 초보자에게 적합하다. 크고 두껍고 단단한 근육은 보기에는 좋을지 몰라도 오히려 움직임에 방해가 된다. 캐릭터에 따라 운동법도 달리해야 한다.

고립운동과 협응운동의 차이는 무엇일까?

고립운동이란 근육별로 구획을 나누어 훈련하는 것을 말한다. 우리가 흔히 헬스장에서 훈련하는 프로그램이 그렇다. 고립운동은 근육을 키우는 것에 집중한다. 그래서 기구를 이용해 무게를 이용해 자극을 극대화한다. 그러나 협응 운동은 부가적으로 얻어지는 것으로 목표를 둔다. 근육을 키우는 것과 더불어 각 관절의 가동성과 안정성을 통해 협응능력을 키우는 것을 목표로 한다. 그래서 맨몸으로 움직이는 것을 선행하며 단계적으로 무게나 높이를 통해 강도를 올린다.

고립운동은 세부적이다. 취약한 부분을 키워나가려고 정밀하게 계획되고 단계적으로 수행되어야한다. 그러지 않으면 반드시 부상을 입게 된다. 기능운동은 전체적이다. 몸 전체가 협응하여 안정적인 동작수행을 할 수 있도록 한다. 때문에 부상위험이 줄어든다. 예를 들어 어깨는 가동성이 큰 관절이다. 그만큼 불안정하다. 단순히 근육을 키운다고 넓어지지도 강해지지도 않는다. 복합관절이기 때문이다.

맛있는 요리를 하려면 적당한 불조절과 시간이 필요하듯 사람의 몸이 완성되는데도 마찬가지다. 배우는 온몸으로 감정을 표현해야 하니 인물에 맞춰 거대한 몸집을 갖기보다 올바른 협응능력을 갖추는게 우선이다. 그러니 조급해지지도 욕심내서 성급하게 몰아세우지 말자. 성장에는 속도가 아니라 방향이 중요하다. 꽃마다 개화하는 계절이 다르듯 사람도 자기만의 계절이 있다. 당신만 느리게 피어나는게 아니다. 당신은 올바르게 피어나는 중이다.

근막은 무엇이고 어떻게 강화해야 할까?

근막은 근육과 인대, 힘줄을 감싸는 막이다. 근막은 콜라겐으로 구성되어 탄성이 좋다. 근막 운동은 이런 탄성을 길러주는 운동이다. 점프나 달리기, 던지기 등 순발력과 탄성을 요구하는 동작이 근막 운동이라 볼 수 있다. 근막도 근육처럼 강화시킬 수 있다. 근막이 강한 충격을 받게 되면 콜라겐이 재생되며 더 좋은 탄성이 만들어진다. 그래서 무도가들의 경우 몸을 두드리며 근막을 재생시켜 탄성을 더 강화하기도 한다. 근막 운동을 통해 탄력있고 쫀쫀한 근막을 만들면 더 좋은 움직임을 할 수 있게 된다. 이러한 근막이 이어지는 선을 근막경선이라고 한다. 머리부터 발끝까지 신체를 나선으로 휘감아 감싸고 있으며 장력을 만들고 있다. 이러한 장력 덕분에 우리 몸은 균형을 유지하며 움직일 수 있다. 근막경선은 모든 움직임에 개입한다. 근막경선을 발달 시키면 힘을 덜 써도 되고 더 큰 가동범위를 만들어낼 수 있다. 이를 위해 어떤 동작이든 몸에 익힐 때는 천천히 크게 움직여서 근막경선부터 자극해야 한다. 장력을 이용하니 당연히 탄력도 좋아진다. 탄력을 이용하니 불필요한 힘이 들어가지 않는다. 구조적으로 더 안정적이고 효율적인 움직임이 완성된다. 근막과 근막경선운동은 협응운동의 바탕이 된다.

1) 스트레칭

스트레칭은 어떻게 해야 할까?

배우는 온몸으로 연기하는 사람이다. 행동하는 사람이다. 그러니 반드시 굳어있는 관절과 근육을 깨어주어야 한다. 이는 부상을 방지하고 더 높은 효율적인 동작수행을 돕는다.

스트레칭은 크게 두 가지로 나뉜다. 하나는 정적스트레칭이라 한다. 한 동작을 60초이상 지속하는 스트레칭이다. 하나는 동적스트레칭이라 한다. 한 동작을 60초이하로 수행한다. 60초를 기준으로 하는 이유는 명확하지 않다. 단, 30초이상 늘려야 근방추라는 감각기관이 활성화 된다. 근방추는 근육의 길이의 변화와 변화 속도에 반응하는 자기수용감각기로서 근육의 길이를 적절하게 유지시켜준다. 다시 말해 갑작스러운 움직임에서 근육을 보호하고 부상을 예방한다. 정적스트레칭을 60초이상 오래하면 근방추는 덜 활성화 된다. 덕분에 근육의 최대 길이를 더 많이 늘릴 수 있다. 그러나 유연해지는만큼 느슨해져 그만큼 근력과 탄력이 떨어지므로 근성장할 수 있는 상태가 아니게 된다. 그래서 운동전에는 동적 스트레칭을 하고 운동을 다 마친후에 정적스트레칭을 통해 근육을 진정시키고 최대길이를 늘려주는 것이 이상적이다.

유연성이 좋으면 다치지 않을까?

그렇지 않다. 오히려 다치기 좋은 상태가 된다. 가동성과 유연성은 다르다. 가동성은 외부의 힘이 개입되지 않은 상태에서 늘어나는 최대길이고, 유연성은 외부의 힘이 개입되어 늘어나는 최대길이다. 유연성도 분명 가동성에 영향을 주지만 외부의 힘으로 늘렸던 만큼 탄력이 떨어지게 된다. 강제로 늘려서 늘어난 바지 고무줄을 떠올려보라. 이 상태로 탄력이 좋을 리가 없다. 때문에 운동 전에는 동적스트레칭으로 근육의 장력을 높이고 예열하여 근력과 탄력을 높인다. 가동성을 기르려면 서로 반대 방향으로 저항하며 늘려주면 된다. 예를 들어 양손으로 고개를 잡고 아래로 숙이고 눌러준다면 유연성 스트레칭이다. 여기서 고개를 애써 들어올리려 저항 한다면 근육이 2차 수축을 하며 장력이 생긴다. 장력을 만드는 방법이 가동성 스트레칭이다. 가동성이 성장해야 부상이 줄어든다.

만일 몸이 많이 뻣뻣하다면 일단 유연성 스트레칭을 목표로 하자. 운동을 하지 않은 상태로 정적스트레칭을 하는 것이다. 차가운 상태에서 근육은 잘 늘어나지 않지만 그만큼 가소성 변형이 잘 되는 상태다. 근육의 최대길이를 신장시키기에 좋다. 따듯한 상태의 근육은 가장 잘 늘어나지만 식으면 원래 상태로 돌아가고자 한다. 운동 후에는 근방추가 예민해져 수축을 원하는데 이미 늘어난 길이만큼 수축 되면서 그 길이를 괜찮다고 인식하게 된다. 다시 말해 운동 후 스트레칭을 하면 한계가 늘어나고 통감도 줄어든다. 유연성 스트레칭만 해서는 안된다는 사실을 명심하자. 반드시 저항을 통한 2차 수축 과정을 거쳐 가동성 스트레칭을 해줘야 탄력있는 근육을 만들 수 있다.

스트레칭은 얼마나 하면 좋을까?

앞서 스트레칭을 60초를 기준으로 동적과 정적으로 구분 하였지만 30초를 기준으로 삼아도 된다. 통상적으로 30초를 넘겨야 근육을 이완하는 골기건이 장력의 자극을 받고 활성되기 시작한다. 하지만 사람마다 유연한 부위가 다르다. 근방추 민감도가 다르다. 내가 안되는 동작에서 더 많은 가동성 확보가 필요한데 짧은 동적 스트레칭으로는 깨우기 어렵다.

더 정확한 기준은 스스로 찾아야한다. 이처럼 스트레칭은 골기건을 자극. 근육을 이완시켜놓고 근방추를 자극. 근육을 수축시킨다. 이걸 반복하면 근육의 길이가 점점 늘어나게 된다. 재활치료도 이러한 과정을 반복하여 근성장과 가동성을 키워나간다.

스트레칭을 과하게 하면 어떻게 될까?

근육의 최대길이에서 5퍼센트 이상 늘리게 되면 근육이 손상된다. 골기건이 일할때까지만 늘려주면 된다. 결코 하루아침에 유연한 몸을 얻을 수 없다. 근육은 적절한 훈련과 휴식으로만 성장한다. 무리하지 않고 꾸준히 하는게 무엇보다 중요하다. 이따금 지도자들이 학습자의 수준과 상태. 의지를 고려하지 않고 무리하게 진행하여 공포심과 부상을 남기기도 한다. 붙잡는다거나 누르는등 강제로 고문하듯 스트레칭을 시키면 올바른 스트레칭이 될 수 없다. 저항하다 오히려 압력에 뒤틀어져서 큰 부상을 입기도 한다. 일단 스스로 할수 있는만큼 스트레칭을 하자. 모든 운동의 원칙은 점진적 과부하다.

2) 스쿼트

하체운동은 왜 중요할까?

하체는 몸에서 가장 큰 근육이다. 하체를 깨우면 혈액순환이 크게 일어나며 전신이 깨어난다. 직립하는 우리 몸은 하체 덕분에 바로 서고 있다. 하체가 부실하면 올바른 직립을 할수 없다. 어떠한 움직임도 불안정하다. 반대로 하체를 키우면 모든 움직임의 바탕이 완성된다. 하체운동의 종류는 무용이든 무술이든 요가든 스포츠든 각기 다른 방식과 요령이 있다. 자기만의 방식으로 운동하면 된다. 가장 대표적인 하체운동으로는 스쿼트가 있다. 엉덩이 근육의 결은 사선으로 모이므로 근육의 끝까지 가장 깊게 자극하려면 일반적인 스쿼트보다 와이드 스쿼트가 더 적합하다. 다리를 옆으로 벌리고 서 있으니 안정과 균형을 위해서도 초보자에게 좋은 운동이라 할 수 있다.

스쿼트는 다중관절운동이다. 고관절, 무릎관절, 발목관절 모두 동시에 사용되기 때문이다. 근육은 대부분 하체에 집중되어있고 무게중심과 힘은 하체에서 나온다. 그중 엉덩이가 가장 큰 근육이다. 엉덩이만 튼실해도 혈류를 순환시키고 몸 전체 균형을 잡아준다. 가장 큰 근육의 집합이라 하체운동만 해도 성장호르몬이 뿜어져나온다. 근성장도 빠르고 성장기엔 2차성징에도 도움이 된다.

스쿼트는 어떻게 하는걸까?

먼저 다리를 어깨 넓이로 벌리고 편안하게 쪼그려 앉아보자. 등이 말리지 않도록 편안하게 앉을수 있는 만큼 앉아보자. 이때 발끝과 무릎의 각도를 일치시켜야 한다. 그래야 무릎관절에 부상이 없다. 엉덩이가 끝까지 늘어나도록 깊게 앉아야 한다. 엉덩이가 제대로 끝까지 늘어나지 않으면 무릎은 안쪽으로 내회전 되려고 한다. 고관절 찝힘 현상이 일어날 수 있다. 허리는 펴고 고관절을 사용해서 깊게 앉도록 한다. 내려갈 때 3초. 올라올 때 1초를 유지해보자. 내려갔을 때 오랜 시간 버텨서는 안된다. 바로 올라와야 한다. 그렇지 않으면 관절에 과부하가 오고 올라올 때 힘이 떨어져서 제대로 수축을 시킬 수 없다. 내려가며 엉덩이 근육이 늘어나는 이완은 천천히. 반대로 엉덩이 조여지는 수축은 빠르게 해야 한다. 요추에 부담을 주지 않기 위해 흡하고 공기를 살짝 뱉어내어 복압을 유지하자.

스쿼트는 무엇을 주의해야 할까?

보통 쪼그려 앉으면 골반후방경사가 일어난다. 그런 자세는 무릎과 허리에 부담을 줄 수 있다. 골반을 살짝 전방경사하여 중립자세를 만들도록 하자. 그렇다고 전방경사를 과하게 하면 중립이 무너지게 되니 그냥 편안하게 갈비뼈를 열고 엉덩이를 내린다고 생각하면 된다. 이게 상당히 중요한데 앞서 3장에서 대칭구조를 설명하며 기울기와 엇각을 설명했다. 무릎을 구부린다는 느낌을 가지면 허벅지 앞쪽에 힘이 쏠린다. 중심 축도 수직정렬이 되지 않아 균형잡기도 힘들어진다. 엉덩이를 내려준다라는 느낌을 가지면 자연스럽게 몸이 앞으로 기울어진다. 이때 전방경사도 후방경사도 아닌 딱 중립의 상태가 된다. 어느 한쪽으로 치우치면 안된다. 힘의 연결이 끊어지기 때문이다. 엉덩이를 내린다는 느낌만 갖도록 하라. 이 느낌을 잘 모르겠다면 벽을 등지고 한걸음만 앞으로 나와서 서보자. 그대로 엉덩이를 벽에 붙인다는 느낌으로 앉아보자. 이때 발가락이 들려서는 안된다. 익숙해지면 거울을 통해 한번 각도와 기울기를 살펴보자. 이 각도와 구조는 역동적인 움직임을 할 때 연결고리가 되어 더욱 활력 있고 편안한 움직임을 끌어낸다.

발바닥이 지면에 밀착되는 느낌이 없고 앉거나 일어설 때 무릎이 앞뒤로 밀리며 불안정하다면 발을 바깥쪽으로 살짝 더 벌려보자. 거기서 다리를 더 넓게 벌린다면 와이드 스쿼트가 된다. 마찬가지로 편안하게 느껴지는 대칭구조를 찾는게 목표다. 너무 과하면 고관절 가동성을 넘어서 불안정해지니 적당한 간격을 찾아야 한다. 발을 바깥쪽으로 벌리면 엉덩이 근육의 결대로 엉덩이에 탄탄하게 힘이 들어간다. 이는 대퇴골 모양이 외회전 되어야만 충돌하지 않게 되어있기 때문이다. 깊게 앉았을 때 고관절이 불편하지 않는 보폭을 찾아야하고 발끝을 벌려서 고관절이 불편하지 않은 각도를 찾아야 한다. 발바닥은 움켜쥐듯 하여 뒤꿈치와 새끼와 엄지발가락이 서로 연결되어 삼각형의 구조를 만든다고 상상해보라. 그래서 맨발훈련이 중요하다. 스쿼트를 할 때 맨발로 하게 되면 더 세밀하게 구조를 이해하고 맞춰나갈 수 있다.

다시 한번 강조하지만 무릎을 굽혀 내려간다는 느낌이 아니라 엉덩이를 내려서 다리 사이에 몸통을 집어넣는다고 상상하며 주저앉는 느낌을 찾아야 한다. 동작을 따라 한다고 단순히 무릎을 굽히게 되면 허벅지 앞쪽과 무릎에 부하가 오고 부상의 위험도 있다. 무엇이든 원리를 이해하고 몸으로 느끼며 행해야지. 거북목의 사례처럼 무작정 눈으로 보고 따라 해서는 안된다. 정확하게 무릎의 각도와 상체의 기울기, 고관절의 각도가 엇각을 이루면 이상적이다. 엇각을 만들기 위해 무릎이 정확하게 고정이 되어야 한다. 무릎을 고정하면 힘을 줘야 하는 포인트에 집중할 수 있다. 무릎을 밀거나 엉덩이를 너무 빼지 않아야 한다.

바닥을 박차고 일어나는 느낌을 찾기 어렵다면 한발로 서서 앉았다 일어났다 해보자. 몸이 한쪽으로 기울어지지 않게 주의하는 과정에서 지면 발력을 느끼고 찾을 수 있다. 계단이나 벽을 두 발로 뛰어올라 착지해보는 훈련도 좋다. 이 발력이 바로 몸을 타고 올라오는거다. 그래서 골반이 치우치지 않는 중립을 유지해야 한다. 당연하게도 고개는 떨구지 않아야한다. 앞서 배웠듯 경추가 숙여지면 힘을 전달받아 요추도 구부러지고 허리가 말려 부상을 입을 수 있다. 그렇다고 너무 세워서도 안된다. 그러면 뒤꿈치로 중심이 옮겨져 무너지게 된다. 상체를 앞으로 기울였다가 무릎이 엉덩이보다 높아졌을 때 골반을 앞으로 밀면서 일어서면 된다. 기울어졌을뿐 척추는 직립. 골반은 중립을 유지하도록 해야 한다. 너무 어렵다면 의자나 막대기를 잡고 해보거나 벽을 등지고 해보자.

스쿼트 호흡은 어떻게 해야 할까?

스쿼트는 무산소 운동이다. 무산소운동이란 순간 숨을 참는 운동이다. 잠수와 마찬가지다. 무산소 운동을 하면 심폐지구력도 강해진다. 칼로리 소비도 크다. 지방은 산소가 충분히 들어와야 산화된다. 때문에 무산소 운동후에는 숨을 깊고 크게 많이 쉬어줄수록 좋다. 스쿼트를 할 때 복압을 유지하는 것이 무엇보다 중요하다. 흡하고 짧게 호흡을 내뱉어 복압을 잡는다.

힙힌지는 무엇이고 어떤 도움이 될까?

지금까지 설명한 것들이 힙힌지라는 용어로 설명된다. 힙힌지는 척추의 중립을 유지하며 굽히거나 펴는 움직임을 말한다. 노트북이나 폴더폰이 접히는 부분을 힙힌지라고 부르는다. 상하체가 딱 그렇게 움직이는 것은 힙힌지라고 이해하면 된다. 무릎을 구부리면 더 각도가 더 커질 수 있다. 이러한 힙힌지의 구조와 이해는 일상생활의 움직임에 영향을 미친다. 바른 자세로 의자에 앉거나 편안하게 쪼그려 앉을 수 있게 한다. 바닥에 있는 물건을 들어올릴 때도 도움을 준다. 허리의 전만각을 유지할 수 있으므로 거북목을 예방할 수 있다. 발레에서는 코르셋을 입은 듯 풀업이라는 자세를 유지해야 한다. 허리를 세우고 직립을 유지해야 하므로 이 힙힌지가 언제나 기본이다. 무슨 동작을 하든 힙힌지를 하여 햄스트링의 가동성을 이용하고 엉덩이나 고관절 근육들을 신장 시킨다. 이는 더 바르고 안정적인 직립을 가능하게 한다. 힙힌지가 되지 않는 사람은 서있을때도 골반을 앞으로 밀면서 수동적인 장력을 만들어 서게 되는데 이로 인해 골반이 후방경사되니 구부정한 자세가 되버린다. 뻣뻣해지니 탄력을 잃는다. 안정적인 움직임을 위해 반드시 되찾아야 하는 기능이다. 어렵다면 다리를 벌리고 뒤꿈치를 바닥에서 떨어뜨리지 않고 쪼그려 앉도록 꾸준히 하라. 뒤꿈치가 떨어진다면. 책을 깔고 그 위에 뒤꿈치를 내려놓고 높이를 보정하면서 진행해보자. 책상이나 기둥을 잡고 앉아서 가동성을 키워주자.

3) 제자리 뛰기

스쿼트가 두발을 고정시킨채로 가장 큰 근육인 하체. 그중에서도 엉덩이를 자극하여 깨웠다면 이제는 온몸을 지탱하고 있는 발목의 작은 근육을 깨워보자. 사실 이 순서는 무엇이 먼저라고 할수 없다. 오히려 작은 근육을 먼저 깨워야 큰 근육이 더 활성화 된다는 연구결과도 있었다. 앞서 하체운동의 중요성을 설명하고자 하다보니 스쿼트를 더 먼저 언급했다.

쿵소리가 나는 이유는 무엇일까?

탄력이 아니라 힘으로 뛴다는 말이다. 그저 뛴다는 목표를 달성하려 들기 때문이다. 쿵소리가 난다는 것은 반동을 제어하지 못한다는 뜻이다. 타이밍이 어긋나 충격을 힘으로 완화하고 뒷꿈치가 뒤늦게 바닥에 닿는다는 말이다. 이러면 허벅지 앞쪽으로 힘이 들어가며 무게중심이 무너진다. 높이 뛰려고 하지 말자. 욕심을 버리고 구조를 안정화 하는게 우선이다. 조금 빠른 템포의 음악을 틀고 거기에 맞춰서 단계적으로 뒤꿈치를 들어 들썩거려보자. 익숙해지면 앞꿈치까지. 더 익숙해지면 엄지발가락까지. 더 익숙해지면 1센티만 뛰었다가 착지해보자. 이 과정을 반복 하다보면 착지할 때 앞꿈치가 닿고 뒤꿈치가 닿는 찰나에 무릎이 굽혀지게 된다. 몸통도 수직 정렬되니 공중에서 흔들리지 않는다. 착지에 안정성이 생긴다. 이는 개별관절운동을 다루면서 더 자세히 설명하겠다.

발끝의 탄력을 기르면 수직 정렬을 유지하는데 도움이 된다. 제자리에서 한발씩 뒤꿈치, 앞꿈치, 발끝 순으로 바닥을 밀어내 튕겨 올라오도록 해보라. 무릎이 자연스럽게 굽혀진다. 이 상태가 탄력을 만드는 구조다. 무릎을 굽혀서 다리를 들어올리는게 아니라 발가락을 튕겨서 무릎이 굽혀진다. 탄력의 증거다. 이 탄력이 공중에서 흔들리지 않게 힘의 방향을 보조한다. 포인이라는 말은 방향을 가리키다 라는 뜻이다. 포인은 형태가 아니라 뻗어나가는 방향이다. 포인이라는 모양을 만들려 하지말고 뛰어오를 때 왜 포인이 되는지 느껴야 한다.

뛰면서 옆으로 틀어 몸을 확인해보자. 앞서 계속 언급했던 이상적인 구조와 모습. 스쿼트에서 익혔던 자세가 보인다. 몸이 살짝 앞으로 기울여져 무릎과 엇각을 이루고 골반은 중립. 직립을 유지하고 있다. 이렇게 이상적인 구조를 하나만 제대로 익혀도 다른 움직임의 문제들이 자연스럽게 해결된다.

탄력을 기르는 훈련들은 근막 중심 운동이다. 우리의 몸은 직렬구조로 연결된 근육, 인대, 힘줄이 있고 병렬구조로 연결된 근막이 덮여 있다. 근막은 탄성과 전체 움직임을 조절한다. 점프나 달리기, 던지기 등 순발력을 이용하는 모든 움직임에 이용된다. 근막은 순간적으로 빠르고 강한 충격을 받았을 때 재생을 한다. 근막의 콜라겐이 충격을 통해 받아 재생하고 더 좋은 탄성을 갖추게 한다. 일단 천천히 동작을 수행하면서 근막경선을 자극하고 조금씩 빠르게 수행해보자. 모든 운동은 점진적 과부하가 원칙이다. 음악에 맞춰 제자리에서 두 발로 뛰어보기도 하고, 한발씩 교차로 뛰어보기도 하며, 좌우로 비틀면 뛰어보기도 하고 돌면서 뛰어보기도 하고, 엇갈려가며 뛰어보기도 하고, 좌우로 이동하면서 뛰어보기도 하자. 다양한 패턴으로 탄력과 안정성을 길러보자. 반복하며 박자를 맞출 수 있어야 한다. 기준이 있어야 변화가 있다. 일정하게 반복할 수 있다는 것은 그만큼 구조가 안정적이라는 증거다, 힘으로 동작을 수행하지 않는다는 말이다. 발성도 마찬가지다. 듣기 좋은 소리는 그 호흡에 얹어져서 일정한 압력으로 뿜어져 나간다. 소리의 크기는 연구개의 접합으로 조절된다. 그래서 립트릴이든 하품과 허밍 등으로 발성훈련을 한다. 무엇이든 일정한 기준을 세우고 반복 숙달하며 유지할 수 있어야 한다. 이것이 기본기다.

복싱선수들은 왜 줄넘기를 할까?

복싱의 기본기는 줄넘기다. 복싱에서는 웜업을 할 때 템포와 강도를 일정하게 유지하는 훈련으로 줄넘기를 한다. 넘기는 발목만 살짝 튕겨서 줄을 넘기기만 하면 된다. 그로 인해 발목 안정성을 극대화 시킬 수 있다. 여러 가지 패턴과 조합하여 발목이 90도로 당겨진 상태. 즉, 플렉스(배측굴곡) 상태를 만들며, 정강이 앞쪽의 근육, 발등이 힘을 쓴다. 이를 통해 사뿐사뿐한 느낌이 나고 탄력이 붙는다. 작은 근육들이 협응하여 큰 힘을 발휘하도록 훈련할 수 있다. 복싱에서는 다리를 멀리 뻗지 않는다. 무하마드 알리의 말처럼. 나비처럼 날아서 벌처럼 쏘듯 움직인다. 그러기 위해서는 부드럽게 방향 전환이 안정적으로 이루어져야 한다. 온몸의 협응을 통해 탄력적으로 반동을 제어할 수 있어야 민첩하게 대응할 수 있다. 줄넘기는 이를 위해 필요한 모든 것을 동시에 훈련할 수 있다. 가장 먼저 라운드를 버텨내기 위한 체력이 향상된다. 체급을 맞추기 위한 체중감량의 효과도 있으며, 스텝을 밟기 위해 발목도 강화된다. 펀치를 내지르기 위해 손목도 강화할 수 있다. 줄넘기를 맨몸운동으로 분류하기는 애매한 부분이 있지만 곁들어 참고하도록 하자.

4) 팔굽혀펴기

팔굽혀펴기는 모든 근육을 깨워주는 전신운동이다. 단순히 팔굽혀펴기라는 목표만 달성하면 된다고 생각하고 전신을 다 비틀어서 동작 수행을 하는 것은 도움이 되지 않는다. 곧게 몸을 펴고 직립을 유지해야 근육에 자극을 줄 수 있다. 단계를 설정하고 반드시 자기 수준에 맞는 팔굽혀펴기를 해야 한다. 근력이 있다고 자신하는 사람도 정확하지 않은 자세로 수행하는 경우가 많다. 과신하지 않고 제대로 수행해야 성장한다.

팔굽혀펴기 무엇이 좋을까?

팔굽혀펴기는 모든 운동의 기초가 되는 전신운동이지만 특히 팔의 시작이라 할수 있는 날개뼈의 움직임을 안정화 해준다. 이와 관련된 전거근, 대흉근, 극상근, 극하근등을 활성화시켜 어깨부상을 방지하고 더 높은 수준의 움직임을 원만하게 접근할 수 있도록 해준다. 어깨는 날개뼈라는 밥그릇에 들어가 있는 모양이다. 때문에 어깨를 들어 올리려면 반드시 날개뼈, 즉 견갑이 미리 움직여 각도를 만들어 주어야 한다. 만일 견갑이 굳어 있으면 팔을 들어올릴 때마다 견봉에 어깨 근육이 찝히고 극상근과 같은 근육에 염증과 통증이 생기기도 한다. 한쪽으로 누워 자는 습관을 가진 사람도 마찬가지다. 견갑이 짓눌려 있어 굳어있거나 어깨가 안으로 말려서 비대칭을 이루게 된다.

어깨는 가동범위가 큰 만큼 조금만 잘못 움직여도 큰 부상을 입을 수 있다. 초보자는 팔굽혀펴기를 통해 어깨와 날개뼈를 강화하고 안정화 시커주어야 한다. 팔굽혀펴기는 팔의 넓이나 손의 위치에 따라 다양하게 효과를 볼 수 있다. 손을 넓게 짚으면 어깨에 자극이 실리고 좁게 하면 삼두에 자극이 실린다. 손을 허리에 가깝게 뒤에 짚으면 어깨에 자극이 온다. 반대로 어깨에 가깝도록 앞쪽에 짚으면 삼두에 자극이 온다. 이처럼 방식에 따라 다양하게 근육을 깨울 수 있는 운동이다.

팔굽혀펴기 어떻게 해야 할까?

날개뼈는 크게 6가지의 움직임을 갖는다. 들어 올리는 거상, 내리는 하강, 날개뼈를 벌어지게 어깨를 앞으로 모으는 전인, 날개뼈를 조이면서 어깨를 뒤로 넘기는 후인, 팔을 옆으로 올리며 생기는 상방회전, 아래로 내리면서 생기는 하방회전. 이 중에 몇가지를 명확하게 지켜주면 된다. 첫 번째가 후인. 날개뼈를 뽑아준다. 두 번째가 하강. 날개뼈를 내려준다. 세 번째 골반을 후방경사 한다. 네 번째 팔꿈치를 겨드랑이에 붙여주며 내려간다. 일단 이것을 정확하게 지켜내는 것이 우선이다.

만일 보통의 팔굽혀펴기 기본자세로 바로 들어갈수 없다면 단계별로 접근하여 일단 이 4가지를 정확하게 지켜낼 수 있도록 하자. 수준에 따라서 1단계로 벽을 짚고. 2단계로 의자를 짚고, 3단계로 무릎을 대고, 4단계로 기본자세로 수행해보자. 바로 다음단계로 넘어갈 수 있다고 해도 각 단계를 10회 정도를 반복하며 정확한 자극을 느끼고 작은 근육부터 깨운 뒤에 무릎을 펴고 해야 효과가 극대화 된다. 절대 허리가 휘거나 고개가 숙여지면 안된다. 그 상태를 유지할 수 없는 팔굽혀펴기는 온몸비틀기 일뿐 제대로 된 운동효과를 거둘 수 없다. 단계를 낮추더라도 정확한 자세로 해야한다.

모든 운동은 점진적 과부하가 원칙이다. 기본자세에서 팔굽혀펴기가 더 이상 자극이 오지 않는다면 점점 강도를 높여야 한다. 가방이나 무게 있는 물체를 메거나 매달고, 발을 의자나 기구 위에 올려두고 해보자. 엄지를 위로 하여 주먹을 쥐고 해도 좋다. 손목이 꺽이지 않아 유리한 부분도 있다. 발등을 바닥에 대고 해도 좋다. 허리가 꺽이지 않고 무릎도 곧게 펴준다. 팔굽혀펴기는 물구나무서기의 선행단계로서 강도를 높일 수 있다면 물구나무서기에 필요한 근력과 구조를 강화 시킬 수 있다,

팔굽혀펴기 무엇을 주의해야 할까?

팔굽혀펴기는 손목이 계속 꺽여서 내 몸무게를 손목이 받치고 있으니 손목에 무리가 오기도 한다. 손목은 새끼손가락쪽으로 갈수록 가동성이 커진다. 그러니 살짝 손을 바깥쪽으로 벌리고 짚으면 무게가 분산되어 손목에 무리가 덜하다. 손목을 바깥쪽으로 45도 정도 돌리면 팔꿈치 안쪽과 손바닥이 정렬되어 편안해지고 날개뼈가 조여지며 자연스럽게 안정감을 얻게 된다. 팔꿈치를 구부리기도 수월해지니 더 많은 자극을 날개뼈에 전할 수 있다. 손목의 안정성을 위해서 도구를 사용해도 좋다. 푸시업바 라는 운동 도구가 있는데 이를 사용하면 더 많은 신전을 만들어낸다. 높이가 높아진 만큼 더 많은 수축과 이완을 통해 자극을 극대화할 수 있다. 주먹을 쥐고 해도 좋다. 주먹을 쥔 엄지가 머리 쪽을 향하게 되니 손목이 꺽이지 않는다.

팔꿈치는 몸에 붙일수록 활성화된다. 사람마다 갈비뼈의 크기와 길이가 다르니 정확하게 45도가 될 수는 없다. 해보면서 스스로 적당한 각도를 찾아야 한다. 걸음에도 자기만의 안정적인 보폭이 있다. 모든 움직임에는 자기만의 각도와 간격이 있다. 만일 자극이 오지 않는다면 살짝 떼서 45도를 벌린다는 느낌으로 내려가보자.

날개뼈. 견갑은 반드시 하강시켜야 한다. 이 말은 어깨와 귀 사이를 멀게 하라는 말이다. 그래야 무게가 어깨로 실리지 않기에 목과 어깨 사이의 승모근에 과부하 없이 바른 몸이 완성된다. 모든 근육운동은 이완은 천천히 수축은 빠르게 해주면 된다. 다른 운동과 마찬가지로 날개뼈를 끝까지 후인시켜 뽑아내야 한다. 그래야 회전근개 발달로 팔이 길어지고 어깨가 넓어질 수 있다. 팔굽혀펴기는 전신운동이지만 사실 대흉근 가슴 모양을 잡고 깨우는 운동이다. 그래서 가슴 자극을 느낄 수 있도록 끝까지 쥐어짜야한다. 이러한 훈련들은 거북목인 사람들이 늘어난 등 근육을 조이고, 줄어든 가슴 근육을 늘려서 이상적인 직립을 가질 수 있도록 돕는다.

온몸은 곧게 펴서 일자 정렬을 만들어야 하는데 사람들은 힘이 빠지면 허리를 S자로 꺾어 아치를 만들려고 한다. 그걸 방지하기 위해 날개뼈를 뽑아주면서 골반을 후방회전하여 말아준다. 익숙해진다면 발등을 바닥에 대고 수행하자. 이러한 자세는 골반후방회전을 유지하고 집중하게 한다.

명심하자. 팔굽혀펴기의 숫자가 중요한게 아니다. 1개를 하더라도 정확한 자세로 수행하는 것이 더 중요하다. 반드시 날개뼈를 내리고 뽑아서 일자정렬을 유지 해야하며 힘이 풀리면 동작을 정리하고 다시 하자. 힘이 풀릴수록 팔꿈치도 자꾸 바깥쪽으로 빠져나가려고 한다. 절대 나가지 않도록 유념하면서 해야 한다. 특히 내려갈 때는 잘 내려가다가 올라올 때 팔꿈치가 바깥으로 빠져나가는 사람이 많다. 이러면 자극도 분산되고 힘의 연결과 전달도 잘 느껴지지 않는다. 무엇보다 손목인대에 잘못된 압력이 가해져 손상을 입을 수 있다. 반드시 끝까지 자극을 느끼도록 동작범위를 끝까지 채워야 한다. 숫자만 채운다는 식으로 윗 구간이나 아랫 구간에서 작거나 대충하는 경우가 있는데 이런식으로 하는 팔굽혀펴기는 당연하게도 아무런 도움이 되지 않는다. 올라올때는 끝까지 날개뼈를 뽑아주고 내려주어 쥐어짜고 내려갈때는 대흉근이 완전히 늘어나고 날개뼈가 서로 조여질 수 있도록 유념하자. 온몸을 비틀며 올라온다거나 이중에 하나라도 지켜지지 않는다면 강도를 건너뛰어 왔다는 것이다. 다시 처음으로 돌아가 벽을 짚고, 의자를 짚고, 무릎을 대고, 발등을 대고 순으로 천천히 다시 해보자. 이러한 팔굽혀펴기는 턱걸이에서도 그대로 적용된다.

턱걸이는 왜 중요할까?

팔굽혀펴기가 미는 운동으로 전방근막사슬을 강화했다면 턱걸이는 당기는 운동으로 후방근막사슬을 강화한다. 턱걸이는 기구 운동으로 분류하여 따로 언급하지 않았다. 다만 매우 중요한 운동이니 참고하자. 당기는 운동은 맨몸으로 할 수 없다. 턱걸이나 링로우 같은 운동으로만 가능하다. 앞서 우리의 몸이 비대칭이 생기거나 약화되는 이유는 밀거나 당기는 쪽으로 발달하는 근막 때문이라고 했다. 이러한 비대칭은 지나친 골반전방경사나 후방경사로 이어진다. 양쪽 모두 균등하게 발달시켜야 더 탄력적이고 활력있는 몸을 쓸 수 있다. 당기는 움직임은 일상에서 매우 부족하다. 그렇다면 올바른 턱걸이 자세는 어떻게 해야할까. 원리를 다른 움직임에 적용시키고자 여기까지 탐구해왔다. 그립은 어떻게 해야 등에 자극을 줄 수 있을까. 엄지손가락을 살짝 떼고 새끼 손가락에 집중하여 잡으면 팔꿈치는 벌어지는가. 모여지는가. 팔꿈치는 앞으로 가는가 뒤로 가는가. 어디에 자극이 실리는가. 날개뼈는 어떻게 해야하는가. 먼저 움직이는가. 나중에 움직이는가. 턱걸이를 꼭 스스로 연구하고 수행해보자.

운동은 점진적 과부하가 원칙이다. 적은 횟수라도 세트를 나누어서 진행하며 휴식시간은 점점 줄여보자. 정자세를 유지하되 갯수를 줄여서 안정성을 갖추자. 어느정도 자신감이 생기면 다시 도전해보라. 무엇이든 정량화하고 계획해야 한다. 정량화 할줄 알아야 개선할 수 있다. 실측가능한 목표만이 달성했을 때 확실한 성취감을 준다.

4) 물구나무서기

팔굽혀펴기를 통해 어느 정도 두 팔로 체중을 지탱할 만큼 힘을 길렀다면 이제 물구나무를 통해 전신의 균형을 발달시켜보자. 물구나무는 두 손을 땅에 짚는 모든 움직임의 기본이다. 옆돌기나 핸드스프링 같은 동작들도 물구나무가 가능해야 시도해 볼 수 있다.

물구나무서기 무엇이 좋을까?

직립하는 우리의 몸은 중력의 영향을 받고 있다. 물구나무를 통해 온몸을 뒤짚어 준다면 혈액순환이나 장기들의 정렬에도 도움을 받을 수 있다. 또한 두 팔로 온몸을 지탱하고 통제할 수 있다는 것은 부상에 대한 불안을 줄여주고 활력 넘치는 표현을 가능하게 한다. 고유수용성 감각 발달에도 큰 도움이 된다. 이는 더 깊고 이상적인 직립을 가능하게 한다. 직립이 되어야 사지의 자유가 생긴다. 직립에 대한 이해가 깊어지면 역동적인 움직임도 더 활기차게 수행할 수 있다.

물구나무서기 어떻게 해야 할까?

물구나무서기에서 가장 중요한 것은 직립을 만들기 위해 골반이 후방경사를 해야 한다는 점이다. 보통 물구나무를 처음 시도하면 허리가 S자로 꺾이는 골반전방경사가 일어난다. 이것은 원초적인 직립의 습관이다. 두 발을 바닥에 대고 일어섰을 때 요추에 부담을 주지 않기 엉덩이를 뒤로 빼고 서 있던 감각이 그대로 적용되기 때문이다. 물론 숙련자가 되었을 때는 전방경사 자세로 물구나무를 서는게 오히려 몸을 이완시켜주어 다양한 물구나무 동작을 취할 수 있게 한다. 3장에서 균형 상태를 마치 정렬된 것처럼 편안하게 유지할 수 있는 상태가 수준이 높은 상태라 했던 것과 같은 이유다.

골반을 전방경사로 주욱 뒤로 빼면 가슴이 열린다. 더불어 팔도 뒤로 많이 돌아가며 견갑이 서로 모이게 된다. 즉, 가동성이 큰 상태다. 어깨를 설명하며 말했듯 가동성이 크면 그만큼 안정성을 잃게 된다. 때문에 고정되지 않아 중심을 잡기 어렵다. 그렇다면 반대로 골반을 후방경사 시켜보자. 그 상태에서 양팔을 위로 올려보자. 어깨가 더 이상 돌아가지 않는다. 그래서 거북목 자세에서는 두 팔에 자유가 없고 힘을 쓸 수가 없다고 했다. 이것을 반대로 생각해보자. 가동성이 줄어들었다는 것은 고정되었다는 것을 말한다. 이것이 몸을 뒤짚은 상태. 물구나무 상태에서 중심을 잡는 요령이 된다. 가동성이 줄어든 만큼 안정적이다. 물론 이것은 원리를 이해하기 위한 예시다. 실제로 이렇게 과하게 후방경사를 하면 마찬가지로 힘을 올바로 전달하지 못하는 구조가 된다. 느낌을 이해하고 적당한 중립구조를 만들어야 한다.

골반후방경사를 유지하기 위한 훈련 방법을 3가지로 제시한다. 첫 번째, 누워서 물구나무서기, 엎드려서 물구나무서기, 벽에 서서 물구나무서기다.

먼저 누워서 물구나무를 서보자. 누우면 허리가 지면에서 뜨면서 골반이 전방경사를 자연스럽게 만든다. 우리의 몸은 S자로 굴곡되어 지면에서 오는 반동과 충격을 감쇄하기 위해 이러한 구조를 취하게 되어있다. 이제 직립을 만들어보자. 허벅지와 엉덩이를 바닥에 밀착시키며 밀어내고, 발뒤꿈치도 바닥에 밀착시키려 밀어내보자. 양손은 머리 위로 들고 날개뼈를 바닥에 밀착시키듯 밀어내보자. 자연스럽게 골반이 후방경사

되며 등이 바닥에 닿게된다. 물론 등을 바닥에 완전히 밀착시키게 되면 후방경사의 굴곡이 일자정렬을 벗어나게 되니 크게 골반후방회전의 감각만 익히고 일자정렬을 맞춰보자.

자. 이제 몸을 뒤짚어서 엎드려서 물구나무를 서보자. 마찬가지다. 골반을 후방회전하고 발등으로 바닥을 누르고, 허벅지와 골반도 바닥을 누른다. 그 이후에 양손을 머리 위로 쭉 뻗어주면서 최대한 위쪽으로 팔을 들어보자. 마치 슈퍼맨이 하늘을 날아가듯 말이다. 탄탄하게 상하체가 결합되는 힘을 느끼게 된다.

마지막으로 벽에 물구나무 서기다. 이 과정을 하기전에 팔굽혀펴기로 충분히 견갑과 팔힘을 길러야 한다. 적어도 팔굽혀펴기가 10개는 가능해야 한다. 벽을 등지고 서서 한 다리씩 벽에 올린다. 조금씩 올라가 앞서 했던 과정을 똑같이 해보자. 고개는 들어서 천장을 보려고 하자. 발등이 벽에 닿게 되면 마찬가지로 골반을 후방회전하며 골반으로 벽을 밀어내 보자. 이때 무릎을 쭉 펴주어야 한다. 익숙해지면 고개를 들어 바닥을 보고 두 팔은 곧게 뻗어 물구나무를 서고 있다고 상상하자.

여기까지 훈련했다면 이제 똑바로 서서 같은 느낌으로 두 팔을 들어보자. 이때 가슴이 열리지 않고 두 팔이 그대로 하늘로 뻗어진다면 제대로 감을 잡고 있는 것이다. 우리가 두 팔을 천장으로 들어올리면 어깨 후면부가 활성화된다. 그리고 가슴을 열지 않으려면 복부 전면부가 활성화된다. 가슴을 열지 않고 팔을 위로 들어올리는 것은 자연스러운 구조변화를 반대로 행하는 일이다. 어색한 것이 당연하다. 이처럼 테크닉의 훈련이란 원래는 당연하지 않은 두 가지를 적절히 조합하여 힘을 쓰기 위한 새로운 구조를 만들어 내는 과정이다. 목적에 따라 자연스럽지 않은 구조를 만들어 내고 통제하여 내가 원하는 목적과 목표에 도달하는 이상적인 상태를 만들어 내는 것. 양극단을 모두 경험해보고 적당히 조합하여 적절한 최적의 상태를 만들어내는 것. 이것이 테크닉이라 했다. 삶의 요령도 그렇지 않은가. 모두가 처음 살아보는 삶이다. 처음이니까 못하는 거고 못하는 건 당연하다. 하나씩 깨닫고 배우며 익숙해지면 된다.

이제 벽에 다리를 올리며 물구나무를 서는 연습을 해보자. 벽을 마주보고 서서 한 다리씩 차올려 물구나무를 선다. 이때부터 손목에 부담이 오기 시작한다. 팔굽혀펴기 과정에서 익혔던 손목을 떠올려보자. 손목은 엄지쪽으로 갈수록 각도가 작고, 새끼쪽으로 움직일수록 각도가 커진다. 즉, 새끼쪽으로 굽힐 때 가동성이 더 크다는 말이다. 그 말은 새끼쪽으로 갈수록 손목에 부담을 덜하지만 그만큼 안정적이지 않다는 말이다. 손을 안쪽으로 돌리면 안정성이 확보되고 고정 되지만 승모근과 어깨가 개입된다. 손을 바깥쪽으로 돌리면 승모근과 어깨가 내려가며 견갑이 모이지만 가슴이 열리면서 중심이 무너지기 쉽다.

그렇다면 적당한 상태를 찾아보자. 검지와 중지가 앞을 향해 뻗을수 있도록 짚으며 손가락은 너무 펼치지 않도록 하자. 손가락을 벌려 펼치게 되면 무게중심이 분산되어 균형을 잡기 어렵다. 편안한 간격을 찾으면 된다. 물구나무를 자주 서보면 깨닫게 되겠지만 손목으로 중심이 올수록 힘이 덜 들고 중심이 잘 잡힌다. 손가락으로 갈수록 힘이 들며 중심을 잡기가 어렵다. 그러나 손가락은 움직일 수 있다. 다시 말해 손가락으로 중심을 옮긴다는 것은 넘어지려할 때 중심을 보정할 수 있는 기회가 생긴다는 말이다. 손가락을 굽혀 갈고리처럼 바닥을 움켜쥐듯 해보자. 비보이와 같은 물구나무의 고수들을 보면 손가락으로 바닥을 움켜쥐거나 펴면서 보정한다.

이제 고개를 집어넣고 날개뼈를 뽑아 바닥을 밀어내는 느낌을 찾아야 한다. 두려움에 고개를 들어 바닥을 본다면 고개를 주욱 빼고 가슴이 열리고 어깨가 수직으로 서지 않는 경우가 많다. 일자 정렬을 위해 지금까지 훈련했으니 일단 고개를 숙이고 일자정렬의 감각을 확실히 하자. 익숙해지면 천천히 고개를 들어 바닥을 보자. 다음은 발끝으로 벽을 가볍게 툭툭 밀어내며 손가락을 움켜쥐거나 펴면서 균형을 잡아본다. 오래 머물면 다시 근육의 힘으로 자세를 강직시키려 하니 충분히 휴식하고 다시 시도해보자.

반드시 지켜야하는 후방회전과 상하체 협응의 과정을 잊지말자. 익숙치 않은 감각이라서 스스로 뒤틀림을 인식하기가 쉽지 않다. 전문가의 도움을 받아 교정받거나 영상을 찍어서 확인 해보자. 보통은 일자정렬이 안나오는게 힘을 덜 줘서 그런줄 알고 힘으로 버티려고 드는데 그냥 구조가 완성이 되지 않은 것이다. 그러니 일자정렬을 위한 위치에 골반이 나와있는지, 가슴이 열리거나 어깨가 꺾이지 않았는지 상태를 확인하고 이를 필요한 자세, 근지구력, 유연성 훈련을 병행하도록 하자. 일자라는 모양을 만들려 해서는 안된다. 단계별로 수행한 이유는 모양을 만들기 위해서가 아니라 균형감각을 깨우기 위함이었다. 어떤 동작이든 따라하려고 모양을 흉내내지 않아야 한다. 원리를 깨우치고 감각을 자극하는게 우선이다.

당연하게도 지구력의 바탕이 없으면 물구나무는 절대 할 수 없다. 물구나무를 설 때 엉덩이가 넘어가면 고관절에 문제가 있다. 어깨부터 넘어간다면 몸통 전체에 문제가 있다. 허리가 꺾인다면 하체가 부실한 것이다. 단계를 건너 뛰고 기술을 수행할 수 있는 비법 같은 것은 없다. 연필을 깎아야 그림을 그린다. 몸은 하루아침에 바뀌지 않는다. 꾸준히 단련하자.

5) 윗몸일으키기

복근은 어떤 역할을 할까?

물구나무서기를 더 탄탄하고 안정적으로 서려면 일정수준 이상의 복근. 즉, 코어의 힘이 필요하다. 코어는 상하체를 연결하는 중심이며, 엉덩이와 함께 무게중심을 지탱해준다. 복근은 움직임에서 최적의 길이의 장력을 만들어준다. 복근은 호흡을 안정 시켜주고 신체 부위들과 내장이 최적화 된 위치에 자리 잡도록 안정성을 확보해준다.

복근은 크게 4가지로 구성되어 있다. 가로로 되어있고 복부안정성과 내장을 고정해주며 복압을 유지하여 호흡에 안정을 주는 복횡근, 척추와 골반 움직임을 제어하는 외복사근, 어깨의 대칭을 유지하며 몸통을 회전시키는데 도움을 주는 내복사근, 골반을 앞으로 당겨 척추를 고정 해주는 복직근이 있다.

이러한 기능들을 단련 하기 위한 복근 훈련은 정말 셀수 없이 많다. 그러나 복근 훈련은 무작정 따라해서는 안된다. 자극을 정확하게 느끼고 올바르게 하지 않으면 오히려 척추에 무리를 주거나 자세를 망가뜨릴 수 있다. 때문에 필자는 무작정 하라고 강요하지 않는다. 허리에 중립을 유지하면서 동작을 유지한다는 것은 결코 쉽게 터득할 수 있는게 아니기에 단계적으로 순차적으로 훈련해야만 한다.

복근 훈련은 어떻게 해야 할까?

복근훈련이라고 하면 보통 플랭크를 떠올리는데 필자는 버티기식의 등척성 운동에 집착하는 것에 회의적이다. 플랭크도 근질향상. 근육경도 강화의 효과는 거둘 수 있지만 회전을 안쓰니까 복직근만 단련된다. 진짜 중요한 외복사근 내복사근은 하나도 단련되지 않는다. 우리 몸은 계속해서 움직인다. 역동적인 움직임을 하면서도 바른 자세를 만들어야 하는데 플랭크만 주구장창 하는 것은 이러한 목적에 부합하지 않는다. 코어가 중요한것은 상하체를 연결시켜 안정성을 주는데 있다. 그러니 굳이 복근운동에 집착하지 않아도 복압을 유지하고 활용할 수 있다면 충분히 안정적으로 활용할 수 있다. 오히려 상하체의 협응훈련을 하면 복근의 모든 기능을 단련할 수 있기에 네발로 기어다니는 등의 협응훈련을 더 권장한다.

　물론 초보자나 재활하는 환자에게 플랭크는 필요하다. 팔꿈치를 대고 날개뼈를 뽑고 엉덩이를 조이며 후방회전으로 버텨보자. 플랭크를 할 때도 복압을 유지하는 것이 매우 중요하다. 일단 턱이나 이마를 주먹을 쥐고 받쳐보자. 더 목이 편안하다고 생각되는 곳에 받치면 된다. 그 상태로 복횡근을 끝까지 집어넣어 뱃가죽이 등에 붙는다는 이미지로 집어 넣어보자. 보디빌더들이 복횡근을 더 잘보이게 하려고 자극하는 동작인데 이러한 복횡근 단련은 복압유지에 도움을 준다. 등이 말리거나 골반이 움직이지 않도록 하고 반복하여 버텨보자.

　다시 플랭크를 해보자. 플랭크가 편안해졌는가. 보통 골반의 전방경사나 후방경사를 반대쪽으로 회전시켜서 중립을 맞추려고 한다. 그러한 문제들이 앞쪽이나 뒤쪽이 늘어나거나 단축되어 생기는 문제라고 인식한다. 그저 늘려주거나 힘을 줘서 조여주는데 초점을 둔다. 그러나 그러면 2차적인 자세변형이나 경직만 생긴다. 몸은 스스로 장력을 인식하며 유기적으로 연결되고 균형을 잡으려 한다. 직립과 중립을 위해 동작을 만들어 내는게 아니다. 복강내압의 유지로 해결할 수 있다. 기다란 풍선의 예시를 다시 떠올려보자. 가운데를 잡고 움켜쥐어본다고 생각해보자. 위아래로 팽창되며 바로 세워진다. 이게 바른 직립의 요령이라고 했다. 그래서 복압은 채우는게 아니라 눌러주는 것으로 인식하자고 했다. 플랭크 동작이 익숙해진다면 한발을 떼거나 한 손을 떼보고 교차로 들어보자. 바닥에 지지하는 팔도 점점 앞으로 옮겨보자. 이렇게 움직임 속에서 복압을 유지할 수 있어야 역동적인 퍼포먼스를 만드는데 도움이 된다.

복근의 힘을 기르려면 완전히 호흡을 내뱉는 것이 중요하다. 최대 수축 지점에서 최대한 숨을 내뱉고 추가적으로 후!후! 하면서 더 내뱉어 주자. 이렇게 완전히 호흡을 내뱉으면 외복사근의 작용을 통해 늑골을 골반쪽으로 잡아 당길 수 있게 한다. 결국 골반경사를 막아주고 결국 직립과 몸통 전반의 안정을 돕는다. 우리의 몸은 플랭크처럼 고정된 자세가 아니라 대칭과 회전을 이용해 움직인다. 때문에 계속 움직이는 상황을 가정하고 단련해야한다. 외복사근과 내복사근은 근막경선을 타고 사슬처럼 교차되어 있다. 전거근, 능형근과 연결되어 함께 작용한다. 이로 인해 어깨와 고관절까지 힘을 효과적으로 전달하고 몸통의 뒤틀림을 막아준다.

무거운 물체를 앞에 두고 민다고 생각하면 전면부의 힘을 쓰게 되고, 당긴다고 생각하면 후면부의 힘을 쓰게 된다. 구조가 아닌 힘을 쓰게 되면 허리가 중립을 유지하지 못하고 뒤틀리게 된다. 이때 허리의 중립을 유지하게 하는 것이 복근 훈련의 가장 큰 목표다. 아무리 강한 근육이 있어도 바른 구조를 이길 수는 없다. 아무리 매듭을 세게 묶는다고 해도 올바른 매듭법이 아니라면 끊어질 수밖에 없듯이 근육이 아무리 강해져도 구조의 효율을 이길 수는 없다. 어떻게 해야 몸 전체가 협응하여 밀거나 당기는 움직임을 이상적으로 할 수 있을지 배우고 고민해야 한다.

7) 버피테스트

인터벌 트레이닝은 무엇일까?

인터벌 트레이닝은 높은 강도와 낮은 강도의 운동을 번갈아 하는 신체 훈련이다. 우리 몸은 같은 운동을 비슷한 강도로 반복하게 되면 쉽게 적응을 한다. 똑같은 운동을 반복할수록 에너지 소비량이 처음과 비교해 점점 줄어들게 된다. 그래서 운동을 통한 다이어트가 힘든 것이다. 인터벌 트레이닝은 여러 가지 운동을 강도를 조절하며 반복하게 한다. 한번 높게 올라간 심박수는 낮은 강도의 운동을 하는 동안에 완전 정상 심박으로 회복되지 않는다. 다시 고강도 운동을 하면서 심박수가 높게 끌어올려지는 과정이 반복된다. 덕분에 내 몸은 지속적으로 운동하는 효과를 볼 수 있다. 지방은 산소가 있어야 산화된다. 그만큼 산소가 깊이 들어와야 좋다. 인터벌 트레이닝은 최대 산소 소비량을 늘리므로 심폐지구력 향상에 큰 도움을 준다. 그룹 달리기를 하는 경우 가장 후미의 주자가 선두를 따라잡기를 하는 식으로 진행하면 재미와 강도 모두 갖추는 좋은 인터벌 트레이닝이 된다.

버피테스트는 어떤 효과가 있을까?

버피테스트는 코어와 골반이 계속 맞물려서 전신을 협응하게 하는 훌륭한 맨몸운동이다. 또한 지금까지 설명했던 모든 맨몸운동이 엮인 인터벌 트레이닝이다. 저강도에서 고강도까지 수준별로 정량화하고 강도를 조절할 수 있어 매우 좋다.

버피테스트의 과정은 다음과 같다.

1. 허리를 곧게 펴고 바르게 선 자세로 준비

2. 상체를 숙이고 스쿼트하듯 앉아 양손을 바닥을 짚는다

3. 양쪽 다리를 점프하듯 뒤로 쭉 뻗어 어깨와 발끝이 일직선이 되도록 한다.

4. 뒤로 뻗었던 다리를 다시 앞으로 당겨온다

5. 처음 자세로 돌아가서 바르게 편 자세를 만들어준다.

버피테스트는 이렇듯 두 발을 동시에 움직이고 점프가 포함된 고강도 운동이다. 심폐 체력과 전신 지구력 등 효과가 좋지만, 아직 관절이나 근력이 약한 사람에겐 자칫 부상으로 이어질 수 있다. 선행과정으로 앞서 제시한 스쿼트, 팔굽혀펴기 등으로 몸을 단련하고 천천히 버피테스트를 시도해보도록 하자.

버피테스트를 수준별로 난이도를 높인다면 다음과 같다.

1단계 : 젠틀버피 – 다리교차로 내려놓으며

2단계 : 베이비버피 –두발동시에 당기며

3단계 : 합 스쿼트 버피 – 위로 살짝 뛰면서

4단계 : 마운틴 클라이밍 버피 – 두발 산오르듯 제자리교차하여

5단계 : 푸쉬업 스쿼트 버피 – 팔굽혀펴면서

6단계 : 펍점프버피 – 가슴까지 무릎모아 뛰면서

4장. 신체훈련

지친다고 흐트러져서는 시간투자 대비 효율이 떨어지는 법이다. 천천히 횟수를 적게 하더라도 정확한 자세로 해야한다. 힘만 쓰지 않고 구조를 제대로 인식하면서 몸의 협응능력을 키워야 한다.

7) 사족보행

사족보행을 하면 무엇이 좋을까?

앞서 인간은 직립을 선택하면서 척추가 세로 단면으로 몸통을 지지하고 있으니 상하체의 연결이 불안정하다고 했다. 이로 인해 사족보행을 하는 동물의 힘을 잃어버렸다. 동물은 사족보행을 통해 척추를 가로 단면으로 연결하고 상하체의 힘을 균등하게 분배한다. 사족보행을 훈련한다면 진화의 과정 속에서 잃었던 많은 기능들을 회복할 수 있다. 우리가 살펴본 모든 원리와 훈련은 이족보행의 진화과정에서 잃었던 구조와 힘을 되찾기 위함이었다. 때문에 필자는 사족보행이 가장 기초적이고 가장 필요한 맨몸운동이라고 여긴다.

사족보행에는 여러 가지가 있다. 동물도 습성이나 사냥방식의 차이가 있다. 이에 따라 신체 구조나 행동이 다르다. 그러니 어떤 동물의 보행을 하느냐에 따라 각기 다른 훈련 효과를 거둘 수 있다. 곰걸음은 사지의 협응능력을 키우고 탄력을 만들어 준다. 바닥에 바짝 엎드려서 수행하는 호랑이걸음은 점대칭으로 온몸의 압축폭발과 함께 회전관성을 발달시킨다. 필자는 곰걸음을 매우 선호한다. 곰걸음은 허리를 눌러주어 고개를 들고 척추를 편다. 무릎도 편 상태로 수행한다. 처음에는 같은 쪽의 손과 발을 동시에 함께 들어 나아간다. 익숙해지면 팔을 더 멀리 뻗어 짚어 본다. 숙련되면 팔다리가 대칭을 이루면서 적절한 타이밍에 교차되고 성큼성큼 앞으로 나아가게 된다. 사지를 펴고 움직이니 전신의 근골이 비틀어 자극된다. 특히 흉추가동성에 빠른 성취를 거둘 수 있다. 흉추가동성이 좋아지면 요추는 보상작용으로 덜 움직이게 된다. 즉, 중심이 안정성을 얻게 되어 전신 움직임이 원활해진다. 활력이 생긴다. 이는 다른 사족보행의 기초적인 바탕이 된다. 이처럼 선택하는 사족보행마다 하나씩 효과를 느끼고 필요성을 알게 되면 자기만의 훈련 루틴을 만들 수 있다. 우리가 비싼 트레이너를 고용하는 이유는 자기만의 훈련 루틴을 만들어 달라고 하는 것이다. 스스로 몸에 대해 이해한다면 비싼 트레이너를 고용할 필요가 없다. 본인의 몸에 맞춘 훈련 프로그램을 고안하고 계획할 수 있다.

곰걸음을 통해 얻게 되는 흉추가동성의 효과에 대해 더 살펴보자. 흉추는 요추와 비슷하지만 다른 특징을 갖고 있다. 가장 큰 구조적 차이로는 갈비뼈가 붙어있다. 쉽게 말해 양옆에 추가 붙어있다는 말이다. 이를 통해 한쪽으로 기울어졌을 때 한쪽은 눌리면서 지지대가 되어주고 반대쪽은 늘어나면서 더 많은 장력을 얻게 된다. 때문에 흉추는 요추에 비해 크게 움직이지 않지만 그만큼 넓은 범위까지 영향력을 발휘한다. 반대로 요추는 갈비뼈와 같은 지지대가 없기 때문에 복압을 통해 구조를 유지한다. 다시 말해 흉추는 갈비뼈가 있어서 요추에 비해 안정적으로 움직일 수 있고 더 많은 근육이 붙어있어 더 통제가 용이하다. 다만 그만큼 기울어졌을 때 더 많이 기울어지게 되니 넘어지지 않고 균형을 잡아야 한다. 그래서 가동성 커질 수 있는 부위임에도 가동성을 최소화하며 사용하게 된다. 때문에 흉추의 가동성을 키워줄수록 더 건강하고 활력있는 몸과 움직임을 갖게 된다. 반대로 요추는 붙어있는 뼈가 없어서 잘 움직이나 그만큼 안정적이지 못하다. 골반 전방경사나 후방경사로 인해 쉽게 불안 정해지며 다칠 수 있다. 그러니 중심을 유지하는 안정성에 목표를 두어 야 한다.

흉추와 요추는 서로 연결되어 상호작용한다. 요추가 움직이면 그에 맞 춰서 흉추가 움직여서 힘을 전달하고 동작을 만들어 낸다. 움직임의 기 울기를 살펴보면 요추의 각도만큼 흉추는 움직이지 않는다. 흉추는 경추 와 요추 사이에서 힘을 전달하는 역할만 하며 잘 움직이지 않고 있다. 흉 추는 가동성을 크게 할수 있는 부위임에도 가동성을 적게 사용하고 있 다. 그렇다면 이 흉추의 가동성을 커지면 그만큼 경추와 요추는 그만큼 부담을 덜 느끼게 된다. 안정적인 구조를 잡는데 집중할 수 있다.

야구든 골프든 볼링이든 휘두를 때 두 다리가 눌러주고 지지하며 연 결되어 압축과 폭발을 만들고 큰 힘을 발휘한다. 이때 요추를 크게 돌리 면 구심축이 흔들리니 오히려 자세가 무너진다. 요추는 안정적일 때 가 장 큰 힘을 발휘하므로 작게 움직여야 가장 큰 효율을 낸다. 이를 위해서 흉추가 가동성을 발휘해서 보조 해야한다. 이렇게 상하체가 상호작용하 고 협응할 때 가장 큰 힘을 발휘할 수 있다. 그렇다고 요추를 움직이지 않 고 흉추만 크게 휘두르면 하체의 힘을 전달받지 못하고 상체의 힘으로만 해결하려 들어 구조도 무너지고 힘도 제대로 나오지 않는다. 휘두른다는 목적만 남기고 단순히 팔로만 흉내 냈기 때문이다.

사족보행은 어깨 안정성에도 큰 도움을 준다. 바닥을 짚고 행하는 모든 테크닉들은 손을 짚어 무게이동을 한다. 구심축이 움직임 속에서도 제대로 고정되어야 한다. 그 핵심이 바로 날개뼈와 어깨의 안정이다. 어깨는 쇄골에 인대와 근육으로 붙어있어서 얼마든지 더 넓게 만들 수 있다. 그만큼 가동성이 굉장히 큰 신체부위다. 가동성이 크다는 것은 안정성이 떨어진다는 말이다. 그래서 어깨는 살짝만 틀어져도 쉽게 다친다. 특정 근육을 강화시킨다고 해결할 수가 없다. 정확하고 바르게 써야만 한다. 사족보행은 과격하지 않다. 천천히 바닥을 짚어 나가면서 어깨의 가동성과 안정성을 동시에 키울 수 있다.

사족보행은 이처럼 상하체와 사지의 협응능력을 키워준다. 사족 상태에서 한 걸음만 내딛어도 몸이 한쪽이 기울어 넘어지지 않도록 코어근육을 활성화하고 균형을 잡게 한다. 무릎을 펴고 사족보행을 한다면 허벅지 뒤쪽 근육을 자극하고 탄탄하게 장력을 만든다. 이는 골반과 허리의 정렬과 교정에도 큰 도움을 준다. 사족보행을 제대로 해준다면 따로 동적 스트레칭을 하지 않아도 된다. 천천히 수행한다면 이미 훌륭한 근막경선 훈련이 된다. 스트레칭과 운동을 따로 구분하지 않아도 되니 시간과 에너지 투자에 있어 매우 효율적이다.

인간은 이족보행을 선택하면서 두 손의 자유를 얻었다. 그만큼 팔과 손에 의존한다. 움직임은 몸 전체로 해야 한다. 구조에 대해 이해하지 않고 직면한 문제만 해결하려 든다면 결국 과부하가 온다. 자주 쓰고 무리했던 부위가 찢어지며 부상을 입게 된다. 허리디스크가 대표적이다. 흉추가 제대로 일을 하지 않아서 요추에 과부하가 오면 디스크를 구성하는 콜라겐이 찢어진다. 그래서 상하체의 협응훈련이 필요다. 단순히 사지를 이용해 동작만 수행하려 들거나 근육의 힘만 쓰려하지 말고 팔다리가 붙어있는 흉추와 요추의 특성을 이해하며 훈련 해야한다. 끊임없이 장작을 패는 나무꾼을 상상해보자. 단순히 팔로만 휘두르면 금새 지쳐버린다. 그들이 종일 일할 수 있는 이유는 가장 이상적인 구조와 효율로 움직이기 때문이다. 한 팔이 없는 바이올린 연주자의 영상을 본적이 있는가. 그녀는 특수한 활대를 견봉에 매달아 바이올린에 올려두고 온몸을 움직여 연주한다. 마찬가지다. 어깨의 회전 동작을 만들기 위해 어깨가 아닌 날개뼈의 움직임을 고민했다면 이제 요추의 작은 원 움직임을 통해 고관절이 움직이고 무릎이 굽혀지고 갈비뼈가 움직여서 날개뼈까지 움직이게 해보자. 익숙해진다면 힘을 쓰지 않고 움직일 수 있다. 정렬된 상태로 동시다발적으로 움직일 수 있다. 이것이 올바른 협응이다.

 사족보행을 처음할때는 동작규격을 흉내내려고 힘을 쓰겠지만 반복하여 훈련할수록 유연해지고 사지가 척추와 함께 협응하며 편안해진다. 동물처럼 팔다리의 힘의 연결이 척추를 타고 전달된다. 흉추의 가동성을 높이니 요추가 안정된다. 보다 역동적인 움직임을 무리 없이 진행할 수 있게 된다. 모든 운동의 원칙은 점진적 과부하다. 조급함에 다시 팔에 의존하거나 근육의 힘으로 움직이려 들지 말고 구조와 움직임이 몸에 익을 때까지 천천히 단련해야 한다. 보행을 넘어 사족으로 튕겨내듯 탄력적으로 달릴 수 있다면 잃어버렸던 구조의 힘을 거의 완벽하게 되찾을 수 있다.

　사람마다 타고난 구조가 다르다. 그러니 자기가 부족한 것을 개선하려는 훈련 목표를 가져야 한다. 테크닉은 양극단의 조화로운 조합이다. 본능을 거슬러야 얻을 수 있다. 남자는 여자보다 유연하지 않고, 여자는 남자보다 근육이 부족하다. 그래서 요가원에는 여자가 많고, 헬스장에는 남자가 많다. 사실 반대가 되어야 더 옳은데 말이다. 자신에게 부족한 특성을 채워나가는 것이 더 좋은 훈련이다. 이러한 대칭과 조화는 다채롭고 역동적으로 역할의 스펙트럼을 넓혀야 하는 배우들에게는 더욱 필요하다. 남다르고 특별하고 싶다면 오히려 내게 부족한 것을 채우려고 해야 한다. 먼저 서로의 성별에서 얻을 수 있는 특성을 갖추려고 하자. 남성스럽다거나 여성스럽다 라는 프레임을 씌워 기피하고 멀리하지 말자. 이것이 보편성과 특수성을 고루 갖춘 배우가 되는 방법이다.

　배우에게 몸을 단련한다는 것은 어떤 도움이 될까. 사실 우리는 그 이유를 따로 설명하지 않아도 당연하게 받아들이고 있다. 믿는 것이 아니라 아는 것. 절대적 믿음은 빠른 실천의 원천이다. 재고 따지지 않는다. 당신이 보기에 나의 방법은 믿을만한가. 왜 믿을만한가. 그렇게 판단한 근거가 무엇인가. 그것은 당신의 본능이었나. 삶의 어떤 경험이 그렇게 믿게 하였는가. 이 진리가 의심의 여지가 없이 믿을만한 가치가 있는 방법이라고 생각이 든다면 곧바로 행하라. 그리고 꾸준히 하라. 그것이 변화와 성취를 가져다 주는 유일한 길이다.

관절마다 각각 어떤 특징과 역할이 있을까?

가동성이 크면 안정성이 떨어진다고 했다. 그러니 어깨부상을 막기 위해 날개뼈를 안정화 훈련을 계속 강조하며 사족보행까지 이어졌다. 다른 관절은 어떠할까. 흉추는 가동성이 크다. 흉추가 크게 움직이면 요추는 보상작용으로 작게 움직인다고 했다. 반대로 요추가 크게 움직이면 균형을 잡기 위해 흉추가 작게 움직인다고 했다. 그렇다면 고관절은 어떠한가. 어깨와 마찬가지로 가동범위가 크다. 그러니 정확한 방향과 각도로 통제하며 써야 다치지 않는다. 무릎은 경첩관절로 한쪽 방향으로 굽혀진다. 그러니 안정성이 크다. 그러나 발목과 다른 방향으로 착지하거나 뒤틀어지면 인대파열이라는 큰 부상을 입을 수도 있다. 발목은 가동성이 크다. 그러니 조금만 삐끗해도 다칠 수 있다. 안정화하려고 해야한다. 이처럼 관절마다 어떤 특징이 있고 어떤 역할을 하는지 제대로 알아야 부상을 방지하고 최대효율을 발휘할 수 있다. 물구나무서기를 떠올려보자. 어깨가 유연하지 않아서 팔을 머리위로 들어올릴 수 없다면 요추는 구부정하게 말려있을 수밖에 없다. 반대로 어깨가 유연하면 허리도 바로 선다. 팔을 곧게 펴서 뻗어 올려주면 허리도 자연스레 펴진다. 이게 협응이다. 앞서 허리의 움직임은 결국 골반에 붙어있는 고관절의 움직임이라고 했다. 그 말은 고관절이 유연하면 요추가 있어야 되는 자리에 정확히 중립을 잡고 안정될 수 있다는 말이다. 햄스트링이 뻣뻣한 사람이 앞으로 허리를 숙이면 척추가 둥글게 말린다. 무게중심이 앞으로 쏠려서 쪼그려 앉기도 어렵다. 협응이 안되는 상태다. 우리의 몸은 사슬로 인대와 근육, 근막을 통해 서로 연결되어 있다. 부상이 생긴다면 특정한 개별관절 하나의 문제가 아닐 수 있다. 주변 관절의 문제로 영향을 받기도 한다. 그러니 거북목의 개선방법처럼 특정부위가 굳었거나 약하다고 그것만 반복하여 개선하려고 해봤자 해결되지 않는다. 함께 개선해야 한다.

2. 개별관절운동

관절은 각각의 개별적인 특징이 있고 역할이 있다. 서로 유기적으로 보조하여 협응한다. 만일 한쪽이 악화되면 인접해있는 관절이 제 역할을 할수 없다. 개별관절의 운동은 유기적으로 연결된 우리 몸의 협응을 돕고 더 안정적이고 활력있는 높은 수준의 퍼포먼스를 끌어낸다.

우리는 생김새가 다르듯 몸도 다르다. 사람마다 더 약한 부분도 있고 더 강한 부분도 있다. 그러니 누군가 만들어 놓은 프로그램에 내 몸을 맞추는 게 아니라 나만을 위한 프로그램을 짜야한다. 이것은 모방의 단계에서 창조의 단계로 넘어가는 예술가와 같다. 배우는 이처럼 스스로 자기 몸을 면밀하게 들여다보고 관리할 수 있어야 한다. 내게 부족한 부분을 집중하여 관리하여 훈련할 수 있다면 더 이상적인 협응을 이룰 수 있다.

1) 발목

발목은 정말 약한 부위다. 체중을 가장 아래에서 떠받들고 있으며 가동성이 큰 만큼 안정성이 떨어진다. 발목의 유약함은 아킬레스건의 설화로 빗대어지기도 한다. 테티스가 갓난아기인 아킬레스를 스틱스강에 담궈 불사의 몸으로 만들려 했는데 그녀가 잡고 있던 발목 부분에만 강물이

닿지 않아 '아킬레스건'이라는 치명적인 약점이 생겼다는 설화는 유명하다. 그렇다면 이 발목을 어떻게 하면 단련할 수 있을까.

앞서 계속해서 가동성과 안정성은 반비례한다고 강조했다. 발목의 가동성은 손목 다음으로 크고 그만큼 불안정하다. 안쪽에서 작은 각도가 바깥쪽에서는 큰 각도가 된다. 발목은 신체에서 가장 아랫쪽에 있다. 바닥에서 가장 먼저 기능하는 시작 지점이다. 다시 말해 발목 움직임이 자유롭고 각도가 커지면 위쪽에서는 더 큰 움직임으로 발휘될 수 있다는 말이다. 다만 그만큼 부상의 위험도 크다. 때문에 발목은 가동성과 안정성을 둘 다 갖추도록 훈련해야한다. 3장에서 이 두 가지 양립하는 특성을 모두 갖추려면 어떻게 해야한다고 했는지 기억하는가. 장력을 유지하는 스트레칭 훈련을 해야한다. 유연성과 가동성은 다르다고 했다. 유연성은 외부의 힘으로 늘어나는 최대범위, 가동성은 스스로 움직일수 있는 최대범위. 그러니 유연성만 키우면 늘어난 고무줄처럼 탄력을 잃는다고 했다. 그래서 가동성을 키우기 위한 훈련은 어떻게 한다고 했던가. 바로 2차 수축. 장력을 만드는 저항 훈련이다.

발목의 가동성은 어떻게 키울까?

다리를 넓게 벌리고 쪼그려 앉아보자. 뒷꿈치가 당연하게 바닥에 닿는 사람도 있을테고 그렇지 않은 사람도 있을 것이다. 선천적이든 후천적이든 가동성이 더 큰 전자가 더 많은 운동능력에 보정을 받는다. 그래서 쪼그려 앉기는 좋은 훈련법이다. 고관절의 가동성에도 도움을 주고 엉덩이가 끝까지 신전될 수 있도록 도와준다. 높은 위치에서 뛰어내렸을 때 발목이 받는 부담을 전신으로 퍼트려 안정적으로 착지할 수 있도록 돕는다. 그러나 의자문화에 익숙해진 현대인들은 쪼그려 앉을 일이 없다. 볼일을 볼때도 좌변기에 앉는다. 심지어 딱딱하거나 굽이 높은 신발을 자주 신게 되니 발목의 가동성은 더욱 줄어든다. 그렇게 굳어버린 발목이 삐끗하기라도 하면 염좌가 생긴다. 높은 굽을 신고 있었다면 더 크게 발목이 꺾여 버린다.

일단 쪼그려 앉아서 양손을 바닥에 짚고 앞뒤로 몸을 앞으로 기울여보자. 중심이 앞으로 쏠리며 뒷꿈치가 떨어지면 일정한 각도에서 멈춰서 지그시 체중을 실어주자. 이것이 외부의 힘에 의해 늘어나는 최대 길이. 유연성이다. 이제 가동성을 얻어야 한다. 마찬가지로 똑같이 일정한 각도에서 멈추고 이번엔 발목을 바닥으로 펴듯 밀어내보자. 이러면 2차수축이 일어나면서 더 세밀하게 근육들이 자극을 받고 힘이 생긴다. 마지막으로 양손을 바닥에서 떼고 같은 각도를 유지해보자. 중심을 잡고 30초이상 버텨보자. 천천히 일어서서 발목을 한번 돌려보자. 그리고 무릎을 굽혀 한다리를 들어주고 발목을 포인과 플렉스로 반복해보자. 이렇게 일단 발목을 깨워준다.

발목을 강화하려면 어떻게 해야 할까?

의자나 벽을 잡고 한 다리를 들어보자. 그 상태로 반대쪽 다리를 굽혔다 폈다 앉았다 일어났다를 10회 정도 해보자. 중심 잡기가 어렵다면 의자나 벽을 잡고 해보자. 익숙해졌다면 이제 벽이나 의자에서 벗어나고 똑같이 해보자. 수월하다면 전후좌우의 4방위로 뻗어보자. 이것도 익숙해진다면 이제 8방위로 나누어 뻗어내자. 이 또한 익숙해진다면 이제 360도로 돌리면서 연결해보자. 발목은 가동성이 큰 만큼 모든 방향에서 힘을 받고 제어할 수 있어야만 강화될 수 있다. 의도적으로 중심을 무너뜨리고 휘청거리면서 넘어지지 않으려고 노력해보자. 흔들리는 상황에서 팔굽혀펴기를 하면 어깨와 손목이 가동성과 안정성 둘다 얻을 수 있듯 발목도 마찬가지다. 강도를 더 높여보고 싶다면 뒷꿈치를 들어서 앞서 했던 과정을 수행해보자. 우리가 쪼그려앉아 가동성을 늘려주던 이유가 바로 이것을 수행하기 위함이었다. 발목강화와 안정화의 핵심목표는 뒷꿈치 들고 움직이기다.

이제 정적인 자세에서 벗어나 동적으로 발목을 단련해보자. 발목을 단련하는 이유는 역동적인 동작에서 효과적인 제어가 필요하기 때문이다. 한 다리를 들고 가볍게 제자리서 살짝 뛰었다가 뛴 발로 착지해보자. 익숙해진다면 앞으로 나아가며 한발로 멀리뛰기를 해보자. 착지하고 바로 동작이 풀어지거나 넘어지지 않도록 3초 이상 제자리에서 견뎌보자. 마찬가지로 4방위로 돌아가면 뛰어보자. 다양한 상황과 변수를 만들어보자. 부상은 예기치 못한 순간에 찾아온다.

발목훈련 무엇을 주의해야 할까?

여기서 강도를 더 높이겠다고 앞선 과정처럼 뒷꿈치를 뗀 상태로 한 다리로 뛰어서는 안된다. 충격을 분산시키고 균형을 잡기 위해 하는 것이 아킬레스건을 혹사 시키려고 하는게 아니다. 우리는 종종 단단하고 큰 근육이 강한 힘을 발휘한다고 착각한다. 단순히 혹사시키면 강해지고 그런 강화과정을 통해 안정성이 생긴다고 착각한다. 잊지말자. 우리의 목표는 구조를 이용한 협응 능력을 기르는 것이다. 힘을 써서 근육과 인대를 혹사 시키지 않는게 목표다. 이를 통해 역동적인 움직임속에서 몸을 통제하는 능력을 기르기 위함이다. 만일 더 강도를 높이고 싶다면 눈을 감고 같은 과정을 반복해보자. 결코 쉽지 않을 것이다. 눈으로 바닥을 보지 않고 속도와 타이밍. 마찰하는 순간에 반사적으로 통제하는 능력이 생긴다면 더욱 민첩하고 날렵한 움직임을 얻게 될 것이다. 눈을 감는 것이 두렵다면 시선을 몸의 방향이 아닌 반대방향으로 돌려서 움직여보자. 또한 발목의 움직임은 당연하게도 발가락의 움직임으로 만들어진다. 앞서 발바닥의 내재근, 발가락과 연결된 전경골근, 후경골근을 제대로 활성화하기 위해 미드풋과 무게중심에 대해 살펴보았다. 발가락으로 바닥을 튕겨내듯 튀어올라야 한다. 탄성을 갖춘 발바닥을 갖춰야 발가락의 힘을 가져야 발목도 강화된다. 포인을 한다면 정확한 방향을 갖게 되니 부상도 막을 수 있다.

2) 무릎

무릎은 어떻게 다치게 될까?

무릎은 발목과 달리 경첩관절이다. 한 방향으로 굽혔다 펴졌다 할 수밖에 없다. 안정적이다. 그러나 갑작스럽게 외부의 충격이 들어와 발목과 무릎의 방향과 어긋나게 되면 큰 부상으로 이어진다. 이때 부상을 입는 부위가 바로 슬개건이다. 슬개건은 우리 무릎의 앞쪽에 있는 슬개골의 아래쪽에 붙어 있는 힘줄이다. 흔히 인대와 힘줄을 혼동하는데 힘줄은 움직이기 위한 조직이고, 인대는 움직이지 않기 위한 조직이다. 인대는 뼈와 뼈를 연결하여, 관절을 안정화시키는 구조물이다. 안정성이 필요하기 때문에 힘줄보다는 잘 늘어나지 않는다. 힘줄은 근육과 뼈를 연결하는 구조물이다. 근육과 함께 힘줄은 잘 늘어나는 편이며, 탄성적인 움직임을 만들어낸다. 근육이 수축과 이완을 할 때 그 힘을 뼈에 전달하여 관절 운동을 가능하게 한다. 따라서 무릎을 펼 때 앞허벅지인 대퇴사두근이 일을 하지만 힘의 부하는 대퇴사두건과 슬개건 모두에게 전달이 된다.

슬개건의 부상은 한발로 착지한다거나 하는 갑작스러운 큰 부하로 생긴다. 또한 지나친 사용으로 서서히 무너져 발생한다. 그렇다고 사용하지 않으면 당연히 약해지니 적당한 수준을 유지하려고 해야한다. 슬개건에 부담을 줄여주려면 대퇴사두근의 운동과 정확한 협응훈련을 해야한다. 지속적인 근육 및 힘줄의 강화 운동을 해야 한다. 그것이 통증과 부상을 예방하는 가장 좋은 방법이다.

힘줄은 슬개골의 위아래 움직임을 만들고, 인대는 내외측정렬을 맞추기 위해서 좌우 움직임을 제한한다. 무릎의 인대에 가장 대표적인 것은 전방십자인대, 후방십자인대다. 십자 인대는 무릎 관절 안쪽에 위치하고 있다. X자를 이루는 모양으로 서로 교차하며 붙어있다. 무릎 관절을 안정화 시키며 앞뒤로 움직이는 동작을 조절하는 역할을 한다. 전방 십자인대는 무릎 중앙 앞쪽에 대각선으로 붙어 아래 무릎뼈인 경골이 대퇴골 앞쪽으로 돌출되지 못하도록 잡아주고, 무릎관절을 회전 시킬때 안정적으로 잡아주는 역할을 한다. 후방 십자인대는 경골이 뒷쪽으로 빠지는 것을 방지하며 보다 더 강하고 탄탄하기 때문에 부상이 잘 발생하지 않는다. 때문에 십자인대 부상이라 하면 대개 전방 십자인대 파열을 의미한다.

달리다 급격히 방향 전환을 한다거나, 달리다 갑자기 멈춘다거나, 움직임 중 속도를 줄인다거나, 점프 후 착지하며 균형이 틀어지는 상황. 축구를 하다 태클이 걸리면서 넘어지고 충돌하는 과정에서 발생된다. 다시 말해 배우가 역동적으로 감정을 표현하고자 움직이는 상황에서도 충분히 부상이 발생할 수 있다는 말이다. 당신이 오랫동안 무대에 서고 싶다면 한 살이라도 젊을 때 구조와 자세를 정확하게 이해하고 숙련시켜야 한다. 그래야 나이가 들어서도 활력 넘치는 연기를 선보일 수 있다.

무릎을 강화하려면 어떻게 해야 할까?

슬개건의 경우는 대퇴사두근의 강화 운동이 가장 중요하다. 운동에는 등척성 운동과 등장성 운동이 있다. 등척성 운동은 근육의 길이를 변하지 않게 한 자세로 버티는 운동이고 근지구력을 주로 발달시킨다. 등장성 운동은 장력을 유지하면서 근육의 길이를 변하게 하는 운동이다. 가동범위를 이용하며 힘을 쓰기 때문에 근육의 크기를 키운다.

체중을 지지하지 않는 등척성 운동 : 무릎펴기

의자에 앉아서 무릎위에 손을 얹고 무릎을 펴보자. 딱딱해지는 거기가 바로 슬개건이다. 그리고 동시에 어디가 딱딱해지는가. 앞허벅지다. 발가락을 위로 끝까지 세워 플렉스를 해보자. 더 단단해진다. 이러한 발목 운동은 함께 허벅지 뒤쪽 햄스트링이 자극을 받으며 함께 늘어난다. 결국 유연성이 좋아지는데 이러한 과정을 반복하는 것이 바로 앞허벅지를 강화하는 훈련이자 무릎강화의 시작이다. 10초씩 버티고 풀어주고를 반복해보자.

체중을 지지하는 등척성 운동 : 벽에 대고 스쿼트

익숙해진다면 강도를 조금 높여보자. 등을 벽에 대고 서서 무릎을 살짝 굽혀 투명의자 자세를 취한다. 이대로 버티면서 등척성 운동을 실시한다. 다리사이에 베개나 요가블럭을 끼워넣고 조이면서 함께하면 내전근까지 강화되고 무릎 주변의 모든 근육들을 더 튼튼하게 만들 수 있다. 10초 이상 버티고 일어서고를 반복해보자. 익숙해진다면 강도를 더 높여서 그 자세로 앞서 했던 무릎펴기를 해보자. 한 다리씩 번갈아가며 한 다리로 자세를 유지해보자.

체중을 지지하지 않는 스쿼트

스쿼트를 할때와 달리 지금의 목표는 앞허벅지다. 앞허벅지 자극을 극대화하기 위해서 무릎을 발끝보다 앞으로 내밀어야 한다. 엉덩이를 뒤로 빼면 허벅지 뒤쪽으로 자극이 옮겨가니 골반과 엉덩이를 앞으로 최대한 앞으로 내밀며 앞허벅지 자극에 집중한다. 자연스럽게 뒤꿈치가 떨어질 텐데 그 자세를 유지해보자. 마찬가지로 익숙해진다면 한다리씩 번갈아가며 수행한다.

이처럼 등척성 운동으로 점진적으로 부하를 줬다면 이제 근육의 길이를 신장시키면서 훈련해보자.

한 다리로 앉았다 일어나기

의자에 앉아서 한쪽 무릎을 펴며 플렉스 한다. 그 상태로 천천히 의자를 잡고 일어선다. 그리고 천천히 다시 의자에 앉아보자. 이렇게 되면 한쪽 다리의 등척성 운동과 등장성 운동을 동시에 수행할 수 있다. 강도를 높여서 의자가 없이 수행할 수도 있다.

계단 내려가기

계단을 내려갈 때 힘이 부족하면 다리가 풀리면서 무릎이 안쪽으로 모이게 된다. 그러다 서로 무릎이 부딪히며 부상이 생기기도 한다. 무릎이 틀어지면 골반도 틀어지고 어깨도 틀어진다. 손잡이가 있다면 손잡이를 잡고 없다면 벽에 바짝 붙어서 수행하자. 무릎이 안쪽으로 모이지 않도록 발가락을 바깥쪽으로 벌려주자. 발가락의 방향을 바깥쪽으로 틀어주는 것만으로도 무릎의 방향을 정해줄 수 있고 엉덩이와 허벅지 뒤쪽에 힘이 들어가면서 중심을 제어하기 수월해진다. 발레에서 턴아웃을 하는 이유도 이런 이유다. 천천히 감각을 정확하게 인지하면서 등척성 운동과 등장성 운동을 함께 수행하도록 하자. 한 발을 천천히 들어 플렉스 상태로 뒷꿈치부터 바닥에 내려놓도록 하고 완전히 한발이 계단을 내려올때까지 윗계단의 발에는 힘을 주고 버티도록 한다.

거꾸로 계단 올라가기

계단을 올라갈 때 허벅지 앞쪽에도 힘이 들어가지만 엉덩이에 더 힘이 들어간다. 몸을 앞으로 숙이면서 중심이 옮겨져 엉덩이와 허벅지 뒤쪽을 수축하며 힘을 쓰게 된다. 허벅지 앞쪽 운동을 하기 위해서는 뒤로 계단을 올라야 한다. 그러면 몸을 뒤로 펴게 되므로 앞쪽 허벅지에 더 많은 부하가 실리게 된다. 이 모습을 역순으로 돌려보면 계단을 내려가는 모습과 동일한 구조다. 우리가 보통 무릎 부상을 당하는 상황은 내려가는 상황에서 일어난다. 발을 갑작스럽게 내딛으면서 방향과 구조가 틀어져서 생기는 문제다. 내려가는 상황에 대한 훈련이 더 몸을 안정적으로 만들어준다. 천천히 수행하여 단련하자.

뛰어오르기

뛰어오르는 동작은 체중에 높이에 따른 중력이 더해지면서 발목과 무릎에는 부담이 실린다. 이것을 제대로 완충하지 못하면 당연히 힘줄과 인대는 파열되고 만다. 잘못된 착지를 하는 사람들은 운동화에 의존한다. 뒤꿈치부터 착지하는 습관을 가졌거나 무릎을 충분히 굽히지 않는다. 착지할 때 쿵하고 소리가 난다면 반동을 관절로 받아냈다는 뜻이다. 반복할수록 관절과 인대에 충격이 쌓인다. 보통 착지를 한다고 하면 마치 바닥과 내 몸이 중간에서 만나서 멈춘다고 생각하는데 바닥은 그 자리에 있고 내가 가서 완충시켜야 한다. 그러기 위해서 착지와 동시에 맞춰 다리와 엉덩이를 빠르게 뒤로 빼면서 힘을 주고 바닥에 스며들듯 민첩하게 반응해야 한다. 낮은 곳부터 연습하여 점점 높여가도록 하자. 정확한 자세가 몸에 익혀지지 않은 채 높은 곳에서 뛰어내려 착지하면 무름과 엉덩이 각도가 깊숙하게 아래로 내려간다. 이렇게 되면 고관절과 발목에 과한 충격이 전달된다. 기울기와 엇각에 집중하자. 90도를 넘어가지 않도록 타이밍과 힘의 분배를 유의하며 해야한다. 최대한 몸이 일자정렬이 되어야 체중분산이 잘된다. 머리 어깨 무릎 발목을 일직선으로 정렬되도록 맞춰서 굽히도록 하자.

역동적인 움직임을 할 때 앞으로 달려나가면 속도 빨라지는 만큼 몸이 공중에 머물러 있게 된다. 한발로 착지하는 순간이 생긴다. 이렇게 되면 단순히 부하가 한 다리에 실리는 것을 넘어 중심이 어느 한쪽으로 기울어지면서 회전하게 된다. 스포츠 경기에 태클을 당했을 때 십자인대파열이라는 부상이 자주 일어나는 이유도 마찬가지다. 이를 위해서는 두 가지를 집중 해야하는데 하나는 조금이라도 더 포물선을 그리면서 수직으로 뛰어올라 각도를 줄여주는 방법이고 하나는 무릎과 발목의 각도를 조금이라도 더 일치시켜 내딛는 훈련이다. 이는 발레에서 주로 학습하는 요령이다.

앞서 계단 내려가기에서 힘이 부족하면 무릎이 안쪽으로 휘게 되니 주의해야 한다고 했다. 달리거나 뛰어내리는 상황에서 무릎이 안쪽으로 들어온다면 매우 위험하다. 반드시 무릎을 바깥쪽으로 향할 수 있도록 해야 한다. 항시 발끝의 방향과 무릎의 방향을 일치시켜야 다치지 않는다. 발과 무릎을 바깥쪽으로 돌리면 자연스레 엉덩이에 힘이 들어가며 중심을 제어하기 더 수월해진다. 마찬가지로 발레에서는 이러한 자세를 턴아웃이라 부르며 기본자세로 학습한다.

4장. 신체훈련

발끝, 발목, 무릎까지 외회전한다면 엉덩이에 힘이 들어간다. 진행하려는 힘의 방향을 무너지지 않도록 축의 방향을 반대로 막아준다. 단단하게 고정되는 것을 느끼게 된다. 우리가 축구공을 찰 때 내딛는 발의 고정 상태를 떠올려보자. 결코 무릎을 안쪽으로 굽히지 않는다. 이것을 이용하면 빠르게 이동하거나 회전하는 동작을 만들 때도 수월하게 도움을 받을 수 있다.

맨발훈련에 익숙해져야 하는 이유는 무엇일까?

앞서 몸의 구조와 걸음에 대해 언급할 때 맨발로 수행하며 익숙해져야 한다고 했다. 이어서 섣부른 기구운동 대신 맨몸운동을 해야 부상을 예방할 수 있다고 했다. 우리는 도구에 의존하면서 원초적인 운동능력이 퇴화한다. 운동화를 신게 되면 발을 보호하고 운동능력에 보정을 받는다. 그러나 운동화에 익숙해지면 몸을 통제하기 위한 구조와 자세를 모른 채 보정된 운동능력만큼 과격하게 움직이게 된다. 그만큼 부상위험도 커지게 된다. 맨발로 활동하면 감각이 예민해진다. 발바닥이 다치지 않기 위해서라도 그만큼 정확한 구조와 자세를 지키려 든다. 발목을 더 세밀하게 사용해야 하고 과감하게 강도를 확 높이지 않는다. 자신의 상태와 수준을 가늠하고 점진적으로 훈련하여 안정성을 쌓아 올리게 된다.

발의 아치가 활성화되면 압력이 제대로 분산되고 발목이 안정되니 발목은 올바른 정렬을 하게 된다. 이는 무릎도 정렬시키며 고관절과 허리 등을 거쳐 목까지 신체 정렬을 만든다. 발의 아치가 무너지면 반대로 모든게 무너진다. 포인과 플렉스 뿐만 아니라 발가락으로 바닥을 꼬집으며 앞으로 나아가는 훈련도 병행하자. 발바닥의 내재근을 강화하고 발끝으로 바닥을 튕겨낼 수 있도록 하자.

배우들이 발레를 배우는 이유는 무엇일까?

배우들이 올바른 몸의 구조와 움직임을 학습하기 위해 주로 접근하는 장르가 바로 발레다. 발레는 고전미를 추구하는 예술이다. 수적 비례의 극치를 보여주기 위해 직립과 균형. 대칭과 조화를 우선한다. 몇 세기에 걸쳐 빈틈없이 원리가 연구되었다. 발레는 풀업과 턴아웃을 기본자세로 한다. 풀업은 코르셋을 입은 듯 올바른 직립을 유지하는 자세다. 이로 인해 힙힌지를 반드시 해야 하고 이는 허벅지 뒤쪽 햄스트링과 엉덩이와 고관절의 가동성을 키워준다. 힙힌지는 모든 움직임에 안정성을 가져오기에 반드시 되찾아야 하는 기능이다. 턴아웃은 발을 바깥쪽으로 서는 자세다. 턴아웃을 하게 되면 엉덩이에 힘이 들어가고 고관절의 가동범위가 커진다. 발을 안쪽으로 하고 옆으로 다리를 들어 보고 바깥쪽으로 하고 다리를 들어보라. 그 차이와 효과를 확실하게 체감할 수 있다. 안정적으로 직립과 중립을 유지하며 가동범위를 크게 사용할 수 있다. 미적으로도 더 우아하고 아름다운 선을 만들어낼 수 있다. 이처럼 발레는 몸을 통제하기 위한 기초단계로 아주 유용하다. 그러나 모든 움직임에서 턴아웃이 유리한 것은 아니다. 목적과 유형에 따라 지금까지 설명한 방법과 다르게 안정적 구조를 잡기도 한다. 예를 들어 구기종목에서는 예기치 못한 상황에서 착지를 해야하는 상황도 많고, 격투기에서는 서로의 구조를 깨뜨리기 위해 무릎과 발목을 안쪽으로 내전근을 조여 두 다리의 연결과 안정감을 만든다. 체조에서는 연속동작을 위해 일어선 상태를 유지하며 착지 해야하는 경우도 있다. 이것이 바로 테크닉이다. 구조의 불안정을 조합하여 오히려 더욱 효과를 본다. 특성에 맞춰 가장 효율적인 최적의 대안을 찾고 보완한다. 그러나 대부분의 학습자들은 왜 그렇게 훈련하는지 왜 그렇게 움직임이 이루어지는지 인과 과정을 모른 채 그저 표면적으로 목표 중심적인 훈련을 하는 경우가 있다. 몸에 뒤틀림이 생기고 비대칭이 누적되어 이유를 모른다. 결국 그로 인해 부상을 입거나 실력이 퇴보하기도 한다. 성과에 집착하여 조급하게 무작정 흉내 내서는 안된다. 우리는 이미 그런 집착과 욕심에 많은 것을 잃어왔다. 안다는 착각에 빠져 과신하거나 간과하는 부분을 돌아보자. 스스로 자신에게 가장 취약한 부분을 찾아내고 단련하자. 발레의 중요성과 학습 요령에 대해서는 뒤에 다시 언급하도록 하겠다.

3) 허리

허리에 대한 중요성은 누구나 너무나 잘알고 있다. 그러나 어떻게 써야 올바르게 쓰고 있는지 어떻게 강화하면 좋을지는 잘 모르는 경우가 허다하다. 허리는 명확하게 개별 관절로 구분하기가 어렵다. 허리의 움직임 자체가 수직구조로는 요추와 흉추의 움직임으로 만들어지고, 수평구조로는 고관절과 골반의 움직임으로 만들어진다. 또한 그 주위에 붙어 있는 둔근, 햄스트링과 대퇴사두, 기립근, 복근 등이 서로 유기적으로 협응하여 힘과 움직임을 만들어낸다. 때문에 어느 특정 부위를 단련한다고 강화될수 없다. 몸의 중심이므로 모든 운동에서 허리 움직임에 집중하고 안정성을 확보하려 집중 해야하며 다양하게 단련 해야한다.

왜 허리는 자주 뻐근하고 아플까?

우리는 직립을 선택하며 허리를 굽히지 않고 바로 세웠다. 지면으로부터 올라오는 반동은 골반의 전방경사로 인해 끊어져 전달되지 않는다. 그러나 그만큼 허리는 직립하는 순간부터 반동과 그로 인한 압박을 버텨야 한다. 서고 걷고 앉는 모든 동작마다 허리는 늘 부담을 받고 있다. 다른 관절의 통증도 마찬가지겠지만 허리통증은 유독 무엇이 원인이라고 정확히 진단하기도 어렵다. 허리는 우리 생각처럼 유연하지 않다. 가로로 회전할 수 있지만 이것은 허리의 움직임이라고 보기 어렵다. 오히려 허리는 직립을 버티기 위해 단단하게 유지된다. 허리를 움직이지 않을수록 점점 경직되니 문제가 생긴다. 그렇다면 유연성을 목표로 하면 허리부상을 방지할 수 있을까. 앞서 가동성이 클수록 안정성이 떨어진다고 하였다. 허리를 지나치게 유연하게 만들기만 하면 오히려 안정성이 떨어져서 허리를 제대로 쓸 수 없고 부상의 위험도 커진다. 통증이 있다고 마구잡이로 허리를 유연하게 만들려고 해서는 안된다. 전체적으로 허리에 부담을 줄여주는 방법을 고민해야 한다.

허리의 부담을 줄여주는 방법은 무엇일까?

한번 대답해보자. 아기가 바로 서기 위해 가장 먼저 시도한 방법. 무엇이었나. 바로 복압이다. 복식호흡을 통해 복강내압을 올려주는 것이 가장 이상적이다. 사족보행하는 포유류들과 달리 인간은 직립을 선택하면서 팔다리의 가동성에 자유를 얻었지만 그만큼 지면에서 올라오는 힘을 분산시키지 못한다. 다리를 통해 올라온 반동은 허리에 부담을 주기 때문에 허리가 그 힘을 분산시키기 위해 힘의 전달을 끊어내기 위해 S자로 휘어있는 것이라 했다. 그래서 바른 직립을 만드는 것은 힘을 전달하기 위한 구조를 만들고 더 역동적인 힘을 발휘할 수 있게 한다고 했다. 마찬가지로 힘을 쓰기 위한 구조를 만들 때 항상 선행해야 하는 것이 복식호흡과 복압을 잡는 것이다. 이를 통해 허리의 부담을 줄여주어야 한다. 물론 견갑이나 골반이 제대로 정렬되지 못하면 정상적인 호흡과 복압 유지도 어려울 수 있다. 굳어있는 신체를 꾸준히 교정하다보면 호흡과 복압도 바로 잡힌다.

허리를 강하게 만들려면 어떻게 해야 할까?

우리의 몸은 척추를 통해 단면으로 연결되어 불안정하다고 했다. 이를 안정화하기 위해 복압을 잡고 양면으로 연결하여 직립하는 것이 필요하다고 강조했다. 척추는 경추, 흉추. 요추로 구분하며 특히 흉추는 경추와 요추 사이에서 힘을 전달받아 휘어진다. 심지어 흉추는 갈비뼈가 붙어있고 그에 붙어있는 근육들도 많아 가동성이 크다. 동시에 양쪽에 추가 매달려있는 모양이니 안정적이다. 그러나 우리는 직립에 집중하느라 그렇게 가동성이 큰 흉추를 잘 움직이지 않고 살아간다. 때문에 그 부담은 요추가 짊어진다. 대신해서 많은 일을 하니 스트레스를 받아 악화된다. 대부분 사람들이 허리통증을 줄이기 위해 요추를 스트레칭 한다. 이것은 오히려 요추의 안정성을 방해하고 약화시킨다. 근본적인 방법이 무엇이겠는가. 바로 흉추 가동성을 키워주는 것이다. 그리고 흉추와 요추가 협응하여 움직임의 구조를 만들어 내야 한다. 이를 위해 필요한 훈련이 바로 사족보행. 상하체의 협응훈련이었다. 한마디로 흉추의 가동성을 키워야 요추는 안정성을 얻는다.

허리통증의 원인을 무엇 때문이라고 바로 진단할 수 없듯 허리는 개별적으로 하나의 훈련만으로 안정화 시킬수 없다. 엮여있는 모든 관절과 근육이 협응하면서 안정성을 만들어내야 한다. 다양한 부위의 가동성 훈련은 좋은 자세를 만들어 내기 위한 기초단계에 지나지 않는다. 우리의 몸은 사슬처럼 얽히고 유기적으로 시시각각 협응한다. 때문에 개별관절 운동능력의 향상은 다른 부위에도 영향을 준다. 그래서 스트레칭 외에도 전면부를 자극하는 밀기 운동과 후면부를 자극하는 당기기 운동을 함께 해야한다고 강조했다. 우리가 하는 모든 스트레칭과 운동이 바른 호흡과 복압을 유지하도록 돕는다. 복압이 바로 잡히고 근막사슬 자체가 탄탄해지면 허리도 강해진다.

4) 어깨

앞서 맨몸운동 파트에서 어깨를 안정화하는 방법에 대해 언급했다. 어깨는 쇄골에 인대와 근육으로 붙어있다. 때문에 후천적으로 넓히는 것이 가능하다. 그만큼 가동성도 크다. 가동성이 크다는 것은 그만큼 안정성이 떨어진다는 말이라고 했다. 조금만 틀어져도 크게 다칠 수 있다. 움직임 속에서 정확하게 지지하고 고정할 수 있어야 한다. 어깨는 일상에서 계속 사용될 수밖에 없으므로 잘 호전되지 않는다. 호전되다가도 다시 부상을 입는 경우도 허다하다. 애초에 부상을 입지 않도록 유의해야 한다.

어깨의 구조는 골반과 어떻게 다를까?

어깨와 고관절 모두 가동성이 큰 관절이다. 다만 골반은 글러브 속의 야구공처럼 딱 들어갈 수 있도록 맞춰져 감싸져 있는 구조인데 어깨는 티 위의 골프공처럼 살짝 얹어져 있고 4개의 관절이 동시에 움직여서 동작을 만들어 낸다. 때문에 근육의 장력에 의해 형태가 유지되고 움직이고 있다. 이처럼 어깨는 복합관절이다. 어깨라고 하면 보통 팔의 움직임만을 생각하며 어깨를 움직이려고 하는데 그래서 승모근에 과부하가 오고 가동성에도 한계가 생긴다. 어깨를 어깨라고 인식하지 말자. 팔의 시작은 어깨가 아니라 날개뼈. 견갑이다 라고 인식하자. 더 나아가 갈비뼈부터 시작한다고 여겨야 한다. 어깨 자체가 밥그릇 같은 날개뼈에 들어가 있기에 어깨를 들어 올리려면 날개뼈의 각도를 조정 해야한다. 이렇게 인식하고 이해를 하면 모든게 수월해진다. 견갑을 자유자재로 움직이면서 견갑을 어디에 위치시키느냐. 활성시키기 위해 얼마나 어떻게 뽑아내서 사용하느냐에 따라 어깨의 각도도 달라지게 된다. 가동성도 자유를 얻게 된다.

어깨는 어떻게 안정화할 수 있을까?

먼저 견갑을 잘 움직이도록 만들어야 한다. 앞서 날개뼈. 즉, 견갑은 6가지의 움직임을 갖는다고 했다. 거상, 하강, 후인, 전인, 상방회전, 하방회전. 이 움직임을 명확하게 인식해야 한다. 각각 어떤 상태에서 장력이 어떻게 발생하는지 어디가 늘어나고 조여지는지 정확하게 느껴야 한다.

주먹을 살짝 말아 쥐고 엄지손가락의 방향을 확인하면서 움직여 보면 팔꿈치가 내회전과 외회전을 한다. 이를 통해 견갑의 움직임을 더 명확하게 인식할 수 있다. 견갑의 움직임과 엄지손가락의 협응을 이해한다면 이를 다른 운동에도 적용할 수 있다. 예를 들어 턱걸이를 할 때 새끼 손가락에 힘을 모으고 엄지 손가락을 떼어주면 견갑이 더욱 조여지면서 팔꿈치가 앞으로 나간다. 즉, 등근육에 더 자극을 줄 수 있다. 이처럼 단지 아는 것만으로는 부족하다. 아는만큼 다양하게 여러 상황에서 적용해보아야 쓸모가 있다.

어깨를 강화하기 위해서는 단순히 근육을 강화하는 것이 아니라 장력의 균형을 맞추는 것이 중요하다. 어깨가 스트레스를 받는 상황은 어떤 상황인가. 바로 밀거나 당기면서 균형이 깨지는 순간이다. 그래서 앞서 팔굽혀펴기와 물구나무서기의 세부과정에서 견갑을 끝까지 뽑아내는 것이 중요하다고 강조했다. 수행하는 속도나 숫자가 적어도 자세를 정확하게 훈련해야만 한다. 반복수행을 하다가 피로감에 자세가 풀리고 날개뼈가 무너지면 바로 중단 해야 한다. 견갑을 뽑아서 제대로 고정되지 않으면 잘못된 방향으로 무너지면서 다칠 수 있기 때문이다.

이 두 가지 운동도 결국 미는 운동이지 당기는 운동은 아니다. 다시 말해 팔굽혀펴기로 견갑을 조일수는 있지만 당기는 후면 근육사슬이 자극을 받지를 못한다. 이처럼 맨몸운동으로는 당기기 운동상황을 만들어 내기가 쉽지 않다. 그러니 장력이 불균형하게 성장하게 된다. 당기기 운동을 하려면 도구가 있어야 한다. 흔히 우리가 알고 있는 턱걸이만 떠올려

봐도 철봉이 있어야 한다. 바벨을 당기는 훈련도 마찬가지다. 무게가 실린 기구가 있어야 당기기 운동을 할 수 있다. 그러다보니 당기기 훈련자체의 빈도수가 적고 결국 이는 불균형으로 드러난다. 본인이나 주위사람을 둘러보라. 팔굽혀펴기는 어느정도 할 수 있어도 턱걸이를 잘하는 사람은 많지 않다. 그러니 이 훈련의 균형을 맞춰주는 것. 이것이 안정화를 위해 가장 필요한 부분이다. 집안의 문에 철봉이나 링로우를 설치해서 수시로 매달리자. 어렵다면 의자에 올라가 턱걸이를 해보자. 링로우를 누워서 한다면 강도를 조절하며 훈련할 수도 있다. 두 팔로 매달려보고 익숙해지면 한팔로 매달려보자. 손가락으로만 매달려보기도 하고, 손가락 끝으로만 매달려보기도 하자. 새끼손가락쪽으로 힘을 모아보기도 하고, 엄지손가락으로 모아보기도 하며 날개뼈가 어떻게 반응하는지 살펴보라.

어깨는 어떤 순간에 다치게 될까?

부상은 대부분 과욕에서 온다. 올바른 자세가 완성되지도 않았고 방법이나 수준을 잘 모른 채 어떻게든 해내고 싶어서 감당하지 못하는 무게나 움직임으로 발생한다. 특히 삼각근을 키우려고 어깨 기구운동을 하다가 목 주변이 아프다고 하는 경우가 많은데 이는 전거근이 제대로 활성화되지 못하기 때문이다. 전거근이란 날개뼈와 갈비뼈 사이에 붙어서 팔을 들어올릴 때 날개뼈의 상방회전을 돕는다. 그러니 여기가 약하다면 팔을 들어올렸다가 내릴 때 안정적으로 받쳐줄 수가 없고 팔보다 빠르게 견갑이 빠져버리게 된다. 이런 기능들이 계속 어긋나게 되면 결국 등이나 목근육으로 동작을 통제하려 들고 장력이 등과 목으로만 몰려 과긴장되어 부상을 입는다. 이를 방지하기 위해서 일단 기구운동을 하지 말고 맨몸으로 전거근을 활용하는 방법부터 단련해야 한다. 항시 운동 전에는 전거근을 먼저 자극해주어야 모든 어깨 동작이 안정성을 얻게 된다. 당연히 힘이 더 붙고 운동효율도 높아진다.

전거근을 단련하는 방법은 여러 가지가 있다. 먼저 양손을 앞으로 뻗어내고 가슴을 집어넣어 최대한 뽑아보자. 반대쪽으로도 이완시켜주자. 이제 한손을 벽에 짚고 체중을 실어주고 견갑을 뽑아낸다는 느낌으로 밀어내고 놓아주고를 반복해보자. 익숙해지면 그 상태로 원을 그리면서 돌려가며 뽑아내고 풀어내고를 반복해보자. 더 강도를 높이고 싶다면 바닥에 엎드려 바닥을 벽이라 생각하며 밀어내 한 팔씩 원을 그려보자. 이러한 전거근 훈련은 바닥을 이용하는 고난이도 움직임에 바탕이 된다. 결국 이러한 강화훈련들은 결국 사족보행을 할 수 있는 기본 상태를 만들어 간다.

5) 손목

손목은 가동성을 따로 훈련하지 않아도 될 정도로 가동성이 크다. 가동성만큼 안정성은 떨어진다고 했다. 그러니 손목단련의 목표는 바로 안정성을 갖추는 것이다. 안정성은 제 위치를 지키려는 자세와 구조에서 시작된다. 손목의 구조를 이해하고 올바르게 사용하는 방법을 숙지하는 것만으로도 큰 도움이 된다.

손목은 어떤 순간에 다치게 될까?

벽에 손을 대고 몸을 기울여보자. 손목에 압력이 생긴다. 이 상태에서 손목을 좌우로 살짝 비틀어보자. 더 큰 압박감이 느껴지면서 뭔가 잘못될 것 같은 느낌을 오지 않는가. 흔히 손목이 꺾였다고 표현하는데 손목은 뒤로 젖혀지거나 비틀어지면 바로 사이의 인대에 충격과 손상을 입는다. 호신술에서 손목을 꺾는 동작들이 많은 이유는 그만큼 취약하고 쉽게 무너뜨릴 수 있기 때문이다. 손목을 보호하기 위해 꺾이는 방향에 맞춰 몸은 따라 움직이게 된다. 반대로 손목의 구조를 이용하면 몸의 움직임 흐름을 보다 쉽게 만들 수 있기도 하다. 바닥에서 굴러가는 동작의 경우 손바닥을 뒤짚어 손목을 돌려주면 더 빠르고 경쾌하게 동작을 보정할 수 있다.

손목이 연약하다면 모든 움직임에서 제약이 따르게 된다. 기구운동을 하더라도 손목이 약하면 정확하게 그립을 할 수가 없고, 맨몸운동을 하더라도 바닥을 짚거나 체중을 실어 움직임을 할 때 제약을 받게 된다. 특히 역동적으로 움직임을 고조시키는 경우 순간적으로 바닥을 짚어야 하는데 이럴 때 손목은 가속과 함께 체중까지 3배에서 5배까지의 무게가 실리게 된다. 안그래도 연약한 손목에 이것을 견딜 장력이 없다면 바로 부상으로 이어지게 된다.

앞서 물구나무서기에서 언급했듯 손목의 가동성은 엄지 쪽으로 틀어질 때 가장 짧고, 새끼쪽으로 틀어질 때 가장 크다. 뼈와 인대가 붙어있는 구조 자체가 그렇다. 엄지 쪽의 팔뚝뼈가 두텁고 강하다. 다시 말해 안쪽으로 움직이면 안정성이 크고, 바깥쪽으로 움직이면 가동성이 크다. 손목에 무리가 온다면 이 각도가 지나치게 안쪽이나 바깥쪽으로 벗어나서 중심위치가 벗어나 있지 않은지 살펴보도록 하자. 손목에 실리는 부담은 팔꿈치의 각도에 따라서 달라진다. 팔굽혀펴기에서 언급했듯 팔꿈치가 구부러지면 바깥쪽 손목에 체중이 실리고, 팔꿈치가 펴지면 안쪽 손목에 수직으로 압력이 가해진다. 턱걸이를 할때도 새끼손가락에 집중하면 팔꿈치를 안쪽으로 구부려 등 근육에 더 집중할 수 있다고 했다.

 손목을 안쪽으로 하면 견딜 수는 구조가 단단해지니 견딜 수는 있으나 압력을 과하게 받고 있을 수 있고, 바깥쪽으로 지나치게 틀어지면 뼈 대신 공간을 채우고 있는 인대와 힘줄에 손상을 입게 된다. 그러니 이상적인 비율은 8대2 정도가 된다. 정확하게 비율을 맞출수는 없다. 몸이 가장 편안하게 느끼는 중심을 맞추려 의식하며 동작을 수행해야 한다. 이를 유념 하다보면 어떤 동작이나 자세든 감각적으로 통제하고 균형을 맞출 수 있다.

 물구나무를 설 때를 떠올려보자. 손바닥의 모양에 따라서도 손목에 압력을 주는 구조가 달라지게 된다. 손바닥을 활짝 펼치면 접지하는 면적은 넓지만 중심이 하나로 모이지 않아서 불안정하다. 특히 새끼손가락이 바깥쪽으로 펼쳐지면 힘을 실었을 때 손가락을 타고 새끼쪽으로 중심이 무너지려고 한다. 가장 취약한 부분에 손상을 입는다. 새끼손가락을 가급적 벌리지 않도록 해야한다. 만일 벌려야 하는 상황이라면 손목의 각도를 조금 더 안쪽으로 돌려서 교정해서 사용해서 적당한 상태를 맞춰야 한다. 특히 바닥으로 사용하는 동작을 하게 되면 내회전시키면서 손목을 안쪽으로 틀어야하는데 이때 새끼손가락의 위치나 손모양에 주의하자. 손목의 각도를 찾는 것만으로도 동작은 훨씬 수월해진다.

손목에 통증이 느껴진다면 바로 멈추어야 한다. 스트레칭도 해서는 안된다. 때때로 근육이 뭉친것처럼 이해하고 마사지하거나 스트레칭하려고 하는데 결코 그래서는 안된다. 손목은 다른 근육들처럼 큰 근육이 아니다. 인대와 힘줄로 세밀하게 엮여있다. 통증이 느껴진다면 과사용했거나 구조가 틀어지면 과한 압력을 받은 경우다. 손목은 쉬면 또 괜찮아진 것 같다가 다시 운동을 수행하면 바로 부상이 도지는 부위다. 그만큼 연약하며 일상에서 항시 움직이게 되고 운동의 순간까지 항상 과사용되는 부위다. 손목에 통증이 온다면 바로 멈추고 충분히 휴식을 취해야 한다. 아예 고정 시켜버리는 것도 좋다. 재활도 아주 천천히 작은 각도부터 해야 한다.

손목은 어떻게 강화할 수 있을까?

모든 관절의 강화 요령은 똑같다. 반대 방향으로의 저항이다. 장력을 만드는 가동성 훈련 요령과 같다. 손목의 꺾이는 상황에서 꺾이지 않도록 저항하면 된다.

양손으로 벽을 짚어보자. 그 상태로 손가락을 통해 벽을 밀어내고 손목을 세워보자. 전완근의 단련과도 유사하지만 다르다. 이것은 기능을 강화하면서 장력을 만들고 유지하는 훈련이다. 손목을 안으로 구부리거나 바깥쪽으로 젖히면서 근육을 단련하는게 아니다. 다시 말해 최대각도까지 젖혀져서 압력을 받지 않도록 사전에 브레이크를 거는 훈련이다. 익숙해진다면 엎드려서 팔굽혀펴기를 하기전 자세로 수행해보자. 무릎을 꿇고 팔굽혀펴기를 하면서 강도를 높여주면 좋다. 강도를 더 높이고자 한다면 플랭크 강도를 높이듯 손의 위치를 머리쪽으로 조금씩 가져가면서 같은 동작을 수행해보자. 팔굽혀펴기를 하면서 할 수도 있다. 더 강도를 높이고자 한다면 물구나무를 서서 해볼 수도 있다.

안정성은 중립으로 다시 돌아오고 그 자세를 유지할 수 있는 능력이다. 급격하게 손목에 압력이 가해지는 순간에 바로 반응하고 통제할 수 있어야 한다. 이러한 힘들은 물구나무를 설 때 체력소모도 줄이고 안정성도 확보해준다. 물구나무를 설 때 중심이 손가락쪽으로 이동하면 수직구조를 만들어야할 힘의 전달이 끊어져 손목에 과부하가 온다. 온몸이 균형을 유지하고자 불필요한 힘을 쓰게 된다. 그러니 체력소모가 크다. 반대로 손목쪽으로 오면 균형은 무너지기 쉬운 자세가 되지만 손목의 압력은 줄어들고 체력소모가 적어진다. 그래서 앞서 물구나무를 설 때 손가락을 갈고리처럼 살짝 구부리고 손가락을 구부리거나 펴서 중심을 잡아야 한다. 한 자세로 지속해서 균형을 오래 지속하기란 어렵다. 때문에 손가락뿐만 아니라 손목의 장력을 활용할 줄 알아야 중심을 옮겨가며 잠시 휴식할 수 있다. 바닥에 무릎을 꿇고 두 손을 짚고 연습해보자. 비보이들이 물구나무를 섰을 때 그들의 손목과 손가락을 유심히 관찰해보라.

6) 발레 바

발레바를 하면 무엇이 좋아질까?

배우지망생들이라면 누구나 접해보는 것이 발레다. 발레는 수적비례를 통한 극치의 선을 온몸으로 만들어내는 고전미의 장르다. 즉, 몸을 곧게 가장 아름답게 쓰는게 목표다. 직립구조를 바로 잡고 극치의 가동성을 탐구한다. 대칭과 회전 등의 동작을 통해 압축과 관성을 배우고 몸을 확장 시켜 가상 이상적인 선을 연구한다.

움직임은 무너뜨림과 세움의 연속으로 만들어진다. 어떻게 무너뜨리고 어떻게 바로 세울까의 연구와 고민이 바로 움직임이다. 무너뜨리는 것은 그리 어렵지 않다. 그러나 바로 세우는 것은 어려운 일이다. 때문에 직립에 대해 심도있게 살펴보았다. 무너지는 찰나에 몸을 통제하고 바로 세울 줄 알아야 과감하고 다채롭게 몸을 던져 역동적으로 움직일 수 있다.

각자가 선호하는 다른 장르를 통해 동작규격을 익히고 몸의 원리를 찾아가면 된다. 그 중 발레는 선의 방향이 명확하다는 특징이 있다. 이러한 직립과 방향성은 모든 변형동작의 토대가 된다. 오랜 시간 정립된 고전인만큼 동작규격마다 용어의 정리도 확실하다. 지도자가 몸으로 시범 보이지 않아도 이해할 수 있을 정도다. 덕분에 자신이 무엇이 부족하여 동작수행이 되지 않는지 선행해야할 기초 동작을 체계적으로 이해할 수 있다. 교수법도 체계적이어서 훌륭한 선생님들이 아주 많다. 그러나 워낙 원리와 체계가 오랜 연구 끝에 잘 정립되어 있다보니 설명은 생략하고 단순 반복훈련을 통해 스스로 깨닫기를 바라는 경우도 많다. 어깨를 내려라는 식으로 보여지는 표면적인 문제만 지적하기도 한다. 공식만 지도하거나 간단하게 필요한 교정만 해주기도 한다. 학습할 때 왜 이런 과정을 학습하는지 왜 이런 움직임 공식이 만들어졌는지 아는 것은 매우 중요하다. 그래야 기본을 응용하고 나아가 창조할 수 있다. 모든 부분을 다 설명할 수 없으니 발레 바에 대해 간략히 요약하겠다. 필요한 부분을 채워나갈 수 있길 바란다.

바 워크의 순서는 보통 다음과 같이 진행된다.

1. 플리에
2. 바뜨망 탄듀
3. 바뜨망 데가제
4. 론드잠 아떼르
5. 퐁듀 데벨로뻬
6. 바뜨망 프라페
7. 론드잠 앙레르
8. 프티 바뜨망
9. 아다지오
10. 그랑 바뜨망

1) 플리에

플리에는 고관절 주변의 근육을 따듯하게 해주며 다리, 등, 골반의 대근육을 사용하는 동작들로 연결되며 몸 전체를 신장시킨다. 이를 위해 다리뿐만 아니라 포드브라나 캄브레 동작을 함께 수행하여 머리와 팔의 움직임을 조화시키고 척추를 정렬하며 흉추 가동성을 키워준다. 플리에는 자세가 아니라 움직임이다. 플리에의 포지션을 조합하여 스텝이 완성되고 방향이 전환되며 움직임이 연결된다. 그러니 단순히 플리에를 동작 수행으로 생각하지말고 팔과 다리, 머리와 척추 등 몸 전체의 움직임을 느끼면서 수행해야 한다.

플리에의 연습동작은 1번이나 2번 포지션으로 시작하는데 2번으로 시작하길 권한다. 바 워크는 스스로 뒤틀린 몸을 정렬하고 교정하여 기본값에 맞추는 훈련이기 때문이다. 가장 큰 각도에서 수행해야 턴아웃의 작용을 최대한 느끼며 뒷꿈치가 뜨지 않게 단단히 누르면서 그랑플리에를 할 수 있다. 다른 포지션에서는 뒷꿈치가 뜨게 되므로 턴아웃의 최대치를 먼저 느껴볼 수 없다.

플리에를 할 때 자주 범하는 오류는 너무 깊이 내려가서 아래에 주저앉는 것이다. 골반은 무릎의 수평선보다 조금 높은 상태를 유지해야한다. 내려가고 올라갈 때 동일한 속도를 유지해야하며 그랑플리에를 할때는 꼭 필요한 만큼만 뒤꿈치가 들려야한다. 2번 포지션에서는 뒷꿈치가 들리지 않아야 한다. 많은 학습자들이 플리에를 웜업단계 정도로 이해하는 경우가 있는데 앞서 계속 언급했듯이 고관절의 움직임이 허리 움직임이고 중심의 움직임이다. 직립보행의 과정을 설명하며 강조했듯 가장 중요한 과정이 플리에다.

2) 탄듀

탄듀는 다리전체를 길게 늘인 상태에서 발을 단련한다. 골반을 전혀 움직이지 않은 상태에서 고관절과 다리를 분리시켜 엉덩이부터 발가락까지 곧은 라인을 만들어야한다. 이러한 동작으로 발목과 발등을 강화시키며 발바닥의 내재근이 발달하며 한 다리로 중심을 통제하는 능력의 기초가 된다. 또한 발끝까지 곧고 길게 뻗어 포인자세를 만듬으로서 아름답고 우아한 발동작과 빠른 방향전환이 가능하게 하는 무릎의 안정성을 갖게 한다. 앞서 복싱선수들이 줄넘기를 하며 발목등의 작은 관절을 안정화 했듯 발레에서 가장 중요한 단계다.

탄듀를 할 때 자주 범하는 오류는 움직임는 다리와 발에 먼저 체중이 실린다거나 턴아웃을 유지하지 않고 꺽인다거나 발가락이 땅에서 떨어져 버리는 모습으로 드러난다. 구분동작으로 천천히 뒤꿈치를 계속 앞으로 보내준다는 느낌을 갖고 발바닥을 구분하여 앞꿈치에서 발끝으로 밀어내듯 수행하며 교정해야한다. 다시 제자리로 들어올 때도 뒤꿈치를 계속해서 앞으로 보내주며 눌러준다는 느낌으로 몸을 곧게 세워서 끌어당긴다. 그래야 턴아웃이 계속 유지될 수 있다. 이때 무릎이 구부러지지 않게 주의하자. 또한 포인의 형태를 만드는 것에 집착하기도 하는데 포인은 뻗어나가는 방향의 완성형태다. 보여지는 형태에 집착하는 것보다 움직임에 더 집중하도록 하자. 직립을 유지하는 것에 집중하면서 사방으로 뻗어나가고 중심다리는 눌러주자. 들어오는 다리도 눌러주며 들어와야 한다.

3) 데가제

탄듀와 마찬가지로 다리전체가 고관절에서 분리되어 신장되는 감각을 느낀다. 데가제는 제떼 또는 글리세 라고도 불리며 데가제는 분리하다 라는 뜻을 가지고 있으며 제떼는 던진다 라는 뜻을 가졌는데 이 뜻을 이 해하면 느낌을 찾기 좀 더 수월하다. 탄듀에서 발을 20도에서 45정도 들어 올리는데 이로인해 더 역동적이고 탄력있는 느낌을 만들어 낸다. 때문에 탄듀가 안정적으로 수행되지 못하면 데가제가 제대로 수행되지 못하고 휘청대기도 한다. 데가제는 알레그로 등의 빠른 템포로 수행하는 동작들의 기초가 된다. 바닥을 모두 쓸어나가면서 시작하기 때문이다.

데가제를 하면서 흔히 범하는 오류는 탄듀와 마찬가지로 턴아웃이 유지가 되지 않거나 다리를 너무 높이 들어서 턴아웃이 무너지는 것. 옆으로 데가제 할 때 골반이 고관절에 딸려가 휘청대거나 무너지는 것. 뒤쪽으로 데가제 할 때 상체를 그대로 유지함으로서 허리에 무리를 느끼거나 탄력이 줄어드는 것이다. 뒤로 데가제를 할때는 골반정렬과 함께 상체를 앞으로 살짝 숙여줘야 무리가 없다.

4) 론드잠 아떼르

탄듀를 연결하여 아떼르. 즉, 지면에서 곡선을 그리며 다리를 돌린다. 고관절을 느슨하게 만들어주고 턴아웃하는 감각을 더 강화한다. 한 다리를 분리하여 앙드당과 앙디올. 다시 말해 내회전 방향과 외회전 방향으로 학습한다.

론드잠 아떼르를 하면서 흔히 범하는 오류는 옆에서 뒤로 곡선을 그리며 움직일 때 턴아웃이 유지되지 못하고 말려들어오는 것. 움직이는 다리가 원을 그릴 때 엉덩이가 함께 움직이는 것. 탄쥬를 거쳐 1번 자세를 지나칠 때 무릎을 구부리는 것. 곡선을 짧게 그려내는 것 등이 있다. 뒷꿈치가 계속 앞으로 나아가며 턴아웃을 유지하면 이 모든 문제들이 자연스레 해결되기도 한다.

5) 퐁듀

퐁듀는 가라앉기 라는 뜻이다. 한 다리로 드미 플리에를 한다고 생각하면 된다. 녹인 치즈에 찍어먹는 퐁듀라는 음식처럼 부드럽게 녹아내리듯 늘어나는 움직임을 이어가야 한다. 한 다리를 들고 안정적인 정렬과 균형 상태를 유지할 수 있어야 역동적인 동작에서 흐트러짐 없이 안정적인 착지와 연결을 할 수 있다. 앞서 개별관절 운동에서 발목과 무릎의 안정성을 기르는 훈련과정을 떠올려보자.

퐁듀를 하면서 흔히 범하는 오류는 몸의 중심선이 어긋나서 근육의 힘으로 자세를 유지하려고 한다거나 지지하는 발이나 움직이는 다리 둘다 턴아웃을 유지하지 못하는 것. 두 다리를 동시에 함께 협응하여 움직이지 못하는 것 등이 있다.

6) 프라페

프라페는 때리기 라는 뜻으로 발가락과 발볼로 바닥을 때리면서 쓸어내는 동작이다. 마치 탭댄스의 셔플동작과 유사하다. 일순간 탄력적으로 움직이면서 발목과 종아리를 강화한다. 움직이는 다리의 허벅지 턴아웃을 유지하는 상태로 무릎 아래만 움직여야 한다.

프라페를 수행할 때 흔히 범하는 오류는 움직이는 다리가 턴아웃과 외회전을 유지하지 못하는 것. 바닥을 강하게 내려치거나 쓸어내지 못하는 것 등이 있다

7) 론드잠 앙레르

앙레르는 공중에서라는 뜻으로 아떼르를 선행하고 실시한다. 무릎 아래로 반원을 그리면서 움직이므로 허벅지는 외전하는 상태로 고정되어야 한다. 무릎은 경첩관절이므로 작은 반원을 그리게 된다. 이러한 과정을 통해 무릎 아래의 움직임을 통제하고 무릎관절의 유연성을 유지한 채 주변 근육을 강화한다. 45도로 들어 시작해보고 나아지면 90도까지 들어 올리도록 발전시킨다.

론드잠 앙레르를 수행할 때 흔히 범하는 오류는 움직이는 다리의 턴아웃을 유지하지 못하는 것. 허벅지 높이가 90도 아래로 떨어지게 되는 것이다.

8) 프띠 바뜨망

프띠는 작게 라는 뜻을 갖고 있다. 무릎 아래에서만 움직임이 일어나기에 프라페와 비슷한 동작수행과정을 갖고 있다. 다만 빠르고 정확하게 치는 동작이라서 공중에서 빠르게 포지션을 바꾸는 앙뜨르샤를 잘하도록 돕는다. 발가락이나 발볼을 바닥에 닿게 하면서 수행하면 움직임의 방향을 명확하게 인식하도록 촉각적으로 돕는다.

프티 바뜨망을 수행할 때 범하는 오류는 마찬가지로 무릎이 안으로 말려들어 허벅지 턴아웃이 무너지는 것. 허벅지가 경직되면 움직임이 무릎이 아닌 고관절에서 일어난다는 것. 움직일 때 직선이 아니라 곡선으로 원을 그리면서 움직이려 하여 중심이 흐트러지는 경우 등이 있다.

9) 데벨로페 아다지오

데벨로페는 발전된 이라는 뜻을 갖고 있다. 균형을 유지한 채 다리를 펼치면서 다리의 근력과 조화를 강화한다. 초심자의 경우 45도를 들어올리는 것을 목표로 하고 나아가 90도를 들어 올려 시작하도록 한다. 90도를 들어 올리려면 허벅지를 고관절로 들어올려야 하기때문에 상당한 근력과 가동성이 필요하다. 앞과 옆보다는 뒤로 다리를 보냈을 때 척추와 엉덩이가 고정된 채 움직일 수 없으므로 상체가 협응하여 이에 맞춰 동작 정렬을 이루도록 한다.

데벨로페 아다지오에서 흔히 범하는 오류는 앞과 뒤로 다리를 보냈을 때 턴아웃을 유지하지 못하고 허벅지가 회전하거나 원활한 동작수행이 되지 않아 척추를 구부정하게 동작하는 것. 엉덩이를 지나치게 기울이거나 움직이는 등 자세를 정렬시키지 못하기도 한다. 충분한 유연성과 가동성 훈련을 해야만 바른 동작수행이 가능하다.

10) 그랑 바뜨망

그랑은 깊고 크게 라는 뜻이다. 다리를 강하게 때리며 차는 동작으로 높이 뻗어내어 허벅지를 수축시켰다가 천천히 내려놓는다. 처음에는 차올리는 동작에 악센트를 주고, 어느 정도 숙련이 두면 바뜨망의 뜻처럼 부딪히는 순간. 때려지는 순간. 들어오는 동작에 악센트를 준다. 다리의 가동성을 극대화하여 역동적인 표현을 가능하도록 한다.

그랑 바뜨망에서 흔히 범하는 오류는 엉덩이를 고정하지 못하고 엉덩이를 들어올려 다리를 차올리거나 뒤로 다리를 차올릴 때 상하체의 협응이 제대로 되지 못하고 먼저 상체를 앞으로 숙이는 것. 대부분 데펠로페를 제대로 선행하지 못해서 생기는 문제들이다.

11) 림바링

바에 한쪽 다리를 올려두고 지지하여 두 다리를 지면에 두고 수행하는 스트레칭과 달리 직립구조를 유지한 채 유연성과 가동성을 길러 균형과 협응능력을 함께 발달시킨다.

흔히 범하는 오류는 턴아웃을 유지하지 못하는 것. 햄스트링의 단축으로 무릎이 구부러지거나 척추가 제대로 펴지고 정렬되지 못하는 것. 뒷다리를 바에 올려두었을 때 몸이 기울어지거나 틀어지는 경우가 있다. 마찬가지로 동작수행이 제대로 되지 않는다면 45도 들어 올리도록 낮은 바의 높이에 다리를 올려두도록 해야한다.

발레를 더 깊이 깨닫기 위해서는 용어의 정리가 필요하다. 컴퓨터로 코딩을 하든, 오선지에 악보를 그리든 통용되는 언어가 있어야 한다. 발레도 몸을 이해하기 위한 용어를 익혀야한다. 수학에서 공식을 외워서 연산이 쉽고 빨라지듯 몸도 마찬가지다. 자신이 알고 있는 운동과 비교하며 공통점과 차이점도 찾아보자. 나에게 가장 필요하고 적합한 훈련 방식과 체계를 만들어 나가자.

제 5 장

식이와 운동

······

이제까지 몸이라는 연필을 깎는 방법과 그려내는 요령에 대해 살펴보았다. 이제는 연필을 구성하는 재료를 살펴보고 더 좋은 연필을 만들기 위한 방법들을 알아보자.

움직이기 위해서 가장 원초적으로 필요한 것은 무엇인가. 바로 에너지다. 자동차에 연료가 없으면 움직일 수 없듯 사람도 제대로 먹지 않으면 움직일 수가 없다. 근육은 어떻게 만드는가. 근섬유를 파괴하고 회복하는 과정에서 영양이 충분히 보충되어야 생긴다. 먹고 움직여야 활력이 생긴다. 활력이 생겨야 정신이 온전하다. 식욕도 생존의 본능이다. 모든 테크닉은 본능을 거슬러야 얻을 수 있다고 했다. 그러니 식이조절도 기술이다. 배우는 온몸으로 인물을 드러내야 한다. 인물을 내 안에 담기 위해 고무줄처럼 자신의 체중을 고무줄처럼 줄였다 늘리기도 한다. 욕망을 절제하고 배역에 혼신을 다하는 자. 참된 배우다.

1. 영양소와 에너지대사

우리의 몸은 어떻게 에너지를 얻을까?

우리의 몸은 에너지를 끊임없이 소비한다. 깨어있을 때도 잠을 잘 때도 일을 할때도 움직여 몸을 단련할때도 계속해서 에너지를 소비한다. 생존에는 반드시 에너지가 필요하다. 그렇다면 이 에너지를 어떻게 얻는가.

음식에는 우리가 흔히 잘 알고 있는 3대 영양소가 포함되어 있다. 탄수화물, 지방, 단백질이다. 섭취된 영양소가 에너지 대사를 통해 에너지원을 생산하고 이는 간과 근육에 저장된다. 사람마다 근육량이 달라 저장공간의 차이가 있다. 그러니 계속 생산하여 채울 수 있도록 효율적인 영양소를 섭취해야 한다.

탄수화물은 가장 빠르게 에너지원을 생성한다. 절반 이상을 차지할 만큼 매우 중요하다. 보통 살찐다고 탄수화물을 극단적으로 줄이는 경우가 있는데 그렇게 되면 간과 근육에 저장된 글리코겐이 부족해져서 결국 간과 근육을 쥐어짜고 부담을 주게 된다. 또한 부족한 에너지를 다른 곳에서 조달하려 하므로 오히려 근손실이 생긴다. 탄수화물은 반드시 필수적인 영양소. 식이조절이 다이어트의 거의 대부분을 차지하지만 극단적인 방식의 다이어트는 오히려 근손실로 인한 신진대사를 느리게 한다. 간은 작다. 저장공간에 한계가 있다. 더구나 키울 수가 없다. 그러나 근육은 많을수록 저장공간이 커서 많이 먹어도 쉽게 살이 찌지 않는다. 그러니 근손실로 저장공간이 줄어들면 조금만 먹어도 더욱 살찌게 만드는 요요가 오게 된다. 무작정 식사를 줄이면 체수분, 근육, 영양소까지 빠져나가 영양결핍에 기초대사량 저하로 더욱 요요가 심해진다.

지방은 전체 에너지중 3분의 1을 차지하며 저강도 운동을 오랜시간해 줘야 비로소 에너지로 사용된다. 우리가 살이라 부르는 중성지방은 탄수화물이 먼저 소모되고 나서야 에너지원으로 소모되기 시작한다. 때문에 고강도 운동을 통해 탄수화물을 우선적으로 연소시켜야 한다.

단백질은 전체에너지의 나머지 부분을 차지한다. 에너지원이라 보기보다 근육이나 장기등 신체를 구성하는 역할을 한다. 때문에 영양을 섭취하지 못하면 에너지원으로 사용된다. 이것이 식사를 제대로 하지 않으면 근손실이 나는 이유다.

2. 식이조절

살이 찌는 이유는 무엇일까?

당연하게도 사용한 칼로리보다 섭취한 칼로리가 많으면 살이 찐다. 잉여분이 체내에 지방으로 축적된다. 때문에 다이어트의 핵심은 운동이 아니라 식이조절에 있다. 운동을 통한 칼로리 대사는 처음에는 높지만 운동강도에 적응하면서 점점 다시 원상태로 돌아간다. 그러나 운동강도를 계속 높여간다는 것은 결코 쉽지 않은일이다. 그러니 식이조절만이 빠른 다이어트의 지름길이다.

보통 다이어트를 한다고 하면 탄수화물 비중을 줄이고 단백질을 보충하려 드는데 이것은 매우 좋지 않다. 일단 단백질을 많이 먹으면 간에 무리가 간다. 간은 피로회복에 직결되니 무기력한 상태를 지속하는 악순환을 만든다. 더불어 대사과정에서 부산물로 질소가 많이 생성되는데 질소는 혈액을 산성화한다. 이는 통풍 등의 건강문제를 일으킬 수 있다. 탄수화물을 과잉섭취하면 살이 찌는게 맞으나 그렇다고 지나치게 줄이면 또 문제가 생긴다. 탄수화물을 반드시 섭취하되 가려서 섭취해야 한다.

살찌는 탄수화물은 무엇이 있을까?

단당류와 이당류가 있다. 이러한 탄수화물은 바로 분해되어 혈당을 급격하게 올린다. 때문에 혈당 스파이크라 하여 혈당조절 능력을 떨어뜨리게 되는 원인이 되기도 한다. 이들은 중독성이 강하고 소화가 빠르다. 특히 단당류의 대표인 과일은 과당으로 간에만 축적되는데 공복운동을 할 때는 글리코겐이 텅빈 간에 무리를 주지 않기 위해 섭취하면 좋다. 물론 빠르게 혈당을 올려주기 위해 도움될 수 있으나 식후에 입가심으로 먹는다면 혈당이 오르는데 또 더해주니 살이 찐다. 그러니 과당은 간식으로 섭취해야 한다. 우리의 혀는 단당류와 이당류에서만 단맛을 느낀다. 그러니 단맛이 느껴진다면 그게 바로 살찌는 탄수화물이다. 특히 주의해야 하는 음식이 바로 밀가루로 가공된 음식이다. 밀가루가 음식이 되려면 버터랑 우유등의 유당과 설탕등의 과당이 섞여서 만들어지므로 더욱 칼로리가 높고 흡수가 빠르다. 공복상태를 제외하고는 단맛이 나는 초콜렛이나 아이스크림도 피하는 것이 좋다. 이처럼 흡수가 빠른 단당류나 이당류 탄수화물을 먹으면 인슐린이 과잉분비되고 결국 글리코겐이 간에 저장할때 중성지방으로 합성되어 살이 찐다. 이처럼 정제된 탄수화물을 줄여야한다. 잘게 분해된 곡류. 빵, 떡, 면 등은 섬유질이 다 파괴된 상태의 탄수화물이다. 심지어 가공과정에서 설탕 버터 등 여러가지 첨가물이 들어가 자극적이고 섭취가 쉬워서 빠르게 많이 먹는다. 소화흡수도 빠르다. 때문에 혈중으로 포도당이 급격하게 올라간다. 췌장은 혈당을 떨어뜨리려고 인슐린이 분비하는데 이 과정에서 지방이 축적된다. 이게 반복되면 혈당스파이크라 하여 혈당조절능력에 문제가 생기게 된다. 혈당을 낮추려면 음식을 먹고 반드시 움직여주어야 한다. 청소를 하든 걷든 30분이상 움직여야 혈당이 오르지 않고 멈춰있다가 천천히 올라간다.

살이 안찌는 탄수화물은 무엇이 있을까?

　다당류와 식이섬유가 있다. 다당류는 이름처럼 구조가 복잡하여 소화과정도 천천히 흡수가 된다. 당연히 혈당도 천천히 올라간다. 대표적으로 통밀빵과 현미밥이 있다. 지방축적도 적고 배출도 잘된다. 덕분에 근육을 성장시키는데 가장 이상적이고 필수적인 영양소다. 식이섬유는 채소에 많이 들어있다. 초식동물이 아닌 인간에게는 채소는 에너지원은 아니다. 그러나 채소는 소화가 느려 포만감이 오래가고 탄수화물 흡수 속도도 늦춰준다. 또한 콜레스테롤 배출도 돕고 장내 미생물 환경을 좋게 만들어 살이 잘 안찌는 체질로 바뀌어 간다. 탄수화물이 있어야만 지방을 연소할 수 있다. 앞서 말했듯 탄수화물을 줄여서 지방을 먼저 연소하려고 들면 우리의 몸을 구성하는 단백질의 연소가 먼저 일어나게 된다. 즉, 근손실이 일어난다. 기아상태에 빠져있는 아프리카 어린아이들의 몸을 보면 팔다리가 앙상하고 내장을 보호하고자 지방에 내장 주변에만 남아 배가 볼록하다. 무작정 탄수화물을 줄여서는 안된다. 다당류 탄수화물로 대체하여 섭취해야 한다. 다당류도 많이 먹으면 당연히 살이 찐다. 그러니 과잉섭취 해서는 안된다. 먹는 순서도 중요하다. 앞서 말했듯 탄수화물부터 섭취하면 혈당이 급격하게 올라가서 혈당스파이크가 생기고 혈당조절능력이 떨어지게 된다. 야채로 포만감을 채우고, 단백질, 탄수화물 순으로 먹어야 과잉섭취를 방지할 수 있다. 간헐적 단식도 필요하다. 인슐린을 분비하는 췌장을 쉬게 해주어 지방이 쉬이 축적되지 않는다. 12시간 공복, 12시간은 먹어도 되는 시간으로 구분하자. 인슐린이 분비 되지않고 췌장이 쉬면 인슐린 저항성이 떨어지고 뱃살도 줄어든다.

혈당을 조절하려면 어떤 음식을 먹어야 할까?

- 저혈당 식품: 닭가슴살/우유/양배추/버섯/바나나/토마토
- 중혈당 식품 : 단호박/고구마/현미밥/호밀빵/파스타
- 고혈당 식품: 초콜렛/옥수수/감자/빵/떡/쌀밥

다이어트할때 흔히 고구마 많이먹는데 앞서 우리의 혀는 단당류와 이당류에서만 단맛을 느낀다고 하였다. 즉, 고구마는 중혈당 식품으로 단당류가 있다. 말린 고구마는 수분이 없어서 단당류의 함량 자체가 높고, 군고구마는 조리과정에서 복합당이 열에 의해 단당류로 바뀌면서 더욱 증가된다. 더 달고 맛있다면 더 살찌게 된다. 명심하자. 이렇게 같은 식품이라도 조리과정에 따라 단당류 함량이 달라지니 주의해야 한다. 그렇다면 왜 고구마를 다이어트 식품으로 인식했는가. 고구마의 식이섬유 때문

이다. 식이섬유는 소화가 느려 오랫동안 포만감을 느낀다. 그러니 과한 식욕을 어느정도 억누를 수 있다. 그러나 굳이 고구마를 선택할 이유는 없다. 현미밥이나 파스타와 같은 더 나은 선택지가 있다면 그걸 택하도록 하자.

이처럼 식품에 따라 다르니 혈당과 식사량은 별개의 문제다. 무엇을 더 중요하다. 우리가 간식으로 주로 사먹는 떡볶이, 당면. 순대, 빵 등은 정제탄수화물이다. 혈당을 빠르게 올리고 혈당스파이크를 유도하고, 인슐린 과잉분비로 조절 능력을 잃게 된다. 심해지면 당뇨병에 걸리게 된다. 달달한 음식을 좋아하는 사람은 공복기 인슐린 수치가 높아지게 되고 식사량이 줄어도 살이 안빠지는 체질이 된다. 또한 식사 대신 당만 채우며 사는 사람은 체중은 적어도 체지방이 많다. 정제탄수화물을 좋아하는 사람은 포도당을 에너지원으로 사용하는 능력을 점점 잊어버린다. 에너지원을 지방으로 저장한다. 또한 인슐린과 포만감을 유발하는 호르몬인 렙틴은 인슐린 과잉분비시 시상하부에 전달되지 않는다. 다시 말해 먹어도 먹어도 자주 배가 고프다. 마른사람도 마찬가지다. 마른사람은 특히 근육량이 부족하여 글리코겐의 저장용량도 떨어지고 인슐린 시스템도 엉망이라 먹어도 먹어도 배고프다하고 쉽게 지친다. 앞서 언급한 것처럼 당조절을 하는 방법은 혈당이 급격하게 상승하지 않도록 탄수화물을 가장 늦게 섭취하여야한다. 마찬가지로 혈당이 천천히 올라가도록 먹는 속도를 천천히 먹어야 한다. 포만감을 높여주는 채소나 단백질 지방이랑 함께 먹어야 한다. 빵을 먹어야 한다면 토스트보단 샌드위치가 낫다.

단백질을 많이 섭취하면 어떤 문제가 있을까?

흔히 다이어트를 위해 닭가슴살만 섭취하는데 그것은 구하기가 쉽고 지방은 적어 가성비가 좋기 때문이다. 식품마다 영양성분이 다르니 단백질을 섭취할 때도 다양하게 섭취해주면 좋다. 소고기나 돼지고기 같은 적색육은 닭이나 생선보다 철분이 풍부하고 고등어와 같은 등푸른생선은 육류보다 지방도 적고 칼륨이 풍부하다. 이러한 단백질은 탄수화물과 같이 먹어야 좋다. 탄수화물 섭취로 인해 인슐린이 분비가 일어나면 단백질을 효과적으로 근육에 흡수시킬 수 있다. 운동 후에 근섬유가 손상되고 회복되는 과정에서 탄수화물과 단백질을 함께 섭취하면 인슐린이 단백질을 빠르게 근육에 흡수하도록 돕는다. 반대로 운동 후에 단백질만 섭취하거나 아무것도 먹지 않으면 오히려 근섬유가 제대로 회복하지 못하여 근손실을 일으킨다.

단백질도 많이 먹으면 살이 찐다. 특히 보충제를 먹으면 무작정 근육이 생기는 줄 아는데 우리의 몸은 단백질을 흡수하는 한계가 있다. 또한 앞서 말했듯 어떤 식품이든 과잉된 섭취는 독이 된다. 단백질을 과잉섭취하면 각종 질병이 생길 수 있다. 단백질을 분해하며 부산물로 질소가 많이 생성되고 질소가 많으면 혈액이 산성화되어 통풍의 원인이 된다. 또한 소변으로 배출되지 못한 질소는 케톤이 되어서 지방으로 축적되는 등 문제가 생길수 있다. 게다가 오줌에서 과하게 칼슘이 배출되면서 골다공증 생길 수 있다. 특히 여성의 경우 생리기간에 단백질을 섭취하게 되면 좋지 않다. 생리와 함께 칼슘이 배출되는데 여성호르몬인 에스트로겐 분비가 불안정해져 칼슘유지능력이 떨어져 결국 칼슘이 생리와 소변으로 과다 배출되고 골다공증의 원인이 된다.

단백질을 섭취하는 이유는 필수 아미노산을 확보하기 위함이다. 적정 량을 적당한 간격으로 적당한 시기에 섭취하는 것이 중요하다. 특히 운 동 후 호르몬이 안정되는 30분이 지나고 섭취해주면 탄수화물 섭취로 분 비되는 인슐린이 근섬유가 파괴된 자리에 가서 흡수를 돕는다. 보충제 는 말그대로 보충제. 그러니 음식으로 채워지지 않는 칼로리를 보충해 주는 보조역할로 활용해야한다. 특히 단백질 함량이 높은 보충제는 앞서 말했듯 탄수화물 과 함께 섭취해야 흡수효율이 좋다. 고구마나 바나나을 함께 섭취하자. 보충제를 섭취하는 시기도 중요하다. 늦은 저녁 운동 후 에 보충제를 먹고 자면 밤새 소화가 안되고 장기는 쉬질 못해서 뇌도 계 속 깨어있는 상태로 피로가 누적된다. 보충제를 먹었다면 적어도 2~3시 간 이후에 잠들어야 한다.

내장지방은 어떤 문제를 일으킬까?

체지방은 두 가지로 구분한다. 피하지방과 내장지방이다. 피하지방은 겉으로만 잡히고 건강에는 별 상관이 없다. 단지 외적으로 보기가 좋지 않을 뿐이다. 문제는 내장지방이다. 내장지방은 겉으론 안보이나 건강에 는 영향이 크다. 혈관을 타고 다니며 몸에 문제를 일으키는데 이로 인해 고지혈증, 간지방, 심근경색, 뇌졸증 등등의 병이 생기기도 한다. 지방을 제거한다고 무조건 굶으면 기력이 없어 움직이기 싫어지고 그로 인해 근 손실이 일어나고 기초대사량이 떨어진다. 당연히 일시적으로 빠진 느낌 은 오지만 요요가 와서 더 찌개 된다. 내장지방을 제거하는 방법은 두 가지 뿐이다. 운동이나 올바른 식이습관. 피하지방보다 내장지방이 더 빼기 쉽다. 내장지방은 바로바로 에너지원으로 사용될 수 있기 때문이다.

먹어도 먹어도 배가 고픈 이유는 무엇일까?

식욕은 두 가지다. 진짜 식욕과 가짜식욕. 진짜 식욕은 생존에너지가 필요해서 진짜 허기져서 먹는 것이, 가짜 식욕은 뇌가 착각하는 식욕이다. 예를 들어 오롯이 식사에 집중하지 못하고 핸드폰을 본다거나 TV를 보면서 밥을 먹으면 자신이 얼마나 어떻게 먹었는지 포만감을 인식하지 못한다. 이로 인해 뇌는 식사를 안했다고 생각하고 또 식욕을 일으킨다.

우리가 스트레스를 받으면 코르티솔이 분비된다. 코르티솔은 지방을 축적한다. 코르티솔은 생존 호르몬이다. 위기상황에서 살아남기 위한 호르몬이라 집중력을 높여주기도 하지만 기아와 추위에서 살아남기 위해 지방을 축적하기도 한다. 코르티솔이 과잉분비되면 그렐린이라고 하는 공복감을 알리는 호르몬이 함께 분비되는데 특히 매운맛과 단맛을 원하게 된다. 결국 스트레스는 폭식을 유발한다. 매운맛은 맛이 아니라 혀에서 느끼는 통감이다. 때문에 통증을 이겨내려 아드레날린이 분비되어 개운하고 기분이 나아지게 된다. 단맛은 행복호르몬이라 불리는 세로토닌을 분비시키는데 이로 인해 스트레스 받으면 달고 매운맛의 음식을 찾게 된다. 이러한 단짠단짠의 조합은 폭식과 자극적인 음식에 중독되게 한다. 목이 마를 때도 뇌는 이걸 식욕으로 착각하기도 한다. 물을 충분히 마시고 30분 정도 지나면 식욕이 가라앉기도 한다. 식사 후 얼마지나지 않아 식욕이 생긴다면 소화가 다 된 것이 아니라 무조건 가짜식욕이다.

가짜 식욕을 바로 잡는 올바른 습관은 일단 채소 많이 먹어야 한다. 앞서 강조한 것처럼 식이섬유는 포만감 오래가고 그렐린 분비 줄여서 공복감을 덜 느끼게 한다. 채소에는 수분도 많아 식욕을 더욱 감퇴시켜준다. 두 번째 오래 씹어먹어야 한다. 씹는 행위가 오래되면 뇌는 무언가 먹었구나 라고 확실하게 인식하게 되어 가짜식욕이 줄어든다. 세 번째 물과 단백질 꾸준히 먹어야 한다. 단백질은 소화가 느려서 포만감이 가장 크다. 뇌는 갈증을 공복감으로 착각하기도 하니 하루 권장량인 2리터 정도를 측정해서 먹어야 한다. 물도 과잉섭취하면 좋지 않다. 운동을 비롯하여 식습관도 정량화하는 습관을 들여두자. 측정할 수 있어야 성취감도 크다. 정량화해야 교정할 수 있다. 네 번째로 고강도 운동을 해야한다. 운동하면 공복감을 느끼는 그렐린 분비 줄어준다. 활동에 필요한 다른 호르몬 분비하기 때문에 그렐린을 분비할 여력이 없다. 다섯 번째로 스트레스 상황을 줄여 코르티솔 분비를 줄여야 한다.

　공복감을 느끼는 그렐린과 반대로 포만감 느끼는 호르몬인 렙틴은 지방세포에서 분비된다. 이로 인해 지방이 과하게 쌓이는걸 방지해준다. 덕분에 체지방률이 유지되며 배부르다고 느끼고 과식하지 못하도록한다. 그러나 이를 무시하고 음식에 중독되어 과식을 이어가면 렙틴 저항성이 생겨서 통제가 되지 않는다. 때문에 과체중인 사람들의 체지방에선 렙틴이 많이 나온다. 특히 렙틴 저항성은 과자, 음료수등의 정제탄수화물과 액상과당을 많이 섭취하면 심해진다. 대부분의 정제탄수화물로 된 식품과 액상과당은 빠르게 섭취가 가능한 식품으로 되어 있고 소량으로도 빠르게 혈당을 올려버리므로 포만감을 느끼기도 전에 허기가 채워지지 않는다고 또 과잉섭취 하게되니 주의 해야한다.

장이 안좋으면 어떤 문제가 생길까?

우리 장에는 1.5키로의 미생물이 존재한다. 가공식품이나 인스턴트를 자주 먹고 섬유소가 부족해지면 장내 미생물 환경이 악화되어 폭식을 유도한다. 단 음식을 선호하거나 채소 등의 식이섬유섭취가 부족하면 이 악순환이 가속된다. 반대로 살찌고 싶은 사람도 제대로 갖춰먹지 않고 식사 대신 가공식품이나 인스턴트를 자주 먹으면 장내 미생물 환경이 망가져서 흡수가 안되어 체내수분량, 근육량, 영양소까지 빠져나가 악순환이 반복된다.

장내미생물 환경이 좋지 않을 경우. 가스가 차거나 설사가 잦고 같은 양을 먹어도 급격하게 살이 찌거나 빠진다. 또한 면역력이 떨어져 자주 쉽게 아프며, 우울감이 자주 일어난다. 장에서 세로토닌이라는 행복호르몬이 나오는데 장이 안좋으면 감정조절 자체가 잘되지 않아 충동적으로 폭식을 하기도 한다.

잠이 부족하면 어떤 문제가 생길까?

수면부족은 렙틴과 그렐린 등의 호르몬 불안정을 야기한다. 성장호르몬도 안나온다. 근육이 제대로 회복할 수가 없다. 근손실이 일어난다. 악순환의 고리를 타고 스트레스 호르몬인 코르티솔이 증가하고 이는 공복호르몬인 그렐린 증가로 이어져 폭식을 유도한다. 늦게 자는 사람들의 대부분이 늦은 저녁식사를 하는 경우가 많은데 이로 인한 문제도 심각하다. 인슐린 분비도는 시간에 따라 다른데 낮에는 인슐린 민감도가 높고, 밤에는 낮다. 즉, 인슐린 저항성이 높다는 말이다. 그러니 야식을 먹으면 더 살이 찌게 된다. 또한 심지어 야식으로 먹는 음식은 허기져서 먹거나 술이랑 함께 먹는 경우가 많아서 대부분 정제 탄수화물이나 튀긴음식, 인스턴트와 가공식품 등이니 더욱 악순환은 가속된다.

이 악순환을 타고 늦게 자는 사람은 대부분 무기력하게 누워있거나 스마트폰을 한다. 결국 시신경에 빛과 잔상이 남아 멜라토닌이 제대로 분비되지 않아 숙면이 어렵고, 하루 종일 아무것도 이루지 못했다는 죄책감이 들어 어떻게든 하루를 늦게 마치려 들기도 한다. 심지어 누워서 마치 태아처럼 무중력 상태에 머물고 있었으니 근손실도 일어난다. 이 악순환의 고리를 끊어야 한다. 습관을 바꾸기 위해서는 상황을 재배열 해야한다. 마찰력을 만들어야 한다. 일찍 잠들기 위한 환경을 조성하자. 낮에 운동을 해서 체력을 소진하고 코르티솔 지수를 확 떨어지게 만들어주자. 코르티솔 수치가 확 떨어지면 잠이 온다. 또한 낮에 산책을 하는 등 햇볕을 충분히 쬐어서 멜라토닌 분비를 촉진하자. 우유, 연어, 양파, 상추에는 멜라토닌 원료인 트립토판 함량이 높아서 숙면에 도움이 된다.

잠은 몇 시간을 자야 충분할까?

뇌과학자들은 한 번에 6시간 이상을 자야 충분하다고 한다. 그럴 수 없다면 쪽잠을 자서라도 수면시간을 확보해야 한다. 최상의 컨디션으로 하루를 시작하기 위해서는 항상성이 중요하다. 항상성은 체내환경을 일정하게 유지하려는 현상이다. 항상성을 유지하려면 수면의 질이 무엇보다 중요하다. 수면을 통해 신체와 정신이 모두 기본값에 맞춰진다. 잠이 깬다면 눈을 크게 뜨고 기지개를 펴라. 알람을 여러개 맞춰놓고 늦장을 부리는 것은 오히려 얕은 수면 상태에서 벗어나지 못하여 더욱 피로하게 만든다. 빠르게 벗어나야 한다. 이렇게 본능에 지배당하지 않고 의지대로 행동하고 실천하며 하루를 시작한다면 항상성 유지와 뇌 건강에도 큰 도움이 된다. 우리의 뇌는 도파민이라는 신경전달물질을 에너지원으로 사용한다. 아침에 눈뜨자마자 욕망회로 도파민을 사용하게 되면 충동을 억제하지 못하고 나태해진다. 우리의 뇌는 한번에 한가지만 하게 되어 있다. 동시다발적으로 무언가를 수행하거나 거슬리는 무언가가 있다면 신경이 분산되어 뇌의 피로감이 커진다. 식사를 할 때는 식사에 집중하고, 주변을 정리정돈 하자. 항상성은 규칙적인 생활 습관에서 강화된다. 작은 습관이 모여 내가 내 자신을 통제할 수 있다는 믿음의 길을 안내한다.

수분 섭취가 부족하면 어떤 문제가 생길까?

이따금 사우나에 가서 땀을 빼면 살이 빠진다고 생각한다거나 땀복을 입고 운동을 하면 체중이 감량된다고 착각하는 경우가 있는데 이것은 수분이 빠져나가 일시적으로 체중이 줄어든 것 뿐이다. 체지방이 감소해서 체중이 줄어든게 아니다. 우리의 몸은 70퍼센트가 수분이므로 수분이 빠져나가면 당연히 체중도 줄어든다. 당연히 수분을 보충하게 되면 다시 원상태로 돌아온다. 복싱선수들이 땀복을 입고 운동하는 이유는 계체량을 통과하기 위해 수분을 줄이는 것이다. 그들은 통과 후 체계적으로 수분과 영양을 보충하여 하루 밤새 몸집을 키워서 나타난다. 이들을 체계적인 과정을 통해 계체량을 통과한다. 무작정 따라서는 안된다. 체내

수분이 빠져나가면 그만큼 혈액이 끈적해지는데 심장은 끈적한 피를 순환시키려고 과하게 뛴다. 때문에 호흡이 가빠지고 에너지도 더 쓰게 되면서 피로감을 느끼게 된다. 원활한 혈액순환을 하려면 수분을 충분히 섭취하고 운동하고 시원한 곳에서 가벼운 옷차림으로 해야한다. 이따금 몸을 덥힌다면 난로를 틀어놓고 운동 하는 경우가 있는데 적당하다면 굳어있는 관절이 깨어나는데 도움을 주겠지만 관절과 근육이 지나치게 열에 의해 이완되면 안정성을 잃고 부상을 입을 수 있다. 가장 좋은 웜업은 천천히 몸으로 직접 열을 내서 몸 전체에 골고루 혈액순환을 일으키는 것이다. 마찬가지로 야외운동보다 실내운동이 운동효율이 좋다. 피부가 직접 햇빛을 쬐게 되면 그만큼 체열이 빠르게 올라 열을 배출하기 위해 땀을 내야한다. 피부로 혈액이 이동하고, 근육으로 이동하는 양이 줄어들게 된다. 운동 효율도 떨어지며 산소와 에너지가 공급이 더뎌지므로 쉽게 피로해진다.

커피는 우리 몸에 어떤 영향을 줄까?

커피에는 카페인이 들어있고, 카페인은 아드레날린을 분비시켜 각성효과를 일으킨다. 이는 중추신경계를 자극하여 활동하게 하므로 간과 근육에 저장된 글리코겐을 소모하게 한다. 에너지를 빠르게 소비시키니 지방도 빠르게 분해할 수 있다. 다만 간과 근육에 글리코겐이 부족한 상태. 즉, 공복 상태에서의 커피는 당연히 무리를 준다. 자극적이라 위에 부담을 주는 것은 물론이거니와 간과 근육에 글리코겐이 부족한 상태인데 쥐어짜게 하니 부족한 에너지원을 근육을 분해하여 얻으려 하게 된다. 결국 근손실이 일어난다. 또한 커피는 이뇨작용으로 소변을 더욱 마렵게 하는데 이는 수분과 함께 칼슘이 배출되어 골다공증이 생길 수 있다. 잘 못된 다이어트 상식으로 탄수화물 섭취 없이 단백질만 고집하여 섭취하는 사람에게는 더욱 큰 문제가 된다. 탄수화물 섭취가 부족하니 인슐린이 부족하여 제대로 단백질을 흡수시키지 못하는 근손실 문제가 생긴다. 더불어 단백질 분해과정에서 생긴 질소가 요소로 바뀌어 배출되면서 소변이 산성화 되고 칼슘이 과하게 배출된다. 여기에 커피까지 더해주면 소변으로 칼슘이 배출되는 문제가 더욱 심해질 수 있다. 잘못된 다이어트 상식으로 닭가슴살만 먹고 여기에 커피까지 마신다면 최악이다. 공복에 커피를 마실거라면 혈당을 빠르게 올리고 글리코겐을 채워주는 단당류 식품. 쿠키나 케익 등의 디저트와 먹는게 좋다.

3. 운동방식

우리의 몸은 운동시간과 강도에 따라 에너지원을 소모하는 방식이 다른데 이를 조금이나마 이해해야 적합한 운동 프로그램을 계획할 수 있다.

운동은 방식에 따라 크게 두 가지로 구분한다. 무산소 운동과 유산소 운동으로 구분하는데 무산소 운동은 순간 호흡을 흡! 하고 마시게 되는 운동이다. 앞서 맨몸운동에서 다루었던 운동들이 무산소 운동이다. 유산소 운동은 지속적으로 호흡을 연속하는 운동이다 달리기, 자전거 등이 있다.

살을 빼려면 어떤 운동을 해야 할까?

살을 빼려면 먼저 무산소운동으로 탄수화물로 저장된 글리코겐을 연소시킨 후 유산소운동을 해야 효율적이다. 무산소운동을 30분 이상으로 탄수화물을 다 소모해야 지방이 연소되기 시작하고 이후 30분 이상 유산소운동을 통해 산소가 지속적으로 많이 공급되어 적극적으로 산화되기 시작한다. 만일 근성장이 목표라면 운동루틴을 계획하고 적절하게 고강도 트레이닝을 해야한다. 근육은 근섬유파괴와 회복과정에서 강화된다. 근육은 같은 자극에 더이상 성장하지 않는다. 계속 루틴을 바꿔주어야 한다. 워밍업은 스트레칭이 아니라 가볍게 땀흘리는 것이다. 과한 스트레칭은 근육의 긴장감을 풀어서 근수축에 방해를 준다. 이는 앞서 동적 스트레칭과 정적 스트레칭에 대해 언급하면서 다루었다. 워밍업은 중량없이 맨몸으로 오늘 하고자 했던 운동과정을 천천히 해보는게 가장 좋다.

훈련강도에 따라서 고강도운동을 하면 부산물로 피로물질인 젖산이 분비된다. 젖산은 다음날 근육통을 일으킨다. 그래서 젖산을 줄일수록 다음날 좋은 컨디션으로 다시 운동하고 하루를 보낼 수 있다. 젖산은 에너지원으로 사용되지 않지만 유산소를 하면 에너지원으로 사용된다. 반드시 고강도 운동 이후에 유산소 운동을 해준다면 다음날 근육통을 줄일 수 있다.

살을 빼려면 유산소 운동을 해야 할까?

유산소 운동도 고강도로 진행되면 무산소 운동이 된다. 유산소 운동과 무산소 운동은 구분되는 게 아니다. 에너지대사는 동시에 같이 진행되지만 강도에 따라 달라진다. 고강도로 유산소 운동을 하다보면 무산소 대사비율이 올라가서 운동목적이 달라지게 된다. 이를 활용하여 인터벌 트레이닝으로 빠르게 달렸다가 느리게 달렸다가를 반복하는 훈련 프로그램도 있다. 유산소 운동의 강도를 단계별로 구분하면 다음과 같다. 이를 통해 자신의 목적에 따라 프로그램을 짤 수있다. 무산소 운동 이후에 유산소 운동을 한다면 2단계로 30분 이상 하는 것이 가장 효과적이다.

1단계 : 운동중 호흡량이 일정하게 유지되는 운동. 지방연소미비

2단계 : 운동중 숨이 약간 가쁘지만 대화가 가능한 수준. 지방을 효과적으로 연소

3단계 : 운동중 대화가 하기 어려운 정도. 심폐능력과 체력이 향상

4단계 : 운동중 대화불가한 정도. 근섬유자극 혈액공급증가.
　　　　일반인이면 오버트레이닝

5단계 : 운동선수의 영역. 신체발달. 오버트레이닝으로 부상위험.

우리가 살이라 부르는 중성지방은 에너지대사 과정도 복잡하고 늦다. 무산소 운동을 먼저 해주면 간과 근육의 글리코겐을 전부 소진하고 지방을 에너지원으로 사용하기 시작한다. 근력운동은 정확한 부위에 자극을 주어야 효과적이다. 유산소 운동을 먼저 하면 힘이 빠져 근력운동의 효율이 떨어진다. 부상의 위험도 크다. 다이어트를 목적으로 삼을 만큼 체중이 많이 나가면 더욱 주의 해야 한다. 어떤 운동을 하든 일단 힘이 받쳐줘야 시작할 수 있다. 근력운동을 우선하여 기초체력을 다지고 유산소 운동을 시작하자. 이후부터 근력운동을 먼저하고 유산소 운동을 하자. 만일 살을 빼는 것이 아닌 근력과 근육을 키우는 것이 목적이라면 유산

소 운동을 따로 분리하여 구성해야 한다. 근력운동 직후에 유산소 운동을 하게 되면 근성장이 늦어진다는 연구결과가 있다. 최소 6시간의 시간차를 두고 진행해야 하며 격일로 진행하는 것이 가장 좋다.

코르티솔은 무엇이고 어떻게 활용하면 좋을까?

코르티솔은 외부자극에 민감한 스트레스 호르몬이다. 운동을 하면 고통을 받고 몸에서는 이를 스트레스로 인식한다. 즉, 코르티솔 분비가 촉진된다. 코르티솔은 운동 시 필요한 에너지를 사용하는 이화작용을 돕는다. 운동에너지원인 포도당 농도를 조절하기도 한다. 염증을 억제하기도 하고 기억력도 좋아진다. 코르티솔이 과다하게 분비되거나 지속적으로 높은 상태로 유지되면 에너지가 과다소비 된다. 허기지고 피곤하다. 결국 인체의 보상시스템이 가동되어 자극적이 칼로리가 높은 음식을 갈망하게 된다. 폭식으로 이어져 체내에 지방을 저장. 특히 복부에 지방을 저장한다. 포도당은 인슐린에 의해 흡수가 되어야 에너지로 쓰이는데 코르티솔이 과다하면 농도조절이 안되서 혈액에 계속 머물게 된다. 즉, 에너지원으로 공급이 안된다. 결국 근손실이 생겨버린다. 이렇게 스트레스가 만병의 근원이다. 코르티솔을 관리해야 건강한 몸을 유지할 수 있다. 코르티솔은 일주기가 있다. 아침이 가장 높다. 하루를 시작하기 위해 각성되었기 때문이다. 또한 저녁부터 낮아지기 시작한다. 그래서 밤이 오면 안정이 되고 잠이 온다. 때문에 코르티솔의 일주기를 활용하여 저녁에 고강도 운동을 해준다면 운동을 마치고 급격하게 코르티솔 수치가 떨어져 졸리게 되고 바로 휴식하니 근육의 회복에도 도움이 된다.

하루 중 언제 운동하는게 좋을까?

자고 일어나면 공복상태다. 공복은 지방연소율이 높아서 운동을 하면 매우 효과적이다. 자는동안 에너지를 소비해서 혈당이 낮은 상태다. 이렇게 혈당이 낮은 상태일 때 고강도 운동을 하면 간에 무리가 온다. 밤새 간과 근육에 저장된 글리코겐을 생존에너지로 다 써버려서 부족한데 운동을 하게 되면 강제로 글리코겐을 쥐어짜느라 무리가 온다. 그래서 앞서 아침엔 혈당수치 올려주기 위해 단당류 먹는 것이 좋다고 했다. 특히 액상과당을 먹어주면 빠르고 간편하게 혈당을 올릴 수 있다. 덕분에 간과 근육이 무리하지 않게 된다. 아침 운동 전에 식사를 해버려서 포만감이 생긴다면 동화작용으로 위에 혈액이 몰리고 운동효율도 떨어진다. 과일주스 한잔 정도가 좋다. 과일을 과일주스랑 혼동하기도 하는데 과일은 식이섬유가 풍부하여 오히려 포만감을 느끼게 한다. 그로 인해 혈액이 소화에 집중하느라 운동효율이 떨어지게 된다. 반드시 과일쥬스를 마시자.

에너지대사 과정을 크게 동화작용과 이화작용으로 구분한다. 동화작용은 에너지를 합성하려는 작용이고, 이화작용은 에너지를 분해하려는 작용이다. 운동은 이화작용이다. 그러니 식사하고 운동하는 것은 좋지 않다. 소화를 위해 위에 혈액이 모여서 장기와 근육이 제대로 움직이질 못하니 배가 땡기고 아프기도 한다. 그러니 아침에는 식사를 하지 않고 과일쥬스 한잔과 함께 저강도 운동을 하는게 이상적이다. 액상과당은 다른 단당류 대비 인슐린 분비가 적어 탄수화물과 다르게 동화작용을 일으키지 않는다. 평상시에 과당을 자주 섭취하면 포만감을 느낄 수 없어서 필요이상 섭취하고 오히려 살찌기 쉬우니 아침에만 섭취하자. 이처럼 언제 어떻게 먹느냐에 따라서 이롭기도 해롭기도 하다.

　아침에는 반드시 저강도 운동을 해야 한다. 저강도 운동은 걷기나 자전거. 가벼운 조깅들 살짝 땀에 젖을 정도의 운동이다. 아침에는 관절도 굳어있고 코르티솔 수치도 높은 상태다. 때문에 고강도 운동을 하게 되면 코르티솔 수치가 갑자기 올라갔다가 내려가면서 인체보상 작용으로 잠이 오게 된다. 또한 계속 언급하듯 간과 근육에 저장된 글리코겐이 부족하면 쥐어짜서 무리하게 되고 에너지원이 없는데 근육도 무리해버려 단백질을 에너지원으로 삼게된다. 근손실이 온다. 또한 이 과정에서 부산물로 암모니아가 발생하니 간은 이를 해독하려고 더욱 무리하게 된다. 이렇게 아침부터 고생한 간은 쉬고자 하며 결국 하루를 온전히 집중하지 못하고 잠이 온다. 또한 반대로 저강도 운동을 해준다면 오히려 도파민과 코르티솔의 균형을 이루어준다. 호흡과 이완하는 집중하는 요가와 스트레칭이 가장 좋다.

　저녁에는 반대다. 관절도 아침에 각성하며 올라갔던 코르티솔 분비가 줄어들어 운동을 통해 이를 자극하고 끌어올리면 운동이 끝난 뒤 인체보상작용으로 코르티솔 수치가 확 줄어든다. 이는 멜라토닌 분비를 촉진하여 숙면을 유도한다. 어둠 속에서는 성장호르몬, 테스토스테론 분비가 더욱 촉진되므로 더 빠르게 근육을 회복하게 된다. 성장호르몬은 22시부터 자정사이에 분비되므로 자정 이전에 잠드는 것이 이상적이다. 22시이후 고강도 운동을 하게 되면 코르티솔 농도가 아직 높은 상태에 머물러 수면시간과 충돌이 생기니 반드시 운동은 22시 이전에 마쳐야 한다.

가벼운 유산소 운동은 코르티솔 안정화를 시키므로 운동을 마칠땐 반드시 가벼운 유산소와 정적스트레칭으로 마무리 하는게 좋다.

제 6 장

분석과 표현

· · · · · ·

인간은 오감각을 통해 자극이 수용되는 순간 바로 감정을 느끼고 다시 감각으로 반응한다. 표정이나 시선. 눈빛. 제스츄어. 행동까지 그리고 그 반응은 미리 짜놓은게 아니다. 그 순간의 충동에 의해 사람마다 상황마다 다르게 드러난다. 배우는 이러한 찰나에 벌어지는 인간의 온상을 온몸으로 담아내야 한다. 한번도 경험해보지 못한 상황과 인물을 보여주어야 한다. 배우는 인물의 기억을 본다. 지금 이 순간 일어나는 것처럼 생생하게 인물과 자신의 시공간을 일치시킨다. 그러려면 먼저 인간에 대해 알아야 한다. 인간의 감정과 행동반응을 주도면밀하게 살펴보아야 한다. 마치 낯선 세계의 인간들을 만난 것처럼 연구하고 고민해야 한다. 이러한 과정을 통해 어떤 공통적인 특징과 패턴이 있음을 알게 된다.

이러한 인간의 감정과 움직임을 분석하고 연구해온 예술가가 있다. 바로 안무가이자 이론가 알려진 루돌프 본 라반이다. 그는 춤을 포함한 모든 인간의 움직임을 분석하는 체계를 정립하였다. 특히 움직임의 특질과 감정표현의 관계에 대해 연구했고 몸을 통해 표현되는 내적 상태나 요구에 과한 에포트 이론을 창안하였다. 나는 라반의 메소드보다 훌륭한 이론이나 분석체계를 접해보지 못했다. 라반의 메소드는 다방면의 모든 분야에서 수용되고 다듬어지면서 발전하고 있으나 연극에서 그리 큰 주목을 받지 못하고 있다. 현장에서 마주하는 배우들과 연출가들은 저마다 나름의 방식으로 움직임을 분석하고 연출하지만 추상적이고 은유적인 표현으로 방향을 제안할 뿐 좀 더 명확하게 제시하지 못하였다. 내가 그들에게 라반의 메소드를 설명해주면 마치 잃어버렸던 퍼즐을 찾은 것처럼 경이로워 하였다. 공식을 외워야 연산이 빨라지듯 개념을 정리하고 용어로 정의해두면 작업이 수월해진다고 하였다. 마찬가지다. 라반메소드의 깊이는 광대하지만 바로 적용할 수 있는 주요한 내용들만 골라 풀어내겠다. 이것이 당신의 분석능력과 표현의 격을 한 단계 상승시켜줄 것을 확신한다.

"움직임은 인간의 언어 중 하나로서 반드시 의식적으로 숙련되어야 한다."

(라반, 1966)

배우는 자신의 잠재의식과 무의식에 머물던 것을 의식으로 전환시켰을 때 성장한다. 우리는 이러한 순간을 운명이라 부른다. 당신은 운명을 쫓고 있다.

1. 동작분석

라반의 움직임 분석은 동작분석, 에포트 (Effort), 공간, 셰이프 (Shape) 의 네가지 카테고리로 특질을 분석하고 인간의 무의식적, 의식적 움직임에서 심리상태 및 의도를 읽어내는데 주로 활용된다. 이 네 가지 카테고리는 하나의 움직임의 요소가 다른 세가지의 움직임 요소와 항상 균형적으로 관계하고 조화를 이루면서 움직임의 의미를 찾을 수 있다. 인간의 움직임은 이 네 가지 중에 하나가 강조되어 보이기도 하고, 한꺼번에 보이기도 한다.어떤 경우에는 움직임을 시작하는 신체 부위나 특정 부위에 주의를 기울이는 것처럼 보이고 팔과 다리를 뻗어 수직 공간을 느끼거나 몸의 방향에 따라 공간에 더 의지를 갖는 것처럼 보이기도 한다.

움직임은 크게 몇 가지로 나눌 수 있을까?

라반은 이렇게 몸을 통해 일어날 수 있는 기본동작을 열두가지로 제시한다. 일단 무조건 반드시 외우도록 하자. 외워야 바로 활용할 수 있다.

- 뛰기 / 회전하기
- 이동하기 / 정지하기
- 수축하기 / 확장하기
- 접기 / 펴기
- 흩뿌리기 / 모으기
- 무게이동하기 / 무게지지하기

1) 뛰기

말 그대로 뛰다. 몸이 바닥에서 하늘로 뛰어올랐다가 다시 바닥으로 돌아가는 과정을 말한다.

2) 회전하기

회전하는 모든 동작을 뜻한다. 손목만 돌려도 회전하기에 해당하고 고개를 돌려도 회전하기에 해당한다. 동시다발적으로 수행할 수도 있다. 몸의 방향을 바꾸거나 손을 짚어 옆돌기를 해도 회전하기에 해당한다.

3) 이동하기

제자리에서 공간으로 나아가는 모든 움직임이다. 무게이동과의 차이는 공간으로 나아간다는 것이다. 직선이나 곡선의 경로로 걷고 뛰고 구르고 모든 움직임이 공간을 향해 나아간다면 이동하기에 해당한다.

4) 정지하기

진행되는 움직임을 일시적으로 멈추는 것이다. 이동하다가 정지하거나 움직이다가 정지하는 모든 행위를 일컫는다.

5) 수축하기

움추려 작아지는 동작이다. 몸의 부위를 각각 움츠리거나 몸 전체를 수축시키는 동작이 이에 해당한다. 원래 내 몸보다 작아지는 움직임을 수축하기라 한다.

6) 확장하기

수축하기와 상대적인 개념이다. 몸의 길이가 늘어나는 것과 부피가 팽창하는 것 등. 원래 내 몸보다 커지는 움직임을 확장하기라 한다.

7) 접기

관절을 단순히 구부리거나 접는 동작이다. 수축하기와 달리 몸의 형태는 유지된다. 팔꿈치와 무릎의 움직임을 생각해보자.

8) 펴기

접기와 상대적인 개념이다. 접은 부위를 펴는 동작이다.

9) 흩뿌리기

마치 모래를 털 듯 흩뿌리는 동작이다. 고개든 손이든 발이든 어느 부위든 힘을 빼고 툭 하고 털며 바깥쪽으로 진행된다.

10) 모으기

관절을 이용하여 몸 안으로 모으는 입체적인 동작이다. 모은다는 이미지를 전달하기 위해 3차원의 공간을 확실하게 보여줄 수 있어야 한다. 예를 들어 혼자서 가상의 상대를 두고 두 팔로 포옹한다는 마임을 하면 그것은 모으기에 해당한다. 어깨동무도 마찬가지다.

11) 무게이동하기

중심을 지지하는 몸의 한 부위를 다른 부위로 옮기는 것이다. 예를 들어 왼발을 들어 오른발에 체중을 오롯이 실었다가 왼발을 내딛으며 중심을 옮기는 걸음도 무게이동에 해당한다.

12) 무게지지 하기

무게를 지탱하는 동작을 말한다. 손으로 턱을 괴고 있다면 이것은 무게지지에 해당한다. 지지하는 축이 없다면 바로 무너져버리는 자세가 바로 무게지지다. 벽에 기대고 있는 자세도 무게지지에 해당한다.

이제 관찰하고 분석해보자. 지나가는 사람이든 앉아있는 사람이든 주변의 친구든 보이는 누구도 좋다. 어떤 목표를 갖고 어떠한 동작을 연속하고 변화시키는지 확인해보자. 예를 들어 손목이 아프거나 불안한 사람이 물건을 들기 위해 어떻게 하는지 관찰해보자.

아무 대사나 한 줄 부여잡고 이 12가지의 동작분석법을 대사를 뱉으며 조합해보자. 팔이든 손이든 고개든 신체부위를 하나 정하고 순차적으로 연속적으로 해보자. 기지개를 편다면 무릎을 굽혔다 펴면서 확장을 하고 손을 흩뿌려 털고 고개를 회전하기 해보자. 대사에 어울리게 동작을 구성해보기도 하고 동작과 전혀 어울리지 않게 구성해보기도 하자. 움직임은 자신의 상태를 보여준다. 충동에 의한 무의식적 행동반응이다. 몸짓을 통해 어떤 서브텍스트가 떠오르는지 어떤 상황과 감정으로 재해석 되는지 살펴보라. 인물과 상황. 대사에 어울리는 움직임을 만들어보자.

2. 에포트

에포트는 내적 충동이나 욕구로 솟아나는 에너지를 동작에 반영시키는 방법이다. 즉, 동작하는 사람의 내적 태도를 표현하는 방법을 말한다. 에포트는 인간의 감정이나 사고를 표현하는 마음가짐이나 동기다. 이를 분석하면 인간의 심리상태나 내적갈등을 파악할 수 있다. 에포트를 의식하고 활용하면 움직임에 생동감이 생긴다. 감정 상태와 상황에 따라 의미 있는 움직임을 강조하고 돋보이게 할 수 있다. 라반 메소드에서 배우에게 가장 중요한 한 가지를 꼽으라면 바로 이 에포트라 하겠다.

몸이 가면 마음이 간다. 마음이 가야 몸이 간다. 에포트로 살펴보면 둘 다 똑같은 말이다. 라반은 인간의 움직임은 무한한 형태와 내용으로 가득 차 있지만 우리가 움직임을 행할 때 가장 먼저 지각할 수 있는 것이 에포트라고 했다. 이것은 에포트의 특성을 찾으면 그 사람의 의도를 파악하는 지름길이 된다는 것을 의미한다.

감정은 어떻게 움직임으로 드러날까?

에포트는 총 8가지로 크게 4가지로 분류하여 서로 상대적인 특질을 갖고 있다. 마찬가지로 일단 외우자. 외우면 관찰하는 순간 확인할 수 있다.

- 흐름 : 자유로운 / 통제적인
- 무게 : 강한 / 가벼운
- 시간 : 빨라지는 / 느려지는
- 공간 : 직접 / 간접

1) 흐름

흐름은 '어떻게'에 대한 분석이다. 흐름은 움직임 가장 기본적인 요소다. 인간의 몸은 유기적으로 연결되어 순간 상호작용하고 협응한다. 반드시 흐름이 있다. 흐름의 에포트는 두 가지로 분류한다. 자유로움과 통제적인. 자유로움은 끊임없이 연속적으로 흘러가듯 계속해서 움직이는 것을 일컫는다. 외부의 힘이 개입되어 정지되거나 스스로 중단하여 멈출 때까지 계속해서 서서히 움직인다. 통제적인 흐름은 이와 반대다. 어떠한 의도에 의해 스스로 갑작스레 중단하거나 외부의 힘에 의해 제어 당하여 멈추는 것이다. 이것을 이미지로 떠올려보자.

'자유로운 흐름'을 떠올리면 무엇이 떠오르는가. 바람에 흩날리는 스카프. 뛰어노는 아이. 결승선을 통과하고도 계속 달려나가며 감속하는 선수. 이러한 서서히 자연스럽게 멈춰지기 전까지의 모습이 바로 자유로운 흐름의 이미지다. 이러한 이미지가 바로바로 떠올라야 한다. 그것이 심상이고 영감이다. 그래야 은유 비유하여 몸에 담아 구현할 수 있다. 텍스트도 마찬가지다. 느슨하다. 흘러간다. 계속된다. 휘날리는 등등. 바로 구체화 할 수 있어야 적용할 수 있다. 음악으로 비유해도 좋다. 자유로운 흐름에 어울리는 음악에는 무엇이 있는가. 그 음악에 몸을 맡기고 반응하면 어떻게 움직여지는가.

그렇다면 '통제적인 흐름'을 떠올리면 무엇이 떠오르는가. 외줄타는 재주꾼. 빙판길을 조심조심 걷는 사람들. 면접관 앞에서 긴장된 사람. 등이 떠오른다. 마찬가지로 텍스트로 정리해보자. 제한된, 조심스러운, 꽉 조인. 호기심이 넘치는, 살금살금. 가득찬 등이 떠오른다. 각각의 흐름이 갖는 감정 상태가 인식되는가.

흐름은 한 가지만 부각되어 사용되는 것이 아니라 두 흐름을 오가면서 사용되기도 한다. 양동이에 물을 한가득 담아서 들고 오더니 조심조심 내려놓고 가볍게 손을 털며 한숨을 내쉬는 여인을 떠올려보자. 조심하면서 뒤뚱거리던 통제적인 흐름에서 몸을 이완시키며 긴장을 푸는 자유로운 흐름으로 바로 전환되었다. 이처럼 상황과 상태에 따라 에포트는 정도가 달라지고 전환되고 변화한다.

2) 무게

무게는 '무엇을'에 대한 분석이다. 무게는 중력과 관계를 갖고 의지와 의도를 드러내는 에포트다. 강한 무게와 가벼운 무게로 구분하는데 이 두 개념은 관점에 따라 상대적이지 않다. '무거운 무게'가 아니라 '강한 무게'다. 그렇게 표현해야 의지와 의도가 더 명확하게 전달된다. 무거운 무게라고 하면 특정한 상황과 상태만을 떠올리게 한다. 또한 사람마다 신체 능력에 따라 무겁다는 기준은 달라질 수 있으므로 불명확하다.

'강한무게'라고 표현해준다면 더 다양한 상황에서 무게를 느낄 수 있다. 예를 들어 레슬링 선수가 상대를 태클하면서 보여주는 무게도 강한 무게에 해당하고, 밀가루를 반죽하며 치대는 모습도 강한 무게에 해당한다. 망치질을 하거나 역기를 들어올리는 모습도 마찬가지다.

'가벼운 무게'는 이와 반대다. 발레리나가 사뿐사뿐 위로 뛰어오르는 모습이나 수영을 하면서 둥둥 떠올라 오는 모습도 가벼운 무게에 해당한다. 하이힐을 신고 사뿐사뿐 걷는 모델의 모습도 가벼운 무게를 보여준다. 이를 더 명확하게 구분하고자 한다면 무게중심의 변화를 살펴보면 된다. 무게중심이 중력의 방향대로 바닥으로 눌리거나 올라가고자 하지만 올라가지 못하고 고정될 때 강한 무게로 인식하면 되고, 반대로 마치 중력이 없는 것처럼 무게중심이 부드럽게 떠오를 때 가벼운 무게라도 인식하면 된다.

이미지를 떠올려보자. '강한무게'는 충격적이고 맹렬하고 힘이 넘치고 견고하고 강한 느낌이고, '가벼운 무게'는 작고 부드럽고 나풀거리고 유약한 느낌이다. 이러한 무게 에포트를 강조하면 확실한 캐릭터성을 부여할 수 있다. 때때로 동물 에쮸드를 통해 인물의 고유한 분위기와 특성을 창조하기도 하는데 고릴라와 펭귄으로 무게 에포트를 적용해보자. 인물과 성격, 행동을 바로 상상해볼 수 있다. 강한 무게를 사용하여 단호한 의지를 보여줄 수도 있다. 털썩 무릎을 꿇어앉으며 사과를 하는 사람을 떠올려보라. 방금처럼 한번에 무게중심이 쏟아지며 무게를 낮추는 모습은 강한 무게에 해당한다. 떠나려는 연인의 팔을 잡으며 무릎을 꿇었다면 통제적인 흐름과 강한 무게를 동시에 사용했다고 볼 수 있다.

3) 시간

시간은 '언제'에 대한 분석이다. 시간은 움직임의 길이나 속도와는 개념이 다르다. 어떻게 시간을 표현했는가가 중요하다. 흔히 시간성을 표현하면 '빠르게' 또는 '느리게' 라고 표현하는데 그 기준은 모호하다. 누군가에게는 빠르게 움직인 것이 누군가에겐 그닥 빠르지 않게 느껴질 수 있다. 에포트는 찰나의 변화를 인식하는 방법이다. 시간은 과거에서 현재. 미래로 멈추지 않고 흘러간다. 지금 이 순간도 과거가 되었다. 우리가 인식하는 것은 과거의 내 모습이지. 현재의 내 모습이 아니다. 그러니 변화를 표현 해야 한다. 즉, '빠르게'가 아니라 '빨라지는'으로 '느리게'가 아니라 '느려지는'이라고 표현해야 분명해진다.

텍스트로 표현해보자. 빨라지는 시간성은 긴장, 고조되다, 갑작스러운, 즉각적인, 서두르는, 가속 등으로 표현될 수 있다. 느려지는 시간성은 쳐지는, 풀어지는, 안심되는, 서서히, 여유로운, 감속 등으로 표현될 수 있다. 시간에 대한 텍스트는 바로 이미지로 전환이 가능하며 상황을 연상할 수 있다.

출발선상의 육상선수는 빨라지는 시간성을 보여준다. 반대로 결승점을 통과하면 느려지는 시간성을 보여준다. 횡단보도의 신호등이 깜빡거릴 때 뛰는 사람은 빨라지는 시간성을 보여준다. 이러한 시간 에포트의 변화는 그 어떤 에포트보다도 단조로움을 깨고 몰입을 이끈다. 드라마나 영화에서 극적인 장면이 나올 때 슬로우 모션으로 바뀐다거나 댄서들이 리듬을 타며 청각 자극에 집중하다가 몸을 이완시켜 촉각 자극에 집중하는 모습 등이 이에 해당한다. 클럽에서 자주 나오는 EDM음악은 이러한 에포트를 잘 이용하고 있다. 점점 고조되다 멀리 퍼지듯 줄어들며 음악이 멈춘 듯 하다 다시 팡! 하고 터트려서 사람들의 마음을 들었다 났다 한다.

드라마의 입맞춤 장면을 상상해보자. 남자가 그냥 냅다 입맞추려 든다면 그 장면에서 설렘을 느끼는 사람은 아무도 없을 것이다. 배우들은 에포트의 변화를 이용한다. 그윽한 눈빛으로 그녀의 머리를 어루만진다. 고개를 살짝 기울여 입을 맞추려 다가간다. 여자가 깜짝 놀라 당황하자 남자도 멈춘다. 잠시 눈을 맞춘다. 찰나의 정적. 남자는 과감하게 입을 맞춘다. 상상해보니 어떠한가. 더 로맨틱한 장면이 연출되지 않았는가. 에포트를 이용하면 더 섬세한 연기가 가능하다. 인물의 전략들을 더 명확하게 드러낼 수 있다. 어울리는 음악까지 흘러나오면 그 효과는 배가 된다. 이처럼 시간성을 밀고 당기며 시공간을 구현해낼 때 관객은 더욱 몰입하고 집중하게 된다.

4) 공간

공간은 '어디로'에 대한 분석이다. 공간 에포트는 방향을 가리키거나 높낮이를 측정하는 개념이 아니다. 움직이는 사람이 자신의 주위 환경을 바라보는 느낌이나 그 공간을 의식하는 방법을 말한다. 공간은 두 가지로 구분한다. 직접 공간성과 간접 공간성. 직접은 하나의 지점에 집중하여 응시하고 있는 공간을 말한다. 간접은 이와 반대로 분산된 형태다. 예를 들어 촛불을 바라보는 사람은 직접 공간성을 보여주며 광장에서 지인을 찾아 두리번거리는 사람은 간접 공간성을 보여주고 있는 것이다.

이를 텍스트로 살펴보자. 직접 공간성의 경우 조준하다, 빨려 들어간다, 좁다, 초점을 맞추다, 끼워넣다. 등으로 표현할 수 있고 간접 공간성의 경우 방황하는, 돌아가는, 요동치는, 둘러보는. 산만한 등으로 표현해

볼 수 있다.

이러한 공간 에포트는 스포츠 경기에서 명확하게 보여지고는 한다. 딴 곳을 바라보며 상대를 속이기 위한 페인팅 모션이 직접과 간접을 오가는 공간 에포트의 변화다. 공간은 눈으로만 인식 되는게 아니다. 눈으로만 에포트를 보여줄 수 있는 것도 아니다. 캄캄한 밤에 침대에서 자던 사람이 잠시 일어나 화장실로 실눈을 뜨고 이동했다면 그것은 직접 공간성을 보여준 것이다. 다시 말해 움직임을 하는 사람이 공간에 어떻게 접근하고 있는가에 따라 구분하고 보여진다.

다른 예시를 들어보자. 떠나가는 연인을 바라보면서 가지마. 라고 하는 것과 연인을 바라보지 않으면서 가지마. 라고 하는 것. 연인의 손목을 움켜쥐면서 쳐다보고 가지마 라고 하는 것과 움켜쥐면서 쳐다보지 않고 가지마. 라고 하는 것. 시선과 행동의 포인트가 각기 다른 공간성을 보여줌으로서 그 의도와 심리상태가 각기 다르게 보여진다. 공간성의 변화는 장면을 더 설레고 극적으로 연출된다.

공간성은 실제 공간에서도 활용된다. 복도에서 뛰고 싶은 욕구가 강해지는 이유도 복도라는 공간이 직접 공간성을 보여주고 있기 때문이다. 실내 체육관에 들어가면 여유로운 걸음으로 천천히 걷게 되는 이유도 간접 공간성을 유도하기 때문이다. 같은 속도로 걷더라도 한 지점만 바라보고 걸으면 시간이 빠르게 지난 듯한 기분을 느끼고 둘러보며 걸으면 시간이 천천히 흘러간듯한 느낌을 받는다. 공간성을 활용하면 의도가 분명해진다.

5) 충동

라반이 제시한 흐름, 시간, 무게, 공간의 인자들은 각기 하나만 강조되어 보이기도 하지만 실제로는 그렇지 않다. 보통 유사성을 가진 두 가지나 세 가지 에포트가 동시에 보이는 것이 대부분이다. 인간의 움직임은 감정에 따라 그리고 구조에 따라 협응하면서 이루어지기에 반드시 동시다발적으로 일어난다.

라반은 이처럼 두 가지 에포트가 존재하는 움직임을 에포트 상태라 하고, 세 가지 요소가 결합한 경우를 에포트 충동을 표현하는 움직임이라 했다. 에포트 상태는 어떠한 충동이 다른 충동으로 변화하는 사이에 살짝 지나가는 전이 상태로 드러나기도 하며 에포트 충동은 거의 완전한 동작으로 보여서 감정이나 의도를 좀 더 세밀하고 실제적으로 표현할 수 있다고 하였다.

6) 관찰

눈에 보이는 한 사람을 3가지 과정으로 관찰하여 기록해보자.

1) 사실적 묘사
2) 운동적 묘사
3) 주관적 묘사

첫 번째 사실의 묘사. 있는 그대로의 사실만을 적는다. 한 남자가 카페에 앉아있다. 그의 테이블 위에는 핸드폰이 놓여있다. 전화벨이 울리자 그 남자는 전화를 받았다. 통화를 마친 남자는 휴대폰을 내려놓고 의자에 기대어 천장을 바라본다.

두 번째 운동적 묘사. 동작 분석법을 통해 묘사한다. 남자가 의자에 앉아있다. 두 다리는 나란히 무릎을 굽혀 앉아있지만 오른쪽 다리의 발목을 펴고 위아래로 떨 듯이 접기 펴기를 반복한다. 두 팔은 의자 손잡이에 지지되어 있으며 이따금 팔꿈치를 굽혀 엄지손가락을 입에다 갖다 댄다. 전화벨이 울리자 오른손을 뻗어 전화기를 움켜쥐어 귀에 댄다. 반대손은 수화부를 향해 모으기를 하였다. 통화를 마치자 그는 휴대폰을 내려놓고 의자에 무게지지 한다.

세 번째 주관적 묘사. 남자는 초조해보인다. 그의 두 눈은 직접적인 공간성으로 휴대폰만을 응시하고 있다. 그의 오른발은 쉴새없이 위아래로 떨고 있다. 오른손 엄지손톱을 수시로 물어뜯으며 얼굴은 휴대폰을 향해 있지만 눈알은 쉼없이 사방으로 간접 공간성을 보여준다. 전화벨이 울리자 그는 빨라지는 시간성으로 전화를 붙잡아 받았다. 공손하게 반대쪽 손으로 수화부를 감쌌다. 통화를 마치자 그는 안도한 듯 몸을 의자에 기대버린다. 털썩 강한 무게에서 이내 자유로운 흐름으로 멍하니 하늘을 바라본다. 전화를 애타게 기다렸고 원했던 대답을 들은 모양이다.

이런 식으로 관찰하고 훈련한다. 전화를 받는 상황만 에포트 조합으로 연기해보자. 수화를 들며 여보세요? 라고 해보자. 자유로운 흐름과 느려지는 시간성으로 여보세요? 빨라지는 시간성과 통제적 흐름. 한숨을 한번 내쉬고 여보세요? 하는 등으로 어떠한 에포트를 강조하느냐에 따라서 다양하게 현재 인물이 처한 상태와 감정을 세밀하게 드러낼 수 있다.

7) 활용

에포트는 다양한 조합을 통해 색다른 내적 충동을 효과적으로 표현할 수도 있고 새로운 움직임을 창작할 수 있는 실마리도 되어준다. 그러나 에포트 인자를 동시에 드러내려 한다면 오히려 특질이 분명하지 않아서 아무것도 강조되지 못한다. 적절한 조합이 필요하다. 이러한 조합들은 유사한 인자들끼리 결합하는 경우가 많은데 예를 들어 격투기 선수들의 경우 주먹을 내지르면서 강한 무게와 빨라지는 시간성 직접 공간성을 동시다발적으로 사용한다. 주위를 관찰하면서 어떠한 에포트가 강조되고 조합되는지 관찰해보면 움직이는 사람의 의도나 심리상태를 파악할 수 있다. 인자들을 직접 조합하여 유사한 움직임으로 인물의 감정과 상태를 연기할 수 있다.

에포트의 관찰대상은 인간이나 동물뿐만이 아니다. 사물이나 현상을 보면서도 마찬가지다. 우리가 내적충동이나 영감을 얻을 수 있는 이유는 그 모습이 마치 무엇처럼 보이기 때문이다. 에포트가 보이기 때문이다. 예를 들어 연기가 하늘로 올라가는 모습에는 가벼운 무게와 간접적인 공간, 느려지는 시간성이 담겨져 있다. 그래서 상황에 따라 서정적이고 서글픈 장면으로 받아들이기도 한다. 전쟁 이후 폐허가 된 집터에서 흘러나오는 연기를 클로즈업하여 촬영했다면 그 이미지를 통해 우리는 가슴 깊숙한 곳에서 울컥하고 뭉클한 어떤 감정을 느끼게 된다. 그것은 현상에 담긴 에포트를 인식했기 때문이다. 빙글빙글 돌아가는 레코드판을 바라보며, 아무도 없는 공터에 홀로 서 있는 가로등을 바라보며 어떠한 감정과 깨달음을 느끼는 이유도 마찬가지다. 레코드판이 쳇바퀴 도는 나의 인생 같다거나 가로등이 아무도 알아주지 않지만 우뚝 서있는 것 같다거나 자신의 상황과 빗대어 유사성을 찾고 영감을 얻는다. 이러한 에포트의 관찰과 조합은 예술가들이 무엇을 자극하고 어떻게 화두를 남길 것인가에 대한 실마리가 된다. 다음 문장이 어떠한 에포트로 연상되는지 상상해보자.

'도둑이 들창에 걸린 달은 두고 갔구나.'
'너무 울어 텅 비어버렸는가. 매미 허물은'
'게으름이여. 흔들어서 잠이 깨버린 나른한 봄비'
'연잎 위에서 이 세상의 이슬은 일그러지네'
'땅에 묻으면 내 아이도 꽃으로 피어날까'

3. 셰이프

움직임의 선은 어떻게 드러날까?

셰이프는 인간이 공간상에 그리는 몸의 형태나 선이나 입체적으로 드러나는 움직임의 형태다. 다시 말해 인간의 내적 충동이 에포트가 외부로 움직임 형태로 드러나는 것이다. 셰이프의 유형은 움직이는 사람이 환경을 의식하는 정도에 따라 세 가지로 드러난다.

1) 흐름지향 셰이프
2) 방향지향 셰이프
3) 연속적 셰이프

환경을 전혀 의식하지 않을 때 나타나는 움직임의 형태를 흐름지향 셰이프, 환경을 의식하기 시작할 때 나타는 움직임의 형태가 방향지향 셰이프, 환경을 완전히 의식하고 조화를 이루는 움직임의 형태를 연속적 셰이프라 한다. 이 유형들은 독립적으로 나타나기도 하고 한 유형에서 다른 유형으로 연속해서 변화하기도 하며 조합되어 움직임을 보이기도 한다.

1) 흐름지향 셰이프

움직이는 사람이 몸의 내부에 집중할 때 나타나는 움직임 형태다. 이는 호흡과 연관이 깊은데 호흡에 따라 부풀고 가라앉으며 마치 흘러가듯 보이는 움직임 형태다. 한국 무용수들은 자신의 내부감각에 집중해서 호흡에 따라 춤을 춘다. 사지가 호흡에 맞춰 내전과 외전을 오가고 근육이 이완된다. 부드럽고 편안하게 보인다. 마치 무언가에 심취한 듯 두둥실 떠오르는 듯한 움직임이다. 흐름지향 셰이프를 사용하면 서정적인 감성과 여운을 남길 수 있고 몸을 가볍고 편안하게 움직일 수 있다.

2) 방향지향 세이프

사람이 주변 공간을 의식하며 보여지는 기본적인 형태다. 공간의 한 방향으로 움직이는 특징이 있다. 즉, 자신의 내부보다 외부의 다양한 자극에 반응하는 움직임 형태다. 그래서 무엇을 강조하고 있는지 명확하고 뚜렷하게 확인할 수 있다. 발레 무용수들이 주로 이러한 방향 지향적인 움직임을 보여준다. 그 외에도 교통경찰의 수신호, 야구공을 던지는 야구선수나 망치질을 하는 목수 등 목적과 목표가 분명한 행위를 하는 경우 방향지향 세이프를 볼 수 있다.

정확하게 두 지점을 연결하는 형태로 보여진다. 명확한 선으로 보여진다. 선은 두 종류다. 직선 또는 곡선. 같은 의도안에서 방향지향 세이프를 사용하더라도 의도에 따라 직선과 곡선으로 다르게 표현할 수 있다. 예를 포옹을 할 때 양팔을 앞으로 직선으로 뻗어 마중나가듯 반가움을 더 강조할 수도 있고, 양팔을 곡선으로 감싸듯하여 더 애틋한 마음을 강조할 수도 있다. 물론 연속하여 사용할 수도 있다. 악수도 마찬가지다. 인물의 털털하고 당당한 성격을 보여주기 위해 악수를 청하며 직선으로 팔을 들어올릴 수도 있고, 부드럽고 온화한 성격을 보여주기 위해 곡선으로 팔을 들어 올릴 수도 있다. 이처럼 움직임을 수행하는 사람의 목적과 의도에 따른 분위기로 표현된다.

3) 연속적 세이프

앞서 이 두 가지 세이프가 연속적으로 드러나면서 풍부하게 표현되는 움직임 형태다. 방향지향 세이프와 유사하게 공간과의 관계를 맺지만 차이가 있다. 방향지향 셰이프가 공간의 특정한 방향에 대해 의식하거나 강조한다면 연속적 셰이프는 몸과 공간의 조화를 더 강조한다. 보다 3차원적인 입체감을 갖고 표현된다. 예를 들어 아기를 끌어안은 엄마의 팔은 명확하게 어떠한 방향성을 갖고있지 않다. 그렇다고 흐름지향적이지도 않다. 그것은 엄마의 몸과 아기의 몸 사이에서 생긴 조화의 움직임이다. 이러한 연속적 셰이프는 현대무용수들의 움직임에서 주로 볼 수 있다. 무용수가 회전을 하면서 온몸의 방향을 비틀고 꼬면서 변형을 준다거나 기괴한 각도로 몸이 꺽거나 털면서 아름다움이 아닌 괴로움이나 분노를 표현하기도 한다. 우리는 비극적인 정서를 공감하고 해소할 수 있다. 인간은 슬픔을 즐긴다. 그래서 종종 비극을 본다. 인물의 상황에 자신의 처지를 대입하여 공감하며 함께 울면서 자신을 위로한다. 연속지향적 에포트는 이런 표현에 도움을 준다.

4) 특징과 학습

세이프의 유형과 특징 때문에 무엇을 더 중시하여 드러내는가에 따라 장르가 구분된다. 순수무용 장르는 한국무용, 발레, 현대무용으로 나뉜다. 배우들도 교육과정에서 발레와 현대무용을 경험하고 학습하게 된다. 하지만 아쉽게도 한국무용에서 사용되는 흐름지향적 셰이프는 선택적으로 학습하는 경우가 많다. 사실 흐름지향적 셰이프가 모든 움직임의 기초가 된다. 그러나 대부분 기능적인 목표만을 두고 학습하기에 이를 간과한다.

호흡에 의한 움직임은 같은 형태를 따라하려고 해도 사람마다 다르게 드러난다. 흐름지향적 셰이프에는 자기만의 호흡이 있고 간격이 있다. 똑같이 따라할 수가 없다. 온전히 호흡에 의한 자신의 감각과 몸짓을 통찰해보고 움직여보는 과정에서 발전된다. 이것은 꽤나 지루하고 오랜시간이 걸린다. 그러니 젊을 때는 에너지가 넘치고 조급하여 방향지향적 셰이프를 우선하는 경우가 많다. 성취가 눈으로 바로 확인되고 기능적으로 개선할 수 있는 여지가 많다고 여긴다. 나이가 들어보고 신체기능이 퇴화하면 구조와 원리를 이용하고자 한다. 삶의 풍파를 겪고 나니 내면에 집중하게 되면서 더욱 와닿게 된다.

흐름지향적 셰이프는 몸 안에서 시작하며 중심으로부터 멀어지거나 돌아오면서 변화를 일으킨다. 내적 상태와 관련이 있다는 말이다. 이처럼 흐름지향적 셰이프는 자기 자신의 온전히 느끼는 것으로 출발한다. 우리는 무의식중에 흘려버리고 놓쳐버리는 것들을 의식적으로 붙잡아 전환 시켰을 때 달라진다고 반복해서 강조했다. 눈을 감고 편안하게 명상하듯 호흡해보자. 그리고 호흡에 따라 조금씩 사지를 움직여보자. 조금이라도 감각에 긴장감이 남아있다면 형태만 유지할 수 있을만큼 힘을 빼고 무게를 조금씩 이동시켜 흘려 보내보자. 흐름지향적 셰이프를 주로 사용하는 운동을 하나쯤은 꼭 익혀보길 권한다. 한국무용이든 태극권이든 무엇이든 좋다. 천천히 근막경선을 훈련을 하면 구조와 원리에 대한 이해가 더욱 깊어진다. 동작을 구분하고 인식하며 이어나가며 디테일이 생기고 동작의 질이 달라진다. 부드러운 말투를 사용할 줄 알아야 연기를 잘할 수 있다. 흐름지향적 셰이프가 화술로 반영되도록 연구해보자.

4. 공간

움직임이 어디를 향하고 있을까?

인간은 3차원의 존재이므로 공간을 통해야만 움직임을 시각화할 수 있다. 라반은 공간을 두 가지로 분류하였다. 개인공간과 일반공간. 개인공간은 인간의 몸을 둘러싸고 있는 공간이다. 일반 공간으로 이동하더라도 그대로 존재한다. 인간이 에포트를 사용하여 개인공간을 채워나가면 그 영역이 확대되어 역동적인 공간이 만들어진다. 실제로 몸이 차지하고 있는 공간 이상의 공간까지 눈으로는 확인되지 않아도 느낄 수 있는 감각적인 이미지를 창조 해낸다. 공연예술을 하고 있는 배우들에겐 이 역동공간이 매우 중요하다. 한편 일반공간은 사람이 이동해서 만드는 공간이다. 개인공간이 이동하면서 타인의 개인공간을 넘나든다. 가깝게 또는 멀어지며 가로지르고 겹치게 된다. 이러한 조화를 통해 안무나 동선이 창조되고 무대예술이 만들어진다.

인간의 몸은 3차원이므로 X축과 Y축만 인식해서는 안된다. Z축도 존재한다. 거울을 보고 연습을 하면 수평과 수직구조에 갇혀서 2차원의 형태로 움직이는 경우가 많다. 그렇게 되면 일반공간을 사용할 때도 좌우나 앞뒤의 동선만 사용하게 된다. 어떤 연습이든 거울을 보지 않고 빈 공간을 모두 사용해봐야 한다. 관객을 마주보는 사각무대에 익숙해지는 경우에 이런 문제들이 발생한다. 틀을 갖추되 틀에 갇혀서는 안된다. 라반은 이를 위해 27개의 방향과 3개의 높낮이를 제시하였다. 이는 내 몸과 공간을 조화롭게 움직이기 위한 기본 틀이 된다.

방향은 제자리, 앞, 뒤, 좌, 우, 위, 아래, 그리고 각각 사이의 사선을 더해서 총 27개이며 높낮이는 높은 높이, 중간 높이, 낮은 높이로 구분하여 세부적으로 구분할 수 있도록 했다. 예를 들어 양손을 옆으로 펼쳐 45도 정도 올리면 2차원에서 사선으로 표현되지만 45도 앞으로 뻗으면 3차원으로 표현된다. 대부분의 학습자들이 거울을 보고 따라하며 연습하다보니 사선으로 얻는 입체감을 간과한다. 가장 몸이 길어보이고 크게 에너지를 표현하려면 이 3차원 사선이 가장 중요하다. 발레에서 아라베스크와 같은 동작이 대표적인 예시다.

움직임의 경로는 3가지로 나누어 보여 진다. 경로를 직선으로 지나가는 중심적 경로, 곡선을 통해 우회하며 지나가는 주변적 경로, 그리고 곡선을 통해 지그재그로 지나가는 횡단적 경로다. 중심적 경로의 예시로는 양궁선수의 활 쏘는 모습을 떠올려보면 된다. 양팔을 들고 한손으로부터 움직임을 시작하여 그 손이 어깨를 통과하여 몸통을 지나 반대쪽 손으로 당겨진다. 이러한 경로가 중심적 경로다. 주변적 경로의 예시로는 터미널에서 헤어질 때 잘가라고 크게 흔드는 양팔의 움직임을 생각해보면 된다. 자동차 와이퍼처럼 좌우로 곡선으로 지나가는 경로가 주변적 경로다. 횡단적 경로는 벌레를 쫓는 손모양을 생각해보면 된다. 손을 이리저리 흔들면서 곡선이 비틀고 휘어지면서 연결되는데 이것이 횡단적 경로다. 이러한 경로들을 이용하여 개인 공간안에서 자유롭게 움직이며 다양한 움직임 형태를 만든다.

5. 상호작용

라반은 동작분석, 의도나 충동으로 표현되는 에포트, 움직임의 형태를 보여주는 셰이프, 움직임이 일어나는 공간으로 4가지로 구분하여 움직임을 분석하였다. 이는 각각 그리고 함께 동시다발적으로 상호작용하여 발생하며, 어떤 경우에는 하나의 특성이 더 강조되기도 하고 어떤 경우에는 한꺼번 보여지기도 한다. 예를 들어 움직임을 시작하는 순간이나 특정 동작을 하는 신체부위에 주위를 기울이기도 하고, 시선으로 빈 공간을 응시하거나 팔을 뻗어 몸과 공간을 동시에 강조하여 방향을 돋보이도록 하기도 한다. 힘을 풀어 형태를 무너뜨려 셰이프가 더 보이도록 하기도 한다. 이는 찰나의 순간에 동시에 연속적으로 보여진다. 때문에 이 모든 특성을 구분하고 관찰하여 분석하기란 불가하다. 또한 스스로 한 가지 요소만 돋보이게 하려고 해도 의도치 않게 이 모든 요소가 복잡하게 얽히면서 보여진다. 그것이 아주 작고 단순한 움직임이라해도 마찬가지다. 왜 그럴까. 그것은 우리가 로봇이 아닌 인간이기 때문이다. 우리의 몸은 찰나의 순간마다 균형을 잡고 협응하고 이에 따라 마음도 시시각각 변화한다. 한시도 그대로일 수 없다. 몸과 마음은 하나다. 빠르게 걸으면 덩달아 마음도 격양되고, 천천히 걸으면 마음도 가라앉는다. 마음이 조급해지면 움직임이 빨라지고, 마음이 여유로우면 움직임도 느려진다. 이처럼 몸은 마음은 담는 그릇이며, 어떤 마음이 담기느냐에 따라 몸의 그릇이 달라진다.

'셰이프 오브 워터' 라는 영화를 좋아한다. 물은 형태가 없어서 어느 그 릇에나 담길 수 있다. 사랑에도 형태가 없어서 어떤 존재에게든 담길 수 있다. 나는 이 화두가 정말 좋았다. 우리의 마음은 물과 같으며 사랑과도 같다. 그러니 내가 어떤 몸에 담고자 하느냐에 따라 달라질 수 있다. 몸이 달라지면 마음도 달라진다. 마음의 소리에 귀 기울이고 몸의 울림을 느껴보라. 더 알고 싶고, 더 잘하고 싶은 마음. 마치 사랑에 빠진 것처럼 배움에 흠뻑 빠진 당신은 아름답다.

제 7 장

충동과 즉흥

・・・・・・

테크닉이 본능을 거슬러 얻을 수 있던 가치라면 즉흥은 반대다. 본능에 충실해야 피어난다. 지금까지 살펴본 내용들이 이성적 사고와 분석을 통해 얻을 수 있는 테크닉의 가치였다. 그렇다면 이러한 기술을 갈고 닦은 이유는 무엇인가. 나의 심상을 있는 그대로 자유롭게 구현할 도구를 마련하기 위함이었다. 기술 없이 예술은 없다. 이제 기술을 얻었으니 예술로 자신의 세계를 작품으로 녹여내야 한다. 나의 그림을 그려야 한다.

연기는 액션과 리액션의 연속이다. 이 과정은 침묵의 대화이자 접촉이며 분리이자 결합이다. 자극이 오감을 통해 전달되면 충동이 올라온다. 감정이 말과 행동으로 드러난다. 상대는 오감을 통해 전달받고 교감하며 이어간다. 이 과정이 즉흥이다. 우리는 일상에서 무의식적으로 원하는 것을 얻고자 전략을 세우고 연기를 한다. 그렇다면 연기는 일상처럼 간단할까. 그렇다면 누구나 쉽게 배우가 될 수 있지 않을까. 연기는 누구나 할 수 있으나 아무나 할 수 있는 일은 아니다. 일상의 나는 지금의 나로 살면 되지만 배우는 지금의 나로 살 수가 없기 때문이다.

대본은 수많은 일상 중에 특정한 순간을 보여준다. 작가는 인물의 수많은 장면 중에 그 장면을 콕 집어 보여주고자 했다. 모든 장면마다 특별한 의미가 있다. 배우는 퍼즐을 맞추듯 작가의 의도를 찾아낸다. 대사를 단서로 인물의 과거와 상황을 이해한다. 분석이 끝나면 인물이 어떤 사건과 경험으로 직조되어 그런 말과 행동을 하게 되었는지 알게 된다. 그럼 이제 인물로서 그 순간을 처음 사는 것처럼 연기할 수 있을까. 이미 결말을 알아버렸는데 어떻게 새롭게 마주할 수 있단 말인가. 많은 배우지망생들이 이 지점에서 종종 혼란을 겪는다.

배우는 순간순간 그 인물로 살아 있어야 한다. 절대 미리 짜고 연습했던 연기를 그대로 해서는 안된다. 대사와 지문은 단서였을 뿐이다. 그렇다면 연기를 잘하는 배우는 어떤 배우인가. 순간의 충동에 솔직한 배우. 즉흥연기를 잘하는 배우다. 그들은 대사를 곱씹어 살펴보고 잊어버린다. 인물 그 자체가 되어 버렸으니 대사를 정확히 하는 것은 중요치 않다. 인물의 시공간에서 살아있으면 된다. 필요한 순간에 소중하게 대사를 뱉는다. 아니, 인물로서 말을 한다. 그들은 오감각을 모두 이용해 시시각각 정보를 분석하고 전후사정을 파악하여 과하지도 어색하지도 않게 틈을 노린다. 기발한 연기를 보여준다. 애드립의 귀재다. 문제해결능력이 탁월하다. 그래서 뛰어난 배우들은 어떤 일을 하든 척척 잘하는 전인적 인간이다. 우리가 전문가라 부르는 사람들은 모두 그렇다. 그들 모두가 즉흥의 고수다. 그들이 그럴 수 있던 이유는 무엇일까. 그것은 바로 경험에서 오는 용기다. 상황을 타계할 수 있다는 자신감이다. 그들은 수많은 연습과 시행착오를 통해 경험을 축적했다. 기본이라 불리는 단순한 원리와 진리를 곱씹고 철저히 학습하여 언제든 재창조할 수 있는 능력을 얻었다. 그것이 테크닉이다. 그 의지와 기술이 보편성이라는 틀에 얽매이지 않게 하였다. 가장 개인적인 것이 가장 창의적인 것이라고 하지 않던가. 가장 개인적인 것은 무엇인가. 나의 것. 나만의 것. 이미 내가 되었다고 믿는 것. 그것은 자신에 대한 고고한 확신이다. 인생의 순간마다 떠오르고 마주하는 영감을 집요하게 쫓고 연구한 결과다. 내가 창의적이고 자유로운 연기를 하기 위해서는 내가 쌓아 올린 나 자신의 모든 기술과 세월을 믿어야 한다. 의심하지 않아야 한다. 인물이 바로 나 자신이라고 믿어야 한다.

절대적이고 맹목적인 믿음은 빠른 실천의 원천이다. 재고 따지지 않고 일단 움직이게 한다. 이 말을 다시 풀어보면 믿음이란 당연하다고 여기는 것이다. 그래서 자신의 신념이 단단해지면 꼰대라는 소리를 듣기도 한다. 오래토록 쌓아온 자신의 신념을 부정하기란 결코 쉽지않다. 무너뜨리는 순간 텅 비어버린 것 같은 허무함과 상실감이 찾아오기 때문이다. 하지만 정말 그런가. 모든 것은 상대적이다. 믿음이 무너지는 순간 새로운 진리가 채워진다. 믿음은 단 한순간도 비워진 적이 없다. 새로운 믿음이 채워지면 고양감이 차올라 성장했다고 느낀다. 즉흥도 마찬가지다. 비워내는 순간 새로 채워진다.

인물을 이해하고자 한다면 내가 쌓아온 나의 중심 자아에 인물의 자아를 부딪혀 깨뜨려야 한다. 그리고 그 조각을 한데 모아 다시 인물로서 나라는 인물을 재창조해야 한다. 배우들의 숭고함은 이런 점에 있다. 자신을 버리고 인물을 채웠으니 나라는 사람은 희미해진다. 훌륭한 배우들은 그것을 상실감으로 여기지 않는다. 성장으로 여긴다. 이게 옳을지 저게 옳을지 항시 고민하며 더 나은 인물을 위해 계속 부수고 다시 세운다. 매 순간 다른 시공간에서 다시 살아가니 매번 색다르고 살아있는 연기를 할 수 있다.

즉흥은 양자역학과 같다. 중첩되어 동시에 일어난다. 관측 순간에 변수로 결과가 달라진다. 이처럼 창조는 철저한 계획이 아니다. 결말을 알고 시작하는 것이 아니다. 아무도 알 수 없는 미지의 세계. 창조는 즉흥에서 시작된다. 계획은 프로처럼. 실행은 아마추어처럼. 그게 업을 마주하는 재미다. 유머가 바로 애드립의 열쇠다. 먼저 편안하고 밝게 시작하라. 그래야 반전을 가져올 수 있다. 아무것도 단정짓지 말자. 지금 이 순간의 선택이 최선의 선택이다.

1. 자유와 부자유

즉흥은 어떤 순간에 나오게 될까?

즉흥을 이해하려면 먼저 자유와 부자유에 대해서 알아야 한다. 즉흥은 자유로운 표현이다. 그렇다면 자유는 어떻게 느끼게 되는가. 부자유가 없다면 자유는 느낄 수가 없다. 감옥에 가둬놓으니 출소를 갈망하고, 군대에 갔으니 휴가를 갈망하고, 학교를 다니기에 벗어나고 싶고, 회사에 출근하기에 퇴사를 꿈꾸는 것이다. 이 모든 자유의지는 부자유에 몸담지 않았다면 떠올릴 수 없었다. 이것은 앞서 이야기했던 압축과 폭발의 원리와도 일맥상통한다. 채우고 싶던 결핍, 짓누르던 억압이 나를 더 힘차게 날아오르게 한다. 나를 속박하는 모든 부자유는 자유로운 날갯짓에 추진력을 더해주기 위함이었다. 인간은 결핍을 느끼면 권태를 갈망하고, 권태를 느끼면 결핍을 갈망한다. 인간은 욕망의 존재로서 영원히 벗어날 수 없는 굴레에서 고통받는다. 시시포스의 형벌처럼 영원히 안주할 수 없다. 하지만 그렇기에 끊임없이 목표가 생긴다. 삶은 한치 앞도 알수 없어 두렵지만 반대로 상상도 못할 일이 벌어져서 재미있다. 인물들도 마찬가지다. 배우들은 그들이 어떤 부자유에서 살고 무엇을 갈망하며, 어떻게 얻어내려 하는지 들여다 본다. 갈등이 드라마다. 우리는 갈등을 엿보면서 나를 본다. 어떻게 이겨내는지 보면서 해소한다. 부자유는 카타르시스를 위한 금제다. 자유는 절제만큼 튀어나오는 육체적 정신적 보상이다. 최선의 해답은 미리 떠오르지 않는다. 극한의 상황에 몰려야 떠오른다. 하나에 꽂혀있으면 떠올릴 수도 없다. 모든 예외가 바로 해답이다. 우리는 언제나 위기에서 기회를 보았다.

2. 금기해방

즉흥은 왜 재미있을까?

하지 말라는 것을 할 때가 가장 재미있다. 학교를 빼먹고 놀러간다거나, 모래나 눈밭에서 구른다거나 친구를 얕은 물에 빠뜨린다거나 그런 순간에 어김없이 터져 나오는게 웃음이다. 이처럼 일상의 패턴 하나를 깨뜨리고 새로운 감각과 경험을 마주했을 때 인간은 활력이 넘친다. 그러나 세상은 우리를 그렇게만 살도록 하지 않는다. 나이가 먹을수록 사회적 지위가 생길수록 공동체와 시스템에 길들여지고 하지 말아야할 것들이 늘어난다. 타인의 평가와 시선을 의식하면서 모두가 가는 길을 따라간다. 그것이 가장 위험이 적고 검증된 길이기 때문에 안정적이라고 여긴다. 공장에서 찍어낸 듯한 기성품처럼 효율을 좇고 획일화 된 기호를 갖는다. 존재는 사라지고 소유만 남는다. 기호의 노예가 된다. 어떻게 해야 되찾을 수 있을까. 존재의 의미를 상기하라. 마음의 소리에 귀 기울여 보자. 마음속 어린아이가 무엇을 원하고 있는가. 진짜 되고 싶던 나는 어떤 사람이었나. 원한다면 머리를 빡빡 밀어보기도 하고, 노랗게 염색해보기도 하라. 민소매나 미니스커트처럼 몸매가 시원하게 드러난 옷을 입어보기도 하라. 타인이 나를 보는 시선도 내가 나를 보는 시선도 달라진다. 하지 말아야 할 것들을 했을 때 가장 재미있다. 금기해방. 그것이 즉흥의 재미다. 새로움을 발견하는 힘이다. 그 끝에 고유한 나만의 개성을 찾으면 영감이 몰려온다. 유행은 언제나 시대의 패러다임을 벗어나면서 시작되었다. 용기있게 첫 발을 내딛은 선구자를 추종하며 돌고 돈다. 실패는 열심히 해본 자들만 누릴 수 있는 특권이다. 칭찬받아 마땅한 일이다. 두려워하지 말자.

다음의 문장을 잃고 떠오르는 이미지를 상상해보자.

- 야단법석을 떠는 잡초
- 풀어헤친 숨바꼭질

- 포테이토칩 소리를 내는 의자
- 차가운 침묵의 물소리

전혀 연관되지 않는 듯한 조합에서 오는 신선함과 연상. 이것이 즉흥이다. 전혀 어울릴 것 같지 않은 단어들을 조합해보자. 색에 대해 10가지, 명사 10가지, 동사 10가지. 형용사 10가지 등을 적어놓고 무작위로 엮어보자. 그리고 떠오르는 심상을 마음대로 움직여보자.

3. 타인의 평가

왜 주저하고 두려울까?

어릴 때 그렸던 그림을 떠올려보라. 내키는대로 그려내도 귀엽다며 잘했다고 모두가 치켜 세워준다. 덕분에 어린아이는 온전히 그림을 그린다는 행위 자체를 즐긴다. 그러나 나이가 들수록 수준을 평가당하기 시작하며 흥미를 잃고 만다. 인간은 자신이 가질 수 없는 것을 아주 합리적으로 포기하는 기술을 가지고 있다. 현실과 이상의 괴리 앞에서 인지부조화가 일어나면 인간은 자기 자신을 기만하다. 자신이 진짜로 원했던 것은 이게 아니었다며 물러서고 도망친다.

인간의 두 눈은 자신을 볼 수 없다. 그래서 종종 타인이 바라보는 내 모습이 나라고 착각한다. 그래서 끊임없이 비교하고 가늠한다. 나는 나를 독립적인 존재로 인식하지만 사실 나를 이루는 것은 관계다. 나는 내 맘대로 살 수가 없다. 우리는 서로에게 상호작용하며 나비 효과처럼 알게 모르게 영향을 준다. 그러니 생각이 많아진다. 생각이 많으면 최선의 선택만 고민하다 아무것도 할 수 없다. 결국 용기를 잃는다. 시작도 하기전에 자기기만에 빠져 버린다. 누구나 보고 싶은대로 보고 믿고 싶은대로 믿는다. 그렇다면 무엇이 더 나은지 옳은지 그 기준법은 누가 만들었을까. 똑같이 그리는게 잘하는거라면 그냥 사진을 찍어서 걸어두는게 낫지 않을까. 그래서 하이퍼리얼리즘 사조는 사실 이게 중요한게 아니라는걸 역설적으로 보여주고 있다, 우리가 무엇에 홀렸는지에 대해 말이다.

똑같이 그리는 공부도 중요하다. 기술 없이 예술도 없다. 누구나 모방과 재현으로 시작한다. 나의 심상을 구현할 기술이 있어야 예술을 한다. 그러나 기술은 기초에 불과하다. 진짜 공부해야 하는 것은 온전히 자신을 드러내기 위한 방법들이다. 타자의 마음에 들기 위해 그들의 기준법에 나를 끼워 맞춰서는 진짜 되고 싶던 나에 대해 알 수가 없다. 한번도 되보지 못한 내가 궁금하여 이 세계에 뛰어들지 않았던가.

레디메이드. 다다이즘. 아방가르드. 하이퍼리얼리즘. 이 사조들과 등장한 팝아트의 선구자 앤디워홀은 자기작품에 대해 떠들지 않았다. 오히려 비평가들이 의미를 부여하고 해석해서 그를 치켜세웠다. 그는 사람들 마음에 들기 위해 행동하지 않았다. 그저 자기 자신으로 살았을 뿐이다. 자신의 의도나 전문성을 평가받는데 관심이 없었다. 그런데도 주위에 사람들이 맴돌았다. 왜 몰려들었을까. 내가 좋아서 하는 일이니 아무래도 상관없다고 여기는 자세. 그 삶의 태도에 매료되었던 것이다. 평가에 쉽게 휩쓸리지 않는 사람은 결국 프로가 된다. 그것이 자존감이다. 내적동기에 의한 자기계발이다. 타인의 평가로 인해 내가 달라진다면 그것은 외부의 동기에 의해 내가 행동한다는 것이다. 다시 말해 내 인생의 주체가 내가 아니라는 말이다. 사람마다 취향도 기호가 다르다. 수준이 다르니 기준도 다르다. 때문에 타인의 인정을 목표로 한다면 영원히 만족시킬 수 없다. 나는 온전히 나로서 빛날 때 가장 가치가 있다. 날것의 나라도 혼신을 다했다면 그것은 대단치는 않아도 소중한 것이다. 그 마음이 전해질 때 관객은 감동을 받는다.

　타인의 인정을 목표로 삼는 인생은 반드시 허무할 뿐이다. 그렇다고 누구와도 비교하지 않으면 안된다. 경쟁과 목표의식이 없다면 자기만족에 도취되고 만다. 어제의 나 자신과 비교해서도 안된다. 그렇게 되면 이따금 나태한 하루를 보냈다며 자책하고 용기를 잃는다. 목표가 필요하다면 내가 존경하는 타인. 내가 인정하는 타인에게 인정받는 것을 목표로 삼아라. 그것이 나를 옭아매지 않고 발전시키는 동기부여가 된다. 나의 노력에 대해 잘 알지도 못하는 타인의 말들에 휩쓸려 진짜 되고싶은 나를 잃어서는 안된다. 부정적인 결과를 상상하거나 속단하며 목소리를 내지 못해서는 안된다. 해야할말이 아니라 하고 싶던 말을 해야한다. 데카르트는 말했다. 나는 생각한다. 고로 존재한다고. 내가 생각하고 내세우는 이미지가 나의 정체성이 될 수 있다고. 살아있는 연기라는건 지금 이 순간에도 성장하고 변화하고 있는 연기다. 나의 정체성을 있는 그대로 보여주는 것이다. 한마디로 지금 피어나고 지금 사라지는 것만이 진짜 연기다. 한번도 겪어보지 못한 나를 만나기 위해. 당신은 찰나에 매료되어 무대에 서고자 하지 않았는가. 유명한 시의 한 구절처럼 아무도 보고 있지 않은 것처럼 춤추라. 아무도 듣고 있지 않은 것처럼 노래하라. 한번도 상처받지 않은 것처럼 사랑하라.

4. 감각의 개방

즉흥을 잘하려면 어떻게 해야 할까?

나의 날것을 믿고 과감히 드러내야 한다. 그렇다면 고유한 나만의 날것은 무엇인가. 어떻게 찾아야 할까. 이미 사라진 것은 아닐까. 그것은 잠시 스며들어 보이지 않을 뿐 사라지지 않았다. 그림을 그려보자. 당신이 스스로 그림을 잘 그리지 못하는 사람이라고 여겨왔다면 더욱 좋다. 나만큼 그림을 못 그리는 친구 여럿과 마주보고 서로의 얼굴을 보고 그려보라. 두 장은 얼굴을 그리고 한 장은 눈앞에 보이는 사물을 그려보자. 많으면 많을수록 좋다. 대략 3장 정도의 그림을 그리고 섞어보자. 전시하듯 펼쳐놓고 서로 누가 그린 것인지 알아 맞혀보자. 남다른 특색이 드러나는가. 아마 한번에 맞출수 없을 것이다. 다들 비슷비슷한 방식으로 구도를 잡고 그려냈을테니까. 그렇다면 이번에 정말로 보고 그려보자. 방금까지 보고 그리지 않았냐고? 아니다. 지금까지는 대상을 보고 그린게 아니라 종이를 보고 그렸다. 그 말은 머릿속에 남은 잔상을 그려낸 것이지. 실제로 대상을 보고 그린게 아니라는 말이다. 이제 정말로 대상에서 눈을 떼지 않고 그려보자. 절대 종이를 내려다 봐서는 안된다.

종이를 볼 수 없었으니 그림이 엉망이 되는 것은 당연하다. 다 그리고 나면 서로의 그림을 확인해보자. 여기저기 선이 뒤엉켜있고 엉망으로 배치되어 있는 눈코입을 보면서 웃음이 터져나올 것이다. 잘했다. 같은 방식으로 여러장의 그림을 그려보자. 서로의 얼굴도 좋고 보이는 무엇이든 좋다. 이제 친구의 그림과 나의 그림을 모아 뒤섞어보고 비교해보라. 어떠한가. 아까와는 확연히 다르지 않은가. 여전히 누가 그린 것인지 구분할 수 없는가. 분명 차이가 생겼을 것이다. 무엇이 내 그림이고 무엇이 친구의 그림인지 확연히 구분할 수 있을 것이다. 분명 나의 그림체와 습관이 그대로 드러나 있을 것이다.

처음에 종이를 보고 그렸던 그림이 바로 내가 길들여진 평가척도다. 종이를 보지 않고 그렸던 3장은 오롯이 나의 감각만으로 그린 그림이다. 무엇이 더 독특하고 남달라 보이는가. 어째서 이런 차이가 생겼을까. 이것이 바로 금기의 해방, 타인의 평가에서 벗어난 결과다. 눈으로 보고 그린다면 기존의 관념이 개입된다. '그림은 이런식으로 그려나가는거야' 라는 기준에 의해 그림을 그린다. 그러니 다들 비슷비슷할 수밖에. 그러나 종이를 보지 않고 대상만 바라보고 그린 그림을 다르다. 나 자신도 결과를 예상할 수 없었다. 당연히 엉망일거라 예상되니까 아무도 내 그림 실력을 평가하지 못한다. 덕분에 과감하게 그려냈다. 다함께 엉망이 된 결과를 보며 폭소했다. 이것이 즉흥이다. 우리는 타인의 눈총을 언제나 의식한다. 거울 없이는 내 모습을 볼 수 없으니 타자가 바라보는 눈빛으로 나를 느낀다. 우리는 많은 부분을 시각에 의존하고 있다. 대상에서 눈을 떼지 않고 그린 그림은 촉각에 의지했다. 그 순간 남다른 나만의 그림체가 엿보였다. 이처럼 오감각을 있는 그대로 느끼고 사용만 해도 많은 것이 달라진다. 그게 배우가 움직임을 공부하는 이유다. 색다르고 남다른 나만의 고유한 표현은 오감각을 모두 사용할 때 극대화된다. 그렇다면 나를 바라보는 관객도 그럴수 있을까. 당신은 인물의 오감각을 함께 느끼도록 연기할 수 있는가. 남다른 연기는 여기서 시작된다.

5. 즉흥의 징검다리

즉흥은 어떻게 설계될까?

앞서 즉흥은 자유로움이고 자유는 부자유를 통해 느낄 수 있고 금기가 해방되며 발현된다고 하였다. 이를 위해 타인의 시선이나 평가에 얽매이지 않고 자유로운 유희를 해야 한다고 했다. 그렇다면 움직임에서 즉흥의 발현 과정은 어떠한가. 마찬가지다. 먼저 부자유의 상황을 설계하고 그것을 반복하면 된다. 앞에서 제시했던 원리와 신체훈련 등의 기본기에 대한 반복 학습이 바로 부자유다. 부자유스럽고 불편한 보편화된 진리. 즉, 기본기를 의식하지 않고도 당연하게 발현될 수 있도록 무의식의 영역까지 체득시키면 벗어나고 싶은 욕망이 올라온다. 이때 살짝 빗장을 열어준 것만으로도 이상적인 형태로 반응하게 된다. 예기치 못한 표현으로 색다르고 남다른 무엇이 발견되게 된다.

즉흥 움직임의 메소드는 이렇게 구성된다. 수준과 목적에 맞춰 단계별로 하나씩 징검다리를 놓아주듯 연결해주면 된다. 자유를 갈망하는 어느 순간 빗장을 확 열어 버리면 파도처럼 밀려 들어온다. 세부적인 교육 과정을 다 풀어 설명할 수는 없다. 실마리가 될 수 있는 목표와 단계만 제시하겠다. 참고하여 자기만의 방식으로 과정을 설계해보라. 즉흥에서도 접촉을 통한 즉흥은 전혀 예상할 수 없는 오답들의 연속이기에 비접촉의 즉흥. 즉, 혼자 영감을 느끼고 표현하는 즉흥에 우선적이고 좋은 징검다리가 된다.

1) 접촉을 통한 즉흥

- 사람과 사물의 접촉
- 사람과 사람의 접촉
- 바닥과 접촉
- 벽과의 접촉
- 손을 이용한 접촉
- 손을 이용하지 않는 접촉
- 몸을 이용한 접촉
- 자극을 증폭시켜 반응하는 접촉
- 자극을 변형시켜 전환하는 접촉

2) 비접촉을 통한 즉흥

- 접촉 잔상감에 의한 즉흥
- 음악에 반응하는 즉흥
- 텍스트에 반응하는 즉흥
- 이미지에 반응하는 즉흥

- 무게이동에 의한 즉흥

- 호흡에 의한 즉흥

우리는 감각을 수용해야만 자극을 느끼고 반응할 수 있다. 내가 춤추는 것이 아니라 세상이 나를 춤추게 하는 것이다. 적극적으로 오감을 열고 영감을 받아들이려 해야 한다. 빛이 없으면 아무것도 볼 수 없다. 하지만 우리는 빛이 없는 순간에도 무언가를 볼 때 있다. 캄캄한 어둠 속에서 잠을 청할 때 꿈을 꾸며 무언가를 본다. 그 말은 우리 안에 이미 빛이 있다는 말이다. 그 빛을 깨우라. 그 빛으로 세상을 일깨우라.

즉흥은 무엇을 깨닫게 할까.

누구나 자기만의 믿음이 있다. 믿음이란 당연함이다. 현재의 내가 당연하다고 그래야 한다고 받아들인다는 것이다. 그러나 그 믿음은 조건에 따라 상황에 따라 변한다. 다시 말해 수정될 수도 삭제될 수도 있다는 말이다. 믿음이 부정당할 때 사람은 두 가지 중 하나를 선택한다. 끝까지 지켜내거나 바로 무너뜨리거나. 그리고 무너뜨렸을 때 깨닫게 된 진리가 다시 새롭게 재구성되어 버려진 믿음의 자리를 채운다. 그것은 즉흥의 과정과 같다. 연기처럼 찰나에 피어나고 사라진다. 그 진리가 탄탄하지 않고 오류뿐이라면 왜곡된 믿음으로 삐뚤어져 버리기도 한다. 그래서 우리는 절대적이고 이상적인 진리를 쫓아 언제든 내던질 준비를 해야한다. 안도하고 안주하던 하나의 세상을 파괴해야만 참된 진리를 마주할 수 있다.

즉흥은 이러한 믿음을 끊임없이 내던지고 깨부수는 과정이다. 다시 세우기 위해 깨뜨리기 위한 믿음이다. 정답이라 믿었던 것이 오답이었음을 깨닫는 과정이다. 또한 남들에게 오답이어도 내게 정답이라면 그것을 견고한 믿음으로 제시하고 설득하는 과정이다. 그게 작품이고. 메시지다. 나의 믿음이다. 실패와 오답은 가능성이다. 정답은 경우의 수가 한 가지뿐이지만 오답은 무한하다. 그러니 오답에 대해 끊임없이 공상하라. 매트리스의 네오처럼 그저 상상하기만 해도 손에 쥐어지는 무기처럼 무한하고 자유롭다. 원하면 언제든 다가온다. 찰나에 믿음을 창조해내는 존재가 예술가다. 즉흥은 이처럼 나도 몰랐던 나를 발견하고 그들도 몰랐던 그들의 모습을 보게 한다.

  인간은 현상에 의미를 부여하고 체계화하려 든다. 그래야 간단하고 다른 것을 채워나갈 수 있으니까. 그러나 질서의 잣대를 들이밀고 패턴화하려 할수록 불가능하다는 것을 알게 된다. 언제나 위대한 발견은 규격 외에 있었다. ’든보잡‘ 이라는 줄임말이 있다. ‘듣지도 보지도 못한 잡놈’ 이라는 뜻으로, 잘 알려지지 않은 사람을 낮잡아 이르는 말이다. 그러나 다시 생각해보라. 듣도 보도 못한 잡스러운 사람이라는 뜻은 어쩌면 전례 없는 남다르고 독특한 사람이라는 뜻이다. 그만큼 창의적인 사람이라는 뜻이다. 이처럼 보기에 따라 달리 보이는 게 믿음이다. 마음먹기에 따라 세상은 천국이 될 수도 있고 지옥이 될 수도 있다. 그래서 우리는 고행뿐인 삶이어도 긍정하며 확언하며 살아간다. 과감히 든보잡을 자처하라. 잔은 비워야 채울 수 있는 법이다. 보편화된 자신의 진리의 의심하고 부정했을 때 우리는 끊임없이 성장할 수 있다. 당신의 잔을 과감히 비우라. 그리고 다시 채우라. 완벽은 채움이 아니라 비움에서 완성된다.

6. 즉흥수업

즉흥수업은 어떻게 진행될까?

　다음은 필자의 즉흥수업을 정리한 내용이다. 각 단계마다 어울리는 음악을 틀었다. 음악은 즉흥 감각을 높이는 중요한 매개가 된다. 기초이론을 어떻게 활용하여 즉흥 감각을 깨우는지 살펴보고 스스로에게 이러한 과정을 제안해보라. 다음은 필자가 즉흥수업에서 사용하는 소재를 무작위로 나열한 것이다. 무엇이 떠오르는가. 이 중에 몇 가지를 활용한 수업 일지를 옮겨 두었다. 키워드에서 떠오르는 자신의 상상과 비교해보자.

- 스카프와 바람

- 상어와 어부

- 무지개 물고기

- 진격의 거인

- 신문지 조소

- 자연의 소리를 찾아서

- 징슈필과 마스크

- 인간의 진화

- 경쟁과 생존

- 인형 타블로

- 공포와 호기심

- 집중과 분산

- 분리와 결합

- 인생 그래프

- 종이봉투와 좀비

- 줄줄이 찰칵

사람마다 기호가 있듯 예술작품을 바라보는 관점과 해석도 각양각색이다. 같은 그림을 보고, 음악을 들어도 마음에 남는 잔상은 서로 다르다. 작가의 의도와 전혀 다른 것을 보고 느끼기도 한다. 이처럼 사람은 누구나 자신의 현재 상태에서 눈에 띄고 들리는 것만을 의식한다. 때로는 그것이 진실을 왜곡하고 오해를 낳기도 하지만 그런 견해의 차이가 있어 세상은 더욱 흥미롭고 재미있다. 그것이 예술을 감상하는 재미다. 즉흥은 그런 재미 속에 피어난다. 무엇이 옳고 그름을 판단할 수 없다. 자기만의 연상과 상상을 이어나가자. 내가 춤추게 하는게 아니라 세상이 나를 춤추게 한다. 내가 음악을 쫓아가는게 아니라 음악이 날 따라온다. 모든 자극와 소재가 영감이 되어 새로움을 창조한다. 천국이든 지옥이든 결국 내 마음이 만든다. 바라보기에 달렸다. 같은 수업을 하여도 모두가 다르게 받아들인다. 올해도 또 새로운 이슈가 나왔다. 참여자들은 누구도 준비된 컨텐츠를 소비만 하려 들지 않는다. 찰나에 교감하고 소통하며 시시각각 피어나고 사라지며 끊임없이 순환된다. 이 과정을 통해 우리는 서로 다르지 않았음을 알게 된다. 서로 다르다 여겼던 것을 같은 것으로 바라보게 한다. 은유와 비유. 칸트의 말대로 구상력과 상상력의 자유로운 유희. 즉흥이 곧 창작이며 예술이다. 위대한 작품은 즉흥에서 나온다.

1) 인간의 진화

1장의 직립과 2장의 이족보행에 관한 내용을 즉흥수업으로 풀어낸 기록이다.

1교시 : 직립

- 연기자가 되는데 무용은 왜 필요합니까?

- 원활한 액션과 리액션을 위해. 그럼 적당한 수준만 갖추어도 되는데 왜 그렇게까지 비범하게 갈고 닦으려고 하는걸까요. 심지어 청강생들은 무엇을 얻고자 이곳에 들어왔습니까.

- 몸에 대해 알고 바르게 쓰려고 하는 욕구는 대체 왜 생겨나는 것일까요. 바로 대답하지 못해도 이미 여러분 모두가 은연중에 알고 있습니다. 몸은 마음을 담는 그릇이므로 몸을 온전히 지켜내야 마음도 온전히 지켜낼 수 있다는 것을. 마음의 병은 몸의 병으로 드러납니다. 기운이 없고 무기력합니다.

- 우리는 왜 인간으로 태어났을까요. 왜 육신을 부여받고 태어났을까요. 이렇게 태어난 이유가 있습니다. 바로 이유를 찾기 위해 태어난겁니다. 그리고 육체를 갈고닦아 내 영혼의 격까지 끌어올리기 위해 태어난겁니다.

- 이것은 인물의 온몸으로 드러내야 하는 배우에게도 마찬가지 입니다. 내 사지

를 내 뜻대로 통제하고 운용하는 방법을 깨닫는것은 본능이며 추구해야할 진리입니다. 그래야 내 뜻대로 이해 분해 재구축하여 언제든 새로운 인물로 다시 만들었다 무너뜨렸다가 할수 있을 테니까요.

– 이것을 우리는 기본기라고 합니다. 기본기란 완전무결한 진리에 해당하는 것입니다. 우리는 기본기를 간혹 간단하고 쉬운 것으로 여기고 간과하고는 합니다. 성장 중에 무언가 턱하고 걸리면 기본기를 돌아보십시오. 그러면 그 안에 모든 해결책이 있습니다. 기본기를 다시 돌아봤다는 말은 기본기를 다시 깨닫게 되었다는 말입니다. 최초에 알고 있었으나 다른 진리로 받아들여졌다는 것입니다.

– 자. 그럼 우리의 처음을 돌아봅시다. 우리는 모두 아기였습니다. 아기가 태어나면 가장 먼저 무엇을 하나요. 숨을 쉽니다. 심부코어근육을 활성화하고 중력에 저항하기 시작합니다.

– 제가 아기의 걸음마 과정을 시범 보이겠습니다. 정말 아기 같은지 한번 보세요.

– 방금 제가 아기의 걸음마과정을 디테일하게 몸으로 표현할수 있었던것은 어째서 였을까요? 그것이 바로 관찰과 분석입니다. 대부분의 학생들이 그것없이 단지 상상에 의해서 두루뭉슬 하게 형태를 묘사해보고 말아요. 그래서 살아있는 연기를 할 수가 없는겁니다. 아기의 모습을 구현하려면 아기의 입장에서 심정을 헤아려보아야 합니다. 이미 경험해본 존재도 구현할 수 없는데 한번도 겪어보지 못한 존재는 어떻게 구현하겠어요. 다시 돌아봅시다.

- 아기가 걸음마에 시작한 이유는 무엇인가요. 그게 삶의 의지입니다. 굳이 두 발로 서야하는 이유가 무엇인가요. 대체 무엇을 해내고 싶어서 이루고 싶어서 그랬을까요. 아기의 손은 항상 무언가를 꼭 쥐려고 합니다. 무엇을 놓치고 싶지 않은 걸까요.

- 자. 이제 구조를 이해하고 분해하고 재구축 할수 있는 기반을 갖추는 것. 지금부터 아기가 되어 봅시다. 누워보세요

- 여러분의 집중을 위해서 불을 모두 끄겠습니다.

- 아기는 천장을 바라봅니다. 그리고 크게 숨을 들이쉬고 내쉬면서 배를 부풀렸다 가라앉힙니다.

- 아기는 이리저리 뒤척거립니다. 하지만 두 팔과 두 다리는 마음대로 움직여지지 않습니다.

- 아기는 답답합니다. 뒤척거립니다. 엉덩이를 이리저리 흔들던 아기는 그대로 뒤짚어집니다.

- 계속 굴러다니세요.

- 이 팔다리는 왜 붙어있는걸까. 굴러다니는데 방해만 될뿐인데

- 아기는 두 손으로 바닥을 움켜쥡니다. 그리고 기어 다닙니다.

- 저기에서 엄마가 부릅니다. 엄마에게 다가가세요.

- 엄마가 부엌에 있습니다. 부엌으로 기어가세요.

- 엄마가 나를 들어 안아줍니다.

- 엄마와 눈을 맞춥니다.

- 아기는 이제 앉을 수 있습니다. 무릎을 꿇고 기어다닙니다.

- 엉금엉금 엄마를 따라다닙니다.

- 엄마가 저 멀리서 통화하는 소리가 들립니다. 안방으로 기어갑니다.

- 놀라는 표정, 엄마의 미소. 따듯한 눈맞춤과 입맞춤.

- 아기는 스스로 엄마에게 안기고 싶습니다.

- 일어나고 싶습니다. 엄마처럼 두 발로 걷고 싶습니다.

- 바닥을 짚고 일어나려고 하지만 다시 넘어지고 맙니다.

- 방법을 찾아내세요. 어떻게 하면 일어날 수 있을까요.

- 여러분은 그만큼 간절하지 않은겁니다. 별로 일어나고 싶지 않은거죠.

- 엄마뱃속의 무중력 상태로 돌아가고 싶으신가요?

- 당신은 왜 인간으로 태어났습니까. 왜 두 팔과 두 다리로 기어 다니지 않고 일어서려고 합니까.

- 일어서는 방법은 아무도 알려주지 않았습니다. 모든 답은 당신 안에 있습니다. 인간으로 태어나기 전 이상세계에서 당신은 모든진리를 알고 있었습니다.

- 답은 이미 내 안에 있습니다. 그 답을 찾아내세요.

(벽을 짚고 아이들이 일어나기 시작함)

- 벽을 짚고 한걸음 한걸음 엄마에게 다가가세요.

- 엄마와 가까운 눈높이에서 눈을 맞추세요.

- 엄마의 얼굴과 미소를 더 자세히 바라보세요.

- 이제 두 발로 시작합니다.

- 엉덩이를 먼저 움직이니 몸이 앞으로 기울어집니다. 쿵하고 내딛는 한걸음. 이런식으로는 한걸음 한걸음이 어렵습니다. 발을 들어 먼저 내딛고 엉덩이를 앞으로 내밀기로 했습니다. 그렇게 한걸음 한걸음 걸음을 배워갑니다.

- 걸으세요.

- 천천히 주위를 둘러보세요.

- 여러분 모두가 한 방향으로 그저 걷기만 하고 있어요.

- 빙글빙글 같은 방향으로 그저 걷기만 하는 내 인생.

- 돌고 돌아 제자리로 돌아오기만 하는 내 삶.

- 지겨워요. 집에는 꼭 가던 길로만 가야하는건가요.

- 골목 여기저기를 돌아다녀보세요.

- 골목은 어디로든 이어져 있습니다.

- 거기엔 익숙한 새로움이 있습니다.

- 아이들의 공차는 모습

- 평상에 나와 앉아있는 어르신들

- 물건 파는 상인들

- 밥을 짓는 맛있는 냄새

- 나는 어디에 와있는걸까.

- 나는 무엇을 찾아 이곳까지 흘러들었나.

- 나는 왜 남들과 똑같은 길로 걷지 않았나.

- 그냥 평범하게 남들처럼 길이 있는 곳으로 걸어 다니지

- 나는 왜 연기를 하겠다고 했나. 난 왜 배우가 되고 싶은걸까

- 배우가 되고싶어? 왜?

- 이 길은 어디로 뻗어가는가. 이 길 끝엔 무엇이 있나.

- 이 길은 나를 어디로 데려가는걸까. 그럼에도 멈추지 않고 계속 걸어갑니다.

- 이제 하늘을 올려다보세요.

- 하늘에는 구름이 떠가고 한 무리의 새들이 날아갑니다.

- 따스한 바람이 내 볼을 쓰다듬고

- 나뭇가지는 스삭대며 춤을 춥니다.

- 오늘 하늘은 어떤가요.

- 오늘의 날씨는 어떤가요.

- 오늘 하늘은 무슨색이죠

- 내일은 오늘 같은 하늘을 마주할수 있을까요.

- 하늘은 언제나 그 자리에서 나를 바라봅니다.

- 나도 언젠가 저 하늘에 닿을까요.

- 하늘이 슬퍼보이는건 하늘이 슬프기 때문이 아니야. 내 마음이 하늘을 바라
보고 있는 내 마음이 슬프기 때문이야.

- 모든 것은 내 마음이 보기 나름 인거야.

- 그리고 이 모든것은 내가 살아있기에 느낄수 있는거야.

- 가만히 하늘을 바라봅니다. 그리고 나를 느껴봅니다.

- 나는 하늘을 보고 있습니다.

(정적)

- 자. 이제 불을 켤테니 불을 등지고 천천히 눈을 떠보자.

- 어떤 기분이 들었니? 무엇이 떠올랐니. 왜 눈물이 났을까?

(무의식에 머물던 사연, 덮어놓았던 상처에 대한 이야기)

- 우리가 죽음을 슬피 여기는 것은 그것이 끝이라고 여기기 때문이야. 하지만 과연 그게 끝일까. 그건 우리가 알 수 없잖아. 나는 죽음이 끝이 아니라 여기기로 했어. 사후세계가 있다고 상상하고는 해. 그러면 그 사람의 선택은 더 나은 행복을 찾아간 선택일 수 있으니까. 그렇게 받아들이기로 했어.

- 사랑하는 존재가 세상을 떠나면 마음도 끝날까. 아니야. 우리는 여전히 그리워하고 사랑하고 있잖아. 이처럼 사랑은 시공간을 초월해서 여전히 이어진다. 마음은 영원한 불변한 나의 것이야. 그러니 지금처럼 이따금 추억하고 떠올리면 그 마음이 분명 전해질거야.

- 우리는 지금 이 순간의 나를 아껴주어야해. 그럼 내가 겪었던 모든 아픔은 반드시 필요했던 성장의 계기가 된다. 과거의 모든 순간이 모여서 지금의 내가 되는 거잖아. 그러니 현재의 내가 만족스럽다면 과거의 모든 순간은 지금의 내가 있기 위한 필연적인 사건과 이야기들이 되는거야.

- 우리는 종종 과거의 내가 여전히 지금의 나로 이어진다고 생각하지만 사실 우리는 단 한순간도 같은 사람일수 없어. 방금전까지 날것의 나를 느끼고 표현했지만 지금은 어떠하니. 다시 같은 모습일 수 있을까. 뭔가 깨달아버렸지. 이미 다른 존재가 된거야. 돌아갈 수 없어. 그렇다면 지금 내 상태는 어때. 후련하지.

- 그렇게 상처가 있어서 나를 돌아볼 수 있었고 후련해질수 있었어. 과거의 나와 지금의 나는 다른 사람이야. 그러니 새롭게 마주하는 내 자신만 생각하고 아껴주면 된다. 우리는 어린 시절의 나에게 사랑과 행복, 즐거움을 배워서 알고 있다.

- 이게 카타르시스야. 너희가 느낀 감정의 해소처럼 관객도 똑같이 울고 웃게 하면서 해소 시켜주기위해 예술가가 있는거야. 그런 소명의식을 품고 사는거야.

- 이 몸짓이 무용이야. 우리는 종종 무용이 대단하고 특별한 기술들로 이루어진다고 생각하는데. 그건 화려한 일부일 뿐이야. 너희들이 혼신을 다해 걷고자 하는 모습을 관객들이 보고 있다고 생각하면 그것은 아름답지 않겠니. 그렇게 사람의 날것의 몸짓이 가장 아름다운거야. 그 순수가 아름다운거야. 아름은 나라는 뜻이야. 나다운게 가장 아름다운거야. 삶 자체. 그걸 바라보는 너와 나. 그게 예술 그 자체인거야. 성장하고 깨우치고 노력하는 네 삶이 그냥 예술인거야.

- 이처럼 공연예술이라는 것은 찰나에 피어나고 찰나 사라지는것이야. 찰나의 순간은 누군가에겐 영겁이고, 누군가에겐 반짝임이다. 농구골대가 훌라우프처럼 크게 보였다는 농구선수처럼 집중력으로 찰나를 받아들이며 무대에 서는거야. 그 시공간을 함께하고 마주하기 위해 찾아오는 것이지. 그러니 그들 앞에서 가짜연기를 할 수는 없어. 작은 역할이라도 지금처럼 혼신을 다해 몰입해야해. 작은 역할은 있어도 작은 배우는 없다고 하잖아. 관찰하고 분석하고 구현하면서 진짜로 믿어야해. 그게 배우의 사명이야. 지금 이 순간의 나는 그 인물로 살아가는거야. 지금 이 순간의 날것의 네 자신을 과감하게 드러내고 사는거야. 그게 살아있는 연기인거야.

- 선생님들이 간혹 연기를 끊고 '미안한데 잠깐만' 이라고 하는 것은 네가 몰입하는 시공간에 대한 존중이야. 너의 몰입을 지켜봤기에 나오는 무의식적 행동반응이야. 그런데 네가 스스로 멈춘다면 너를 존중한 관객의 시공간을 존중하지 않는다는 말이야. 한번 시작했으면 어떻게든 끝까지 해내야해. NG를 내지 않는 배우는 모두가 함께 일하고 싶은 배우야. 그게 프로정신이야.

- 자. 그럼 이제 1교시를 마치고 2교시를 시작하자. 물 한잔 하고 오세요.

<u>2교시 : 걸음</u>

– 자. 이제 분위기를 전환해서 걸음을 다시 한번 이해해보자. 방금 어떻게 걷게 되었지? 뒷꿈치부터 내딛으면서. 그럼 뒷꿈치를 먼저 내딛으니 어떻게 되는가? 무릎이 딱 펴지면서 고정이 되지. 중심축을 바로 세우고 무게이동 하면서 한걸음 한걸음 걸어나가는거지. 자 다시 걸어보자

– 가장 빠른 걸음을 10. 가장 느린 걸음을 1이라 해보자. 5. 7. 10. 3. 2. 4. 8 ....

– 내가 박수를 한번 치면 그때마다 방향을 전환해보세요.

– 전환이 쉽지 않지? 그것은 왜? 익숙하지 않아서? 아니야 구조적인 문제가 있으니까. 아까 뒷꿈치부터 닿으면 플렉스 상태가 된다. 어떻다? 고정된다. 그래서 앞으로 진행하기에는 수월하지만 방향전환에는 무리가 될수밖에 없어. 그럼 이 구조를 반대로 설계 해보자.

– 앞꿈치부터 걸어보자. 내가 이제 구구단 문제를 낼게. 한번 틀리지 않고 대답해봐.

– 잘안되지. 익숙치가 않으니 동시에 여러가지가 안되지. 하나라도 익숙해져야 하나를 더 해볼텐데 말야.

- 자. 이번에는 정답을 말하지말고. 오답만 말해봐.

- 어때? 대답하기가 한결 수월하지. 오답의 경우의 수는 무한하니까. 이게 즉흥의 요령이야.

- 자꾸 네 발모양을 눈으로 확인하려고 하지마. 고개가 숙여지면 중심축이 기울어져. 우리는 너무 많은 것을 눈으로 확인해야만 알 수 있다고 착각해. 네 감각을 믿어. 기회를 줘.

- 방향전환이 아까보다 어때. 수월해지지. 그래서 무용하는 사람들이 포인을 하는거. 그럼 이걸 몰랐나. 아니 이미 알고 있었어. 그러니까 맨발로 달리기 뛰라니까 이걸 하지.

- 이제 뒤로 걸어보자. 10으로 걸어봐. 안되지. 그건 단지 보이지 않기 때문에 주저하는 것일까? 아니 구조적인 문제가 있기 때문이야. 플렉스가 만들어지면 고정되니까. 그 단계 하나가 추가되면서 중심을 제어하지 못하니 뒤뚱거리는거야. 연결하듯이 걸어야해. 어떻게 하면 될까.

- 앞으로 걸을때도 이상적인 걸음이 뭐다? 발목도 발도 그냥 아래로 툭하고 떨어뜨리는거다. 그래서 롤링이 되는거야. 뒤로도 똑같은 구조를 만들어서 롤링을 만드는거야

- 이런 요령을 알면 리액션에 과감해져. 다만 이걸 습관처럼 사용하면 중심을

너무 능숙하게 통제하니 비범해지겠지. 보통 사람들과 달리 무용인처럼 닌자처럼 움직이는게 기본값이 되면 인물이 아니겠지. 구조를 이해하기위해 액션과 리액션에 활용할뿐. 이게 모든 것에 적용되서는 안돼.

 – 이제 마지막 남았어. 앞꿈치로만 걷기. 어때. 힘겹지. 굳이 이렇게 해야 하는 이유가 있을까. 무게중심이 올라감으로 더 우아하고 길어보이지. 구조적으로 고정되지 않으니 직립이 더 힘들어. 그래서 직립을 유지 하기위한 요령이 필요하게돼. 그것이 바로 테크닉이다.

 – 테크닉이란 구조적으로 불편한 거야. 양극단을 서로 조합해서 가장 적절하게 잘되게 만드는거야. 기술을 만드는거야. 엉덩이힘. 복강내압. 직립상태유지. 포인상태는 무릎이 구부러지기 쉬운 상태야. 그 말은 뭐야. 불안정하다는거지. 구조가깨지기 쉬운 상태. 이걸 유지하기 위해 사지가 협응하면서 힘을 쓰기 위한 구조를 찾는거야.

 – 이걸 통해 올바른 이해 분해 재구축을 할수 있게되는거.

 – 자. 그럼 이제 기본을 배웠으니까 어떻게 해야한다? 응용을 해봐야지. 모든 것에 적용해봐야지. 언제든 어디서든 마음껏 드러낼 수 있는 온전한 내 것으로 체화시켜야지.

 – 즉흥이란 부자유를 먼저 인식시키고 자유갈망의지를 자극하고 해방시켜서 자유를 느끼고 찾게 만드는 것이야.

(걸음의 속도. 방향. 높낮이에 대한 점진적 해방)

– 자. 이제 음악에서 들리는 느낌대로 움직여봐. 네 마음대로 걸어봐.

3교시 : 척추의 3가지와 활용

– 지금까지 X축을 이용한 수평 무게이동이 주된 목표였다면 이젠 Y축을 살펴보자.

– 복압을 잡는 이유가 뭐야? 척추가 단면으로 연결 되어있어 불안정하니 양면으로 잡아주려고.

– 척추는 어떻게 구성되어 있지? 경추, 흉추, 요추.

– 가능한 움직임은? 3가지 뿐이야. 구부러지고, 펴지고, 비틀어지고 이것을 조합하여 움직이는거야.

– 롤, 플랫. 트위스트. 이 3가지 요소가 강조되면 어떤 높낮이의 변화가 생기지? 많이 구부러지면 앉아지고, 더 펴지면 일어서다 뛰어오르고, 더 많이 비틀어지면 돌아지고.

– 각각의 요소가 강조되고 조합되면 어떤 움직임의 차이가 생겨. 질감이 달라져.

- 지금처럼 더 증폭시켜 움직이는 것만으로도 움직임이 완전 다른 것처럼 보여. 이게 기본의 응용이고 창작의 시작이야.

- 자. 그럼 한번 움직여봅시다. 음악을 들어보세요. 음악이 네게 말을 거는데 너는 왜 반응하지 않니.

- 배우가 되고 싶다면서요!!!!

- 관객을 울리고 싶다면서요!!!

- 그런 에너지로 어떻게 그럴수 있겠어요.

- 의지를 보여주세요. 감동을 안겨주세요!

- 이제 다시 숫자에 맞춰 봅니다. 3.... 2.... 1... 제로.

(제자리 심호흡)

- 천천히 고개를 돌려봅니다. 이번에는 어깨. 가슴, 등. 동시에 골반. 무릎. 허리와 발목...

- 다시 돌아와 처음부터 이번에는 동시에 돌려봅니다. 고개. 동시에 어깨. 동시에 가슴... 동시에 등...

- 자. 걸으세요. 걸으면서 다시 수행합니다. 고개.. 동시에 어깨. 동시에 가슴. 동시에.. 팔꿈치..

- 사지를 꿈틀거리며 동시에 모든 관절을 움직여보세요.

- 저 멀리 두 그루의 나무가 보입니다.

- 나무에 다가가 나무를 바라보세요.

- 저 두 그루의 나무는 서로 기대어 얽혀있습니다.

- 단단히 얽혀 두 번 다시 떼어낼 수 없을 만큼

- 나무는 어떤 모양인가요. 어떤 질감인가요

- 나무에는 어떤 꽃이 피어있나요.

- 나무에는 어떤 열매가 맺혀있나요.

- 지저귀는 새들이 나뭇가지 위에 앉아있어요.

- 나무는 그늘을 내어주고 말동무가 되어줍니다.

- 저 두 그루의 나무는 동시에 태어났을까요.

- 하나는 조금 일찍. 하나는 조금 더 늦게 태어났습니다.

- 한 그루의 나무는 나의 과거이며. 한 그루의 나무는 나의 오늘입니다.

- 그리고 우리 둘은 영원히 떼어낼 수 없습니다.

- 나무를 바라보세요.

- 나무에는 옹이가 있습니다. 나무가지는 줄기를 뚫고 자라납니다.

- 그리고 가지가 부러지면 그 자리에는 옹이가 남아요.

- 옹이를 어루만져 보세요. 옹이에는 어떤 추억이 있던가요.

- 나무가지는 어디로 뻗어있나요. 어떤 모습인가요.

- 나무를 천천히 바라봅니다.

- 그리고 나무를 안아주세요.

- 나는 나무입니다.

(정적. 한 명의 손을 이끌어서 뒤에서 안아주게 함)

– 자. 이제 다시 이야기 나누어 봅시다.

– 마지막에 모두가 얽힌 두 그루의 나무가 되었어요.

– 눈물을 흘린 친구들도 있고 어땠어?

– 제가 참 많이 삐뚤어져 있었고, 제 과거를 이제 받아들일 수 있을것 같아요. 뒤에서 안아줄때 정말 고마웠어요.

– 항상 칭찬받기 위한 강박이 있었어요. 방구석에 혼자 앉아서 몇시간동안 제자리를 맴돌면서 손톱을 물어뜯고 전 항상 불안했어요. 이제는 좀 받아들일 수 있을 것 같아요.

– 행복했던 어린시절이 떠올랐어요. 예전처럼 밝고 행복한 시절로 과연 다시 돌아갈 수 있을까. 나는 왜 이렇게 삐뚤어졌을까. 나만 이런걸까. 이런 생각이 맴돌았어요.

– 불안이라는 표현이 계속 나오는데. 우리는 왜 불안한걸까?

– 불안은 인정욕구야. 칭찬받고 싶은 마음이지. 완벽주의에 강박이 있으면 불안이 심해져. 내 성취와 만족이 타인의 인정에서 비롯한다고 여기는 마음이지. 그래

서 타인에게 인정받기 위한 노력을 하는거야. 과정보다 결과로 인정받아온 삶을 살아왔던거야. 내가 얼마나 잘해냈느냐로 사람들이 나를 좋아해준다고 여겨. 결국 타인의 시선과 평가에 압박받으면서 조금만 흐트러져도 내 미래가 보이지 않는 것처럼 느끼는거지. 한마디로 어둠 속에 혼자 있는 것 같은거야. 내가 여기에 숨어있으면 아무도 날 바라봐주지 않고 꺼내주지 않을 것 같아서.

- 그럼 실제로는 어떨까. 정말 그런 일이 일어났니. 아니지. 실제로는 아무일도 일어나지 않았어. 미래를 알 수 없다는건 어쩌면 반대의 상황이 펼쳐질 수도 있는 거잖아,

- 불안의 요소를 그대로 뒤집어 보자. 어둠과 혼자. 그럼 반대로 빛이 있고 누군가가 함께 있다면 어때? 잘 생각해봐. 네가 나아갈 길은 너 혼자 걷는게 아니야. 선생님들이 있고 선배들이 있고. 널 응원하는 가족과 친구 동기들도 있어. 누군가가 항상 함께하고 있어. 네가 어떤 사람이래도 상관없이 널 사랑해주는 사람들이 있어. 넌 언제나 돌아갈 곳이 있어.

- 우리는 지나친 성과중심적 사회 속에 있어. 성과를 내지 못하면 모자란 인간, 못난 인간으로 여겨지기도 하지. 그래서 성과를 내지 못하면 이 모든 경험은 의미가 없을까? 아니지. 실패의 경험도 결국 먼 훗날 만족스러운 내가 된다면 모두 필요한 과거의 조각이 된다고 했잖아. 마찬가지 인거야. 이 자체로 정말 즐겁고 행복한거야. 살아있기에 모든 것을 느끼고 누릴 수 있으니 감사한 일인거야.

- 자. 내가 오늘 불을 끄고 수업을 했어. 왜 그랬을까. 자의식 때문에? 그것도 맞

지. 하지만. 불을 끄면 더 선명하게 보이는 것들이 있기 때문이야. 눈을 감아야만 볼 수 있는 사람이 있는 것처럼.

- 우리는 빛이 있을때만 무언가를 볼 수 있다고 생각하지만 사실 그렇지 않아. 우리는 캄캄한 어둠속에서도 무언가를 볼때가 있어. 침대 위에서 잠을 잘 때 꿈을 꾸잖아. 그 꿈은 마치 너무 생생해서 마치 현실 같기도 해. 빛이 없었는데 나는 어떻게 꿈을 꿀 수 있었을까. 어떻게 볼 수 있었을까. 그것은 내 안에 이미 빛이 있기 때문이야. 그 빛으로 꿈을 꾸고 그려내는거야. 네가 어둠속에 머문다면 오히려 어둠 속에서 더 잘 보일거야. 네 안에 항상 빛이 있으니까. 그 빛으로 또 누군가를 앞 날을 밝혀주는거야.

- 그 빛이 이끌어주는거야. 우리가 걸음마를 스스로 익힌 것처럼 모든 해답이 이미 내 안에 있어. 우리는 그것을 눈치채지 못했던거야. 그 빛이 영감이 되기도해. 그 영감으로 작품을 만드는거야. 그게 예술가야. 그 빛으로 꿈을 그려내는거야.

- 내가 늦은 나이에 예술을 하겠다 했을 때 사람들은 나를 비웃었어. 꿈깨라고 했지. 근데 나는 그 말이 씁쓸하기는커녕 너무 좋았다. 그 말은 내가 지금 꿈을 꾸고 있는 중 이라는거잖아. 꿈은 현실 같아서 믿지 못하고 현실은 꿈같아서 믿지 못하는거지. 둘 다 믿지 못할거라면 둘 다 마찬가지인거야. 그래서 난 현실에서 꿈을 꾸기로 했어. 난 춤추고 사는게 꿈이었고 오늘도 꿈을 이뤘어.

- 그래서 나는 여전히 철도 없고 돈도 별로 못벌지. 그럼에도 이게 좋아 이렇게 사는거지. 사는 자체로 너무 즐거워. 너희는 살아온 날보다 살아갈 날이 더 많잖

아. 그런 말이 있더라. 오늘이 내가 살아갈 날 중에 가장 젊은 날이라고. 너무 과한 기대도 실망도 하지 않았으면 좋겠어. 지금 네가 정말 하고 싶었던 그 길을 걷는다는 그 자체에 행복하고 감사했으면 좋겠어. 이 길 끝에 네가 원했던 것을 쟁취하든 아니든 이 모든 경험은 네 안에 스며 들어 또 다른 길은 비춰줄거야.

　- 내가 기억해줄게. 오늘 너희의 날것의 몸짓을. 세차게 내던져 내려오던 너의 첫눈을 기억해줄게. 사람들은 소복히 쌓여있는 마지막 눈만을 바라보겠지만 나는 첫눈을 기억할게. 그러니 시상식 가면 내 이름 한번 불러줘. 하하.

　- 사라진 것 같아도 사라지지 않았어. 다 스며들어 있는거지. 봄이 오면 다시 피어올라 또 다음 겨울에 또 다른 눈으로 내려오는거야.

　- 피어났다 사라지는거. 이게 즉흥의 본질이야. 어때?

　- 너희의 선배 중 한 명이 그런말을 했어. "선생님. 전 연기를 시작하기 전에 그 3초의 시간이 너무 좋아요. 그 3초 때문에 연기하는거 같아요." 나는 그 말이 너무 좋았어. 그 시간은 인물의 시공간과 나의 시공간을 맞추는 시간이거든. 그게 진정한 몰입이야. 스타니스랍스키가 말한 군중속의 고독이야. 고독과 고립은 달라. 고독은 나만의 시공간을 오롯이 즐기는거야.

　- 두 그루의 나무라는 소재는 나도 처음 시도해본거야. 플레이리스트를 넘기다가 딱 어떤 제목을 보고 연상되길래 바로 진행해본거지. 그럼 바로 나는 어떻게 그런 말들을 뱉고 진행했을까. 그게 바로 기본기란다. 내가 쌓아온 기본기가 상황에 맞춰서

순간적으로 모든 단서를 끌어모아 구현된거야. 이처럼 즉흥이 곧 창작이야.

  - 정리하고 정의하되 그것이 정답이라 여겨서는 안돼. 정답을 찾으려 할수록 멀어질거야. 모든 가치는 양립하고 다 맞는 말이야. 정답 같은건 없어. 그러니 내 경험과 생각이 이 순간에 최선이라고 생각하는게 정답이야. 간절하게 해결하고 싶은 의지만 있으면 돼. 연기도 마찬가지야. 무언가 풀리지 않을 때는 걸음의 의지를 돌아봐. 어떻게든 해내려고 했잖아. 거기서 구조를 돌아보고 기본기를 돌아보면 해결책이 나와. 그 과정 속에서 그 기본기는 처음에 내가 알던 그것과는 완전히 다른 것처럼. 마치 새로 알게 된 것처럼 느껴질거야. 그게 성장했다는 느낌이야.

  - 이제 시작이야. 너 자신을 믿고 해야할 것을 하자. 기어가더라도 결국 앞으로 나아가게 되잖아. 아기가 엉금엉금 기어가서 결국 엄마에게 안길 수 있었듯. 인간으로 태어났으니 네 온몸을 이용해서 그 꿈을 손에 꼭 쥐어봐. 못쥐어도 괜찮아. 다른걸 쥐면 되니까.

  - 네 안에는 영롱하게 빛나는 신이 있어. 육체에 갇혀 있는거야.육체를 다스릴 수 있다면 너는 니가 이루고 싶은 것 무엇이든 이룰 수 있어. 그게 배우가 몸을 잘 써야 하는 이유야.

2) 소재의 전환

다음은 좀비영화가 한창 유행하던 때. 이를 소재로 진행했던 즉흥수업 일지입니다.

지난주 수업 회고 : 접촉즉흥을 통한 감각의 연기적용
이번주 수업 목표 : 엑서사이즈를 통한 전환적 의미 발견

엑서사이즈. 연습이라는 뜻이다. 연습은 실전을 위한 준비다. 연습을 실전처럼 임하여 감각을 열고 가치를 깨닫는 과정이다. 무엇을 위한 연습인가. 작품을 위한 연습. 즉 놀이의 과정과도 같다. 규칙안의 자유를 누리는 게임.

엑서사이즈를 기능적으로 활용하여 친밀도 형성, 흥미유발의 수준에 머물러 놀이로만 활용하는 경우가 많다. 이는 지도자 자신이 배워온 방법만 그대로 답습하여 재현하는 수준에 머물러 있기 때문이다. 왜 도움이 되는지 설명하지도 못하고 왜 도움이 되는지 자기도 잘 모르는 경우가 허다하다.

엑서사이즈 훈련은 전환적 가치를 발견하게 한다. 과정 자체가 마치 작품으로 빚어내는 예술과도 같다. 놀이의 형태를 통해 시대의 온상을 빗대보거나 일상이나 작품 모두 연관지어 의미부여를 해볼 수 있다.

엑서사이즈 기법들은 문화예술교육에서 엄청난 가치를 발휘한다.이념

을 강요하지 않고 서서히 물들게 한다. 교육과 예술은 다르지 않다. 어떻게 구성하느냐에 따라 둘 다 시대의 온상을 담고 화두를 던진다. 다른 것을 같은 것으로 보게 한다. 은유와 비유의 가치를 지닌다.

엑서사이즈 훈련법은 감각을 자극하고 자아를 각성하는 과정이다. 신체훈련과 다르다. 대상자의 욕구나 상태를 반영하여 계속 색다른 시도를 해야한다. 대상자 또는 참여자에게 여운이나 화두를 남겨주지 못하는 엑서사이즈는 의미가 없다. 같은 학습자에게 같은 프로그램이 반복 되서는 안된다. 그렇게 되면 그들은 쉽게 단정지으며 흥미를 잃거나 매너리즘에 빠진다.

엑서사이즈는 필요한 순간에 분명한 목적을 두고 행해야 한다. 친밀감 형성을 목적으로 가볍게 활용하는 순간도 있겠으나 나아가 그들의 삶에 있어 결정적 순간이 되어야 한다. 이를 통해 영원히 간직하고 싶은 순간으로 고양감을 고취하고, 깨달음을 안겨주며 통찰시키며, 자아와 존재 의미를 확인하여 긍지를 심어주고, 우리가 서로 다르지 않고 연결되어 있음을 느끼게 하는 교감의 가치를 새겨주어야 한다.

이 과정은 공연 만들기 나 장면 만들기의 과정과도 유사하다. 칸트가 말한 구상력과 상상력의 자유로운 유희. 체험이나 놀이라고 여기지 말고 의미를 발견하려고 시도하며 접근해야 한다. 통찰하고 관조하며 넓은 시야를 갖게 되길 소망한다.

주제 : 술래잡기

- 술래라는 의미의 재발견
- 놀이는 오늘날을 반영하고 있다.

1) 네임게임

이름이 불려지는 사람이 술래가 되는 게임이다. 보통 이름을 기억하게 하고 놀이로서 친밀감을 형성하는 수준으로 활용한다. 여기에 필자는 잡힌 순서대로 감옥이라는 좁은 공간에 들어가야 하며, 마지막까지 버틴 사람에게는 얼차려 벌칙을 주었다. 게임이 끝나자마자 정신없이 바로 다시 게임을 시작하게 하였다.

이러한 조건이 추가되자마자 벌어지는 이슈는 다음과 같다.

- 약자를 보호하기 위한 시스템
- 시스템을 활용하지 못하고 나약함을 자처하는 약자들
- 불공평한 시작점
- 약육강식, 적자생존
- 벌칙과 부익부익빈
- 암투와 배신
- 동맹과 협업
- 동정과 초자아 실현
- 위기를 기회로 살리는 전략. 역발상. 창의력

- 생존하기 위한 전략 : 모방

- 나무를 보지말고 숲을봐라

- 왜 도망만 치는가. 시스템에 길들여진 나.

　보통은 이 네임게임을 서로 이름을 외우고 가까워지는 놀이로 활용한다. 그러나 그 이면에 숨겨진 시스템과 이슈를 돌아보라. 과연 이것은 그 정도의 가치만 담고 있는가. 시스템에 머무는 우리에겐 모든것이 소재다. 이야기다. 세상은 공연장이며 놀이터다. 마찬가지다. 네임게임은 누군가는 재미로, 누군가에게는 의미로 다가온다. 의미를 부여하기 나름이다. 조건을 추가하고 시스템을 구축하자 이야기가 펼쳐진다. 모든 과정은 세상을 빗대고 있다. 은유와 비유다. 얼마든지 전환적 가치를 만들 수 있다. 부자유를 만들면 자유를 갈망한다. 어릴적 즐겨하던 놀이에도 이러한 규칙이 있고, 합의하에 규칙을 덧붙여 난이도를 높였다. 적절한 수위를 만들어 흥미를 돋우었다. 이처럼 결국 모든 답은 우리안에 이미 있다.

2) 바이러스게임

- 단일체로 전파

　술래가 한 명을 잡으면 서로 팔짱을 낀다. 둘이 한몸이 되어 잡으러 다니고 점점 한명씩 술래 그룹이 늘어난다. 같은 곳을 바라보며 팔짱을 낄 때와 한명씩 교차하여 반대방향을 보며 엇갈려 팔짱을 낄 때의 이슈가 다르다.

- 개별체로 전파

모두가 일어서 있다. 술래는 앉은 자세에서 사람을 잡아야 한다. 한명을 잡으면 잡힌 사람도 자리에 앉아서 이동하며 사람을 잡는다. 끌어 앉혀야만 술래와 같은 그룹이 된다는 제약을 추가하면 더 저항하게 된다. 작은 조건 하나의 추가에 드러나는 이슈가 달라진다.

다음은 바이러스 술래잡기에서 드러난 이슈들을 정리한 내용이다.

- 우리는 왜 서로 공동의 목적을 갖고도 뭉치지 못하는가.
- 군상을 이끄는자 : 정치인
- 나는 왜 보상도 없는 이짓을 반복하고 있는가. 무엇에 휩쓸리는가.
- 내 목소리는 개인일때는 힘이 없지만 다수 일때는 힘을 갖는다.
- 공동의 목표와 공동체의 힘
- 목적을 이룬 뒤 우리는 다시 어디로 돌아가는가.
- 왜 나는 위압감을 느끼는가. 왜 도망치고 있는가.
- 저들의 낮은 자세는 왜 내게 공포로 다가오는가.

3) 종이봉투를 쓴 좀비

그룹을 무작위로 절반을 나눈다. 한 그룹은 사설, 뉴스, 희곡, 소설, 자기계발서 등이 적힌 페이퍼를 받는다. 봉투를 쓴 자들은 끊임없이 붙잡아야 한다. 그래야 봉투를 벗을 수 있다. 봉투를 쓰지 않은 자들은 페이퍼를 낭독하고 끊임없이 외쳐야 한다. 소리를 들려줘야 한다. 소리가 멈추면 몸도 멈춰야 한다. 그 자리에서 움직일 수 없다. 둘 중 하나라도 거부

한다면 이 시스템에서 빠져라. 죽은 사람은 아무 반응도 하지 않아야 한다. 너는 이 세상에 개입할 수 없다. 그저 부유하는 유령이다. 너는 어느 쪽에 해당하고자 하는가.

다음은 일어났던 이슈들을 정리한 것이다.

- 우리는 왜 조롱하는가 / 악
- 우리는 왜 동정하는가 / 선
- 우리는 왜 돌아보는가 / 회상
- 우리는 왜 죽어가는가 / 자살
- 우리는 왜 허무한가 / 무의미
- 우리는 왜 끝없이 낭독해야하는가. 이것은 무엇을 상징하는가
- 생존하기 위해서 동시다발 능력은 왜 필요한가.
- 동시다발 능력을 발휘하기 위해선 어떤 상태가 되어야 하는가
- 승화 시킨 다는것은 무엇인가.
- 누군가는 왜 살아남는가.
- 홀로 살아남는 것은 무슨 재미인가.
- 우리는 왜 다른것을 배척할까.
- 난 언제까지 견뎌낼수 있을까
- 삶은 원래 고통스럽고 지겹다.
- 끝까지 살아남는 자가 승자다.
- 나는 왜 구원받는 느낌을 받았는가
- 산다는 것은 무엇일까

- 죽는다는것은 행복한 선택일까 불행한 선택일까

- 나는 왜 죽으려고 마음 먹었는가.

하늘이 슬픈건 하늘이 슬프기때문이 아니라 하늘을 바라보는 내마음이 슬프기때문에 슬픈것. 쉽게 동정하지도 이해하는 척하지도 말라. 너는 그를 모른다.

$$술래 = 타인 = 혼자 = 외로움 = 좀비 = 인간 = 이기심$$
$$= 바이러스 = 식물인간$$

다름을 같음으로 보는가. 아니면 같은 것에 다른 것을 찾는가. 이처럼 영감은 주위를 돌아본다면 바로바로 건져낼 수 있다. 현상을 예시로 들어 비유할 수 있다면 당신이 예술가다. 치열하게 삶의 의미를 쫓는 우리 모두가 예술가다. 이제 좀비는 어떤 모습으로 보이는가. 단지 공포영화의 소재에 불과한가. 무엇을 빗대고 있을까.

공포영화의 트랜드가 흡혈귀에서 좀비로 바뀐 것은 필연적이다. 흡혈귀는 마르크스 시대의 착취하는 인간들의 모습을 담고 있어서 열광했고, 좀비는 시대의 인간군상을 빗대어 보여준다. 사람들이 좀비에 열광하는 것은 그 존재가 내 삶의 어느 부분과 겹쳐보이기 때문이다. 좀비영화를 보며 우리는 현실 속 억압된 분노와 울분을 해소한다. 좀비를 통해 나와 타인을 돌아본다. 현실의 관계 속에 벌어지는 갈등을 대입한다. 이것이 전환의 가치다. 이처럼 예술가는 시대를 내다보고 예견하며 안내하는 역할을 한다. 강요하지 않고 스며들 수 있도록 화두를 던지며 작품으로 제시한다. 그렇다면 내가 방금 진행한 즉흥 엑서사이즈는 단순히 교육프로그램이었는가. 아니면 하나의 예술작품이었는가. 이처럼 접점을 발견하고 적용하여 전환시킬 수 있도록 고민해야 한다. 끊임없이 화두를 던져야 한다. 배우도 마찬가지다.

'자살에 대해 공감시키려면 전 어떻게 연기해야하죠?'

모든 표현은 심상. 즉 이미지다. 그것에 대해 고민하는 순간 세상 모든 요소들이 영감이 된다. 떨어지는 낙엽을 봐도 꺼져가는 촛불을 봐도 깜빡이는 간판을 봐도 실제로는 슬프지도 않을 다른 존재들이 내 마음처럼 슬퍼보인다.

나카시마 미카의 '내가 죽으려고 했던 것은' 이라는 노래를 들어보라. 이관개방증에 걸린 그녀가 어떤 마음가짐으로 어떤 눈빛으로 간절함으로 노래를 부르는지 그녀의 마지막 무대를 보라. 노래 하는 것만이 내가 살아있음을 느끼게 하는데. 무대에 서는 것만이 내가 살아야 하는 이유인데. 더 이상 할 수 없음을 알았을 때 그녀는 어떤 마음이었을까. 어떤 마음으로 저 무대에 올랐을까. 어떤 마음으로 저 노래를 선곡했을까. 어떤 마음으로 노래를 불렀을까. 봉투를 쓰지 않은 네가 끝까지 살아남아 도망쳤다. 페이퍼를 완전히 외울만큼 반복하고 외치다 어느덧 그냥 포기하고 죽어버렸다. 네가 죽어야겠다고 생각한 이유는 무엇이었나. 죽으려고 마음먹는 순간 세상 모든게 네가 죽고자 하는 이유가 된다. 그렇다면 너는 이제 자살하는 마음에 대해 이해하는가. 그것만 유일한 선택이었음을 공감하는가. 이 마음을 세상에 어떻게 전하고 싶은가. 무엇을 전하고 싶은가. 전해야 하는가.

　이처럼 우리는 사색을 해야 한다. 고민 끝에 정리된 나의 생각을 타인과 나눌 수 있어야 한다. 선생님께 전달받은 기술과 지식을 있는 그대로 기록하지 말라. 선생님의 세계를 만나 달라진 오늘의 나의 세계에 대해 적고 사색하라. 선생님은 화두를 던지는 존재다. 그저 일깨우는 존재이지 답을 알려주는 존재가 아니다. 가르치는게 아니다. 네가 배우는 것이다.

'사색은 어떻게 해야 하나요?'

　우리는 감각을 차단할 수 없다. 그래서 정신은 끊임없이 흡입한다. 때문에 종종 비워내야 한다. 청소해주어야 한다. 지금처럼 외부의 자극과 소재가 나의 정체성. 중심자아에 부딪혀 조각나면 생각이 털려 나온다. 생각은 부유하는 먼지처럼 유령처럼 무의식에 떠돈다. 부유하는 생각들은 가만히 내버려두면 가라앉는다. 그게 명상이다. 그 다음에 내가 의미 있게 여기는 조각들을 건져내는 것이다. 그것이 일지다. 먼지가 가득한 방에서 뭔가를 할 때마다 먼지만 계속 일어난다. 창을 열고 청소부터 해야 한다. 몸을 움직여 한껏 땀 흘려 청소하고 나면 원했던 것이 더 선명하게 드러난다. 드러난 여유 공간에 무엇을 채워야 할지 떠오른다. 이처럼 인간의 생각은 먼지와 같다. 우리의 마음은 먼지가 가득한 방이다. 무의식은 정체성으로 확립된 본능이다. 감각세계와 이어진다. 의식은 정체성이 추구하는 이성이다. 사고세계와 이어진다. 그러니 생각이 넘치면 감각에 집중하고, 욕구가 넘치면 생각하면 된다. 우리가 이론과 실기를 함께하는 것처럼 어느 한쪽으로 치우치지 않게 비중을 두어야 한다. 그러나 우리의 의식은 자신이 의식할 수 있는 것만 본다. 그러니 자신에게 더 잘맞는 방향. 원하는 쪽으로 치우친 삶을 살고자 한다. 그래서 의식이 있어도 생각 없이 사는 경우도 많다. 마치 좀비처럼 살아간다.

부유하는 먼지처럼 인간과 유령도 다르지 않다. 인간의 영혼은 부유하는 유령처럼 안식하지 못하고 떠돈다. 부유하는 영혼을 상징하는 실체를 찾다 보니 좀비가 나왔고, 좀비가 갖는 의미에 대해 고찰하니 좀비와 인간의 공통점과 차이점이 보였다. 이를 통해 다름을 틀림으로 여기는 인간, 사색하지 않고 본능과 욕구대로 사는 인간의 모습을 엿보게 하려 하였다.

비틀거리는 좀비는 끊임없이 균형을 유지하려고 한다. 이 모습이 괴기스럽고 공포스러울수 있으나 내게는 끊임없이 살아남고 싶어서 내외적으로 균형을 유지하는 인간으로 보였다. 중심을 잡으려는 좀비가 술취한 아버지로 보이기도 했다. 방황하는 현대사회의 모든 이들과 닮아있다고 생각했다. 안식을 원하면서 안식할 수 없는 인간. 죽음이 안식이라고 여기면서도 쉽사리 죽음을 선택하지도 못하는 인간. 인간이란 왜 그렇게 모순적인가. 어째서 권태와 결핍을 오가는가. 평안에 익숙해지면 왜 다시 불안을 그리워하는가. 살아있기에 고통받는 존재. 이는 좀비와 다르지 않다.

이처럼 끊임없이 연관 짓고 연상하라. 아재개그나 래퍼처럼 비슷한 낱말에서 떠오르는 연상을 이어가보라. 부유하는 영혼. 유령. 부유한 영혼. 부자. 모두가 부러워하는 부자와 연예인들. 화려한 삶 이면에 그들의 영혼도 둥둥 떠다니며 정착하지 못한다. 심지어 방금은 사색에 대한 질문 덕분에 부유하는 먼지와 생각으로 연관 지었다. 이렇게 언제 어디서 어떻게 영감이 튀어나올지 알 수 없다. 모든 것에 접근성과 유사성을 가지며 공상하다보면 영감이 만들어진다.

마치 이승을 떠나지 못하는 유령처럼. 먼지처럼. 결국 우리 인간은 평등하다. 유령도 좀비도 가난한 인간도 부유한 인간도 모두 평등하다. 우리는 모두 다르지 않다. 세상에 의미가 없는 것은 없다. 사소한 것에도 의미를 부여하면 의미가 된다. 놀이도 예술이 되는 것처럼.

3) 경계와 접촉

비언어적 표현이 갖는 힘에 대해서 일깨우고자 했던 즉흥 프로그램이다. 연기는 침묵의 대화다. 내가 눈빛과 온몸으로 대사를 뱉어야만 관객은 오감각을 자극받는다. 글이나 말은 감정을 전할 수 없다. 내가 떠올리는 그림을 그들도 보게 하려면 내 모든 감각이 전하고자 해야 한다. 글이나 대사로 모든 것을 대변할 수 있다면 희곡을 읽지. 왜 배우가 필요하겠는가.

1) 포옹 릴레이

원을 둘러 동그랗게 선다. 눈이 마주치면 그 사람에게 달려가고 마주한 사람은 허리를 감싸 안아 가볍게 돌려 세워준다. 이를 이어나가다 익숙해지면 눈짓 신호를 전하자마자 눈을 감고 달려간다. 받아주는 사람은 다치지 않게 집중해서 감속시켜야 한다.

- 액션과 리액션

상대가 강하게 달려오면 나는 미리 준비를 해야겠죠. 다만 달려가기 전에 눈으로 신호를 주어야 합니다. 눈으로 대화를 하려고 해야 한다. 몸짓이나 말로 하지 말고 눈맞춤으로만 의도를 전해보세요.

- 접촉을 통한 중심이해

그냥 두 팔로 세우려하면 같이 밀려 넘어질거에요. 무게중심을 떠올리세요. 그리고 내 몸을 어떻게 해야 안정적으로 받아낼 수 있을지 상상하세요. 자세의 높이는. 두 발의 간격은 어떻게 해야할지. 달려오는 사람도 접촉하는 순간 상대의 의도에 맞춰 반응해보세요.

- 전략과 전술

이렇게 해도 되요? 라고 묻지 말고 해보세요. 방금 연달아서 옆 사람과 사슬처럼 이어가는 하는 이슈가 있었죠. 그럼 더 나아가서 고민해봐요. 갈 듯 말 듯 애간장을 태워볼 수도 있겠죠. 이렇게 상대의 반응을 보기 위해 전략을 세우고 전술을 사용합니다.

- 촉각접촉 금기해방

불순한 의도나 목적이 아니니까. 남녀간의 접촉자체를 불편해할이유가 없잖아요. 금기해방. 내가 시도하지 못한 것을 시도해보는게 창의력의 시작이에요. 시스템이 허락하니까 모두가 동의했으니까 과감하게 하세요.

- 촉각교감 감정고양

계속 웃음이 멈추질 않죠. 우리가 만나는 순간마다 왜 웃음이 날까요? 그것이 바로 해방감입니다. 성취감이에요.

- 촉각교감 친밀감

새로온 친구랑 좀 더 가까워졌죠. 더 많은 감각을 나누고 함께 웃었으니까. 그렇다면 가장 가까운 사람은 많은 감각을 나누어 본 사이겠죠. 그래서 연인 사이. 부부 사이가 가장 가까운 사이인거에요. 이 사람의 모든 것을 나눠봤으니까. 이 사람은 무조건적인 내 편이 되어줄테니까.

자. 이제 뭔가 더 과감하게 시도할 준비가 되었죠. 감각을 더 깨워봅시다.

2) 감각전환

- 불을 끌게요. 시각이 차단되면 다른 감각에 더 집중할 수 있어요. 다만 갑자기 어두워지면 눈이 적응할 시간이 필요하니까. 잠시 우리 눈을 감고 그 자리에서 호흡합시다.

- 머리부터 발끝까지 하나씩 움직여 보겠습니다. 고개 가슴 등 무릎 살짝 굽히

고 골반 허리 팔꿈치 손목 손가락. 이제는 동시에 하나씩 더해집니다.

- 그 상태로 천천히 눈을 뜨고 걸어보세요. 걸으면서 해보는겁니다.

- 이제 천천히 심호흡하세요. 눈이 어느 정도 적응되었다면 이제 시작 합니다.

3) 연상과 심상

- 지금부터는 절대 말을 해서는 안됩니다. 말에는 강한 목적이 담겨있어요. 명확하게 의사를 전달하려고 발전한 수단이니까. 하지만 말로는 사실 모든 감정을 전할 수 없어요. 그래서 우리는 말이 아닌 표현을 함께합니다.

- 말이 아닌 표현은 그림이 되기도 하고 음악이 되기도 하고 시가 되기도 하죠. 그렇게 은유하고 비유해야만 왜곡되지 않고 그 사람의 경험과 시선에서 내가 전하고 싶은 것들을 찾을테니까.

- 그만큼 말은 강렬해요. 상상력을 방해하기도 합니다. 말을 뱉으면 자신의 감정은 해소될지 모르나 타인은 방해받을 수 있습니다. 그래서 배우들은 대사 한마디 한마디를 소중하게 뱉습니다. 말이 많다면 그 말은 중요하게 느껴지지 않으니까요.

- 아무말 하지말고 오롯이 자신의 감각에만 집중하도록 하세요.

(물소리 계곡소리가 포함된 몽환적인 음악)

- 걷고 있습니다. 하늘에서 비가 내려요. 그대로 비를 맞습니다. 소낙비가 아니에요. 보슬비가 사근사근 내려옵니다. 한방울 한방울 내 몸에 닿는 그 느낌을 느껴보세요.

- 빗방울에 색이 담겨있습니다. 빨간색 노란색 파란색 초록색 형형색색으로 무지개 빛깔로 담겨있습니다. 그중에 빨간색 빗방울을 피해 보세요.

- 발목까지 물이 차오릅니다. 그 물을 발로 튀겨서 가볍게 차보세요. 옆 사람에게 차도 좋습니다.

- 저 구석에서 물고기 한 마리가 나타났습니다. 그 물고기를 바라보세요. 물고기는 내 발 주위를 맴돕니다.

- 물고기는 통하고 가볍게 튀어 오릅니다. 처음에는 발목만큼 다음에는 무릎만큼. 가슴까지. 어깨 머리 위로 튀어 오릅니다.

- 물고기는 다시 내 주위를 맴돕니다. 물고기는 어디론가 나를 데려가고 싶은 것 같아요. 따라오라는 듯 맴돌다가 멈추어서 나를 돌아봅니다.
- 물고기를 따라갑니다. 물고기가 작은 동굴 속으로 들어갔어요. 물고기를 따라 동굴 속으로 들어가세요.

- 빛이 점점 줄어들고. 동굴 천장이 낮아지고 있습니다. 계속해서 따라가세요.

- 이제 겨우 몸을 비짚고 들어갈 만큼 천장이 낮아졌습니다. 계속 따라가세요.

- 조금씩 천장이 높아집니다. 이윽고 커다란 공간이 나타났습니다.

- 천장을 바라보니 반짝반짝 빛나는 구슬이 박혀있어요. 마치 우주를 담아 놓은 듯. (아 반딧불! 반딧불이!!)

- 누가 규칙을 깼죠? 절대 말을 하시면 안됩니다. 친구들의 공상을 지켜주세요.

- 저 멀리 불빛이 보입니다. 불빛을 향해 가세요.

- 그 너머에서는 꽃향기가 불어옵니다.

- 따스한 바람에 가슴이 두근 거립니다.

- 동굴 밖으로 나왔습니다. 주위를 둘러보니 밤이 되었어요.

(음악전환)

- 아무것도 보이지 않아요. 달빛만이 나를 비추고 있습니다.

- 저 멀리에서 늑대가 우는 소리가 들려옵니다.

- 다시 비가 내리기 시작했습니다. 그리고 거센 바람이 불어옵니다.

- 어디론가 몸을 숨길 곳이 없어요. 그대로 비를 얻어맞습니다.

- 다시 어디선가 늑대울음 소리가 들려옵니다.

- 그 순간 눈앞에 스카프 한 장이 날아옵니다.

- 바람에 흩날리던 스카프는 높은 나무가지에 걸렸습니다.

- 빠져 나갈듯 빠져나가지 못하며 스카프는 그 자리에 엉켜버립니다.

- 바람이 더 거칠게 불어옵니다.

- 비가 더 거세게 내려옵니다.
- 그 바람에 휘날리던 스카프는 조금씩 조금씩 찢겨 집니다.

- 이윽고 바닥으로 투욱 떨어집니다.

- 스카프는 빗물에 젖어 무거워졌습니다. 이제 더이상 날아오를수가 없습니다.

- 쏟아지는 빗방울에 점점 바닥으로 스며듭니다.

- 점점 더럽혀지며 조금씩 조금씩 땅에 파묻힙니다.

- 비가 그쳤습니다. 바람도 멎었습니다.

- 어디선가 늑대 소리가 다시 한번 들려옵니다.

- 저 멀리 낮은 바위가 하나가 보입니다.

- 그곳에 걸터앉으세요.

- 여긴 어디일까. 난 어쩌다 여기에 왔나. 나는 무얼 쫓아 여기에 왔던가.

- 스카프를 바라봅니다.

- 저 스카프는 이제 두번 다시 아무도 찾지 않겠지. 찢겨지고 망가지고 더럽혀졌으니까. 더이상 쓸모없을테니까. 저렇게 저 자리에서 아무도 모른채 잊혀져가겠지.

- 어느샌가 해가 떠오르고 있습니다.

- 일출을 바라봅니다.

(음악전환)

- 아까 맡았던 향긋한 냄새가 납니다. 따스한 바람이 불어옵니다.

- 그대로 바닥에 누워 하늘을 올려다보세요.

- 구름이 떠갑니다. 구름 사이에 새가 날아갑니다.

- 파란하늘. 꽃향기. 구름. 풀냄새. 지저귀는 새소리. 당신이 좋아하는 것들이 여기 한가득 있습니다.

- 눈을 감습니다. 그리고 잠이 옵니다.

(정적)

- 불침번 깨우기

- 어깨에 손을 얹고 깨워서 일으켜줘. 그리고 다음 사람에게도 전해줘.

- 자! 이제 모두 일어났죠? 마지막에는 불침번 깨우듯 해봤어요. 남학생들은 군대가면 해보게 될거에요.

- 눈이 부실 수 있으니까 조명을 등지고 앉으세요. 불을 좀 켤게요. 하나둘

- 운 사람들이 있었죠. 왜 울었을까요?

- 스카프가 저 같았어요. 그래서 슬펐어요.

- 그것이 은유와 비유입니다. 다른 것을 같은 것으로 여기는거. 그것이 배우가 인물을 담아내는 방법입니다. 한번도 겪어보지 않은 인물을 나라고 느끼죠. 스카프는 살아있는 생명체도 아닌데 말이죠. 그걸 감정이입이라고 해요.

- 하늘이 슬퍼보이는건 하늘이 슬퍼서가 아니라 내 마음이 슬프기 때문입니다. 내 마음이 결국 모든 것을 만들어 낼수 있는거에요. 그게 몰입입니다.

- 추웠어요. 히터 아래에 있는데도 추웠어요. 정말로.

- 진짜라고 믿었기 때문이야. 그래서 배우들은 인물의 기억을 생생하게 눈앞에서 봅니다. 진짜라고 믿으니까.

- 저는 그냥 다들 왜 울지. 저건 스카프잖아. 나랑 무슨 상관. 이랬는데.

- 어짜피 이거 다 가짜잖아. 그렇게 여기면 관객의 눈에도 전부 가짜라고 느껴집니다. 관객에게 무엇을 보여주려고 작품을 만들고 연기를 하죠? 관객은 우리를 보면서 뭘 해소하죠?

- 카타르시스

- 그렇죠. 각자 삶의 울분. 슬픔. 그런 것들을 혼자 끌어안고 살아갑니다. 그러

다 인물을 통해 "아. 세상 누군가도 나와 같았겠구나." 하면서 함께 울고 웃고 공감하며 해소하는거에요. 우리는 그걸 위해 연기하는겁니다.

- 개연성에 지나치게 집착하면 몰입을 못합니다. 상상을 못하니까. 배우들은 개연성 때문에 상상력에 제약을 받고는 합니다. 창의력은 관념의 틀을 깨뜨릴 때 피어나는거에요.

- 음악이 한몫 했어요.

- 나도 적당한 음악을 진행 중에 찾은거야. 그리고 거기에 맞춰서 진행한거지. 나도 이렇게까지 스토리를 끌어낼 줄은 몰랐어. 이처럼 영감은 예기치 못하게 찾아오는겁니다.

- 얼마전 듣게 된 "배우는 인물의 기억을 본다."라는 말에 꽂혀서 진행한 엑서사이즈 입니다.

- 입을 열지 않게 하니까 더 감각에 집중할 수 있었죠. 말은 의도가 강렬해요. 진짜 믿게 하려면 말이 아닌 표현에 더 집중해야 합니다.

- 혼자 있는게 두려웠어요.

- 그 감정을 고립감이라고 합니다. 하지만 해가 뜨고 느꼈던 감정은 어땠나요. 혼자 있는 자유. 나만의 시간. 그것을 고독감이라고 합니다. 고립감과 고독감은

같은 상황인데도 다르게 느껴지죠.

  – 고독감을 즐겨야 합니다. 고립감에 매몰되면 안되요. 그러면 자꾸 타인을 찾게 됩니다. 타인의 말과 행동에 휘둘리고 평판에 맘졸이고 상처받습니다. 내 인생의 주인공은 나이기에 내 자신의 삶을 살아야 해요.

  – 자. 이 감각을 그대로 갖고 앞으로 연기할 때도 지금처럼 진짜로 믿어야 합니다. 그래야 혼신을 다할 수 있어요. 그래야 관객을 감동시킬 수 있습니다.

4) 저항과 자유

  다음은 상반된 성격을 가진 남학생 둘에게 저항과 자유의지를 각성시키고자 수업했던 내용입니다.

  ### 1. 상황파악 및 전략 수립
  – 결석이 많아 두 명만 수업에 들어옴
  – 일단 배운거 복습하고 있으라고 지시.
  – 한 학생이 선생 역할을 자처하며 다른 학생을 지도해줌
  – 자기주도 학습이 아니라 의존적이고 수동적인 복습을 함
  – 그 모습을 관찰하며 학습목표 수립 : 저항과 자유의지

  ### 2. 상황 설계 및 화두 제시
  – 주말내내 너희들끼리 즉흥 스터디를 했다고 들었어. 지금도 그렇고. 어땠어?

- 많이 도움이 되는 것 같아요.

- 어떤 도움이 되었어? 주제가 있으면 바로바로 표현할 수 있어?

- 어...음... 글쎄요.

- 이 포인트에서 소리를 질러야 한다고 갑자기 소리만 지르려 하면 확 깨잖아. 소리를 지를 수밖에 없는 당위와 충동이 차곡 차곡 깔려야지. 마찬가지야. 즉흥을 하려면 쌓아올리는 나만의 방법이 있어야해. 그 방법을 알아보자. 즉흥이 뭘까.

- 즉흥은 자유롭게 내 심상을 표현하는것. 그렇다면 즉흥을 하게 하는 원천이 무얼까. 그것은 의지다. 자유갈망의지. 그럼 자유갈망의지는 어떻게 나오는가. 부자유의 상황을 반복시키면 자유를 알수있다 가둬두면 저절로 나온다. 단순한거라도 계속 반복시키면 사람은 매너리즘에 탈출하고 싶어해. 좋아한다고 맨날 김치찌개만 먹여봐라. 다른거 먹고 싶지. 학교에 가니까 학교를 땡땡이 치고싶은거다. 감옥에 가둬두니까 출소를 기다리는거다. 일단 주말에 스터디도 했다니까 너희가 어떻게 쌓는지 한번 보자. 공상과 자유의지를 한번 확인해보자. 텍스트를 줄게. 느껴지는대로 움직여봐.

"꼬이다."

학생 1 : 온몸을 다 비틀며 무너져
학생 2 : 팔로 잠깐 꼬다 말아

- 그렇구나. 나였다면 이렇게 표현했을거야. 아이구 배야!! 배를 움켜쥐고 덜덜 떠는 연기. 내가 방금 뭘 했어. 어떤 장면과 상황으로 보여. 다들 꼬이다 라는 단어를 들으면 있는 그대로 단어를 받아들여서 표현하려 들어. 누구나 당연하게 떠올릴 법한것만 떠올려. 그러니까 색다른게 나오지 않는거야. 상황을 떠올려봐. 그러면 전혀 다른것을 해석될수 있다. 나는 장이 꼬인거야.

- 말이 전하는 당위성만 쫓다보니 틀에 갇히는거야. 그럼 움직임은? 말이 아닌 표현은 추상적이야. 말이 아닌 수단이라 관객은 보고 싶은대로 본다. 각자의 해석이 있어. 그런 말이 있잖아. 일단 유명해져라. 니가 유명해지면 똥을 싸도 예술이 된다. 창작자의 이력과 세계를 높이 사는거지. 그렇게 해석의 여지가 있어서 예술이 재밌는거야. 다시 해보자.

"떨리다."

학생 1 : 눈물 뚝뚝 흘리면서 온몸을 부여잡음.
학생 2: 그냥 추워하는 모습만 보임

- 왜 거기서 멈추냐. 게다가 눈치를 보네. 왜?

- 좋아. 나였다면 이렇게 표현했을거야. 손가락을 들어 학생의 몸 위에 올려둠. 그 순간 부르르르 떨면서 어우 깜짝이야. 내가 방금 스스로 떨었어? 아니지. 떨리는 존재는 너야. 나는 너의 세계에 뒤섞여서 떨게 되는거야. 울림이 전달된거지. 마찬가지로 떨리다 라는 단어에서 오는 상황을 상상해야해. 그럼 그 단어가 여러 의

미로 해석되서 내게 오는거야. 그게 예술가의 작품이라니까. 이처럼 해석의 자유가 있어 재밌는거라고. 다시 해보자.

"파린의자"

학생 1 : 의자에 앉은듯 했다가 뒤로 굴렀다가 앞으로 굴러감

학생 2 : 머뭇 머뭇...

– 왜 그렇게 표현했어?

– 파란의자하니까 편의점의 플라스틱 의자가 떠올랐고 그 의자가 바람에 날아가는 모습을 표현했어요,

– 좋아. 이제야 좀 알아듣네. 그게 공상이고 상상이야. 키워드를 들으면 그렇게 이미지가 연상되는거야. 자. 3번이나 진행했음에도 넌 계속 똑같아. 정답이 있는 것도 아닌데 왜 맞추려고 할까. 왜 그럴까.

– 니가 아무것도 안하려고 하니 아무것도 안떠오르는거야. 의지가 없는거야. 달라지고 싶은 마음이 없거든. 보여주고 평가받아야 달라질 수 있는데 왜 주저하지. 부끄러워? 그게 네 꿈보다 더 중요해? 방법을 몰라? 그럼 방법이 있다고는 생각해? 어떻게 하면 달라질 수 있을 것 같은데?

– 꾸준히...열심..히..?

- 꾸준히? 열심히? 그래. 좋아. 꾸준히 열심히 하면 반드시 보상이 있어? 그 과정은 어떻게 해야 하는데. 그렇게 단순하고 반복적인 노력으로 보상이 있으면 이 세상 사람들은 다 부자가 되어야지. 모두가 기회를 얻어야지. 그게 아닌거야. 네가 믿는 진리가 잘못되었어. 한번 꼬집어보자.

- 너 니가 나약한 자신을 뜯어 고치고 싶다고 했지. 그래서 운동 시켰어. 뭘 해야 할지 모르겠다고 해서 일단 팔굽혀펴기 100개라는 단순한 목표를 줬어. 방법도 상세하게 알려줬지. 처음에는 질문하고 인증하고 그랬어. 그래. 꾸준히 했어. 맨날 그것만. 그래서 이만하면 기초체력 되었다고 이 경험을 바탕으로 앞으론 점진적 과부하 연구해서 다양한 운동을 시도 해보라 했지. 그러니까 뭐했어. 아무것도 안했지? 그냥 놔버렸잖아. 창의력을 써야하는 순간이 오니까 아무것도 안해. 수동적이고 의존적인 학습태도를 보이지.

- 그냥 이 세계에 몸담고 있으면 어떻게든 달라지고 있을거라는 착각. 거기서 허송세월을 보내는거야.

- 니가 로봇이야? 넌 사람이잖아. 왜 인간이 만물의 영장이겠어. 생존하기 위해 두 손을 이용하고 도구를 만들고 그렇게 고민하고 연구해서 세상과 시스템을 지배한거야. 너는 공장 속의 부품처럼 누가 시키는대로 하고 살거야? 타인의 답에 의존하면서? 네 삶의 주인공이 누군데? 나야?

- 이런 말 들으면 눈물이나? 그 눈물은 왜 나는걸까. 너에게 3번의 기회를 줬어. 그럼에도 넌 아무것도 하지 못했지. 그럼 저 친구를 보면 어떤 기분이 들어?

부러워? 대단해? 그게 다야? 난 말야. 내 자신에게 화가나. 나는 왜 저 나이때 저만큼 과감하지 못했을까 하는 열등감도 들고, 너를 아직도 이렇게 바꾸지 못하는 내 무능함에 화가나. 그럼 나의 분노는 어디로 갈까. 내 노력으로 가는거야. 내 예술로 가는거다. 이게 에너지야. 분노 자체가 에너지야. 근데 네게는 분노가 없어. 분노가 없으니 의지가 없는거야. 왜 분노가 없을까.

– 이 친구를 분노하게 하려면 어떻게 해야할까? 넌 어떨 때 가장 화가 났니?

– 제가 분노했을 때를 떠올려 보면 언제까지 해야할지도 모르는 얼차려 같은걸 받을때 였어요. 근데.. 그게 마찬가지로 이 친구에게도 분노가 될지는 모르겠어요.

– 그래. 사람마다 기준과 경계가 다른거야. 그래서 예술이 있는거다. 사람 사이마다 다른 간격. 모든 간극을 채우려고 있는거야. 자. 내가 아까 분노한 이유는 뭐야? 비교 때문이야. 열등감. 상황을 타계하지 못하는 나의 무능함. 네가 분노하는 이유는 뭐지. 무력감. 저항하지 못하고 해야만 하는 시스템과 권위에 짓눌리는거.

– 자. 그럼 그 분노를 만드는 상황을 설계해보자. 예를 들면?

– 갑과을. 노사관계..?

– 그래. 지배자와 피지배자. 포식자와 피식자. 상황을 줄게.

– 넌 상어다. 바다의 포식자. 하지만 상어는 부레가 없어. 끊임없이 움직이지 않

으면 가라앉아 죽어. 사람들은 네 지느러미를 원해. 샥스핀. 그게 별미거든. 헤엄칠 수 없으면 넌 죽어.

– 넌 어부다. 넌 가장이야. 가족들을 먹여 살려야해. 오늘은 반드시 상어 지느러미를 팔아야해.

– 상어는 두발에 땅을 디딘 인간과 달라. 바다는 네 놀이터야. 위로 아래로 좌로 우로 얼마든지 니 몸을 움직일수 있지. 헤엄쳐라.

(음악재생)

– 저기 상어가 보인다. 가서 잡아.

– 도망친다. 저거 놓치면 네 가족은 굶는거야. 가서 잡아.

– 발버둥 친다. 죽여!!!

– 어부가 하나 더 나타났다. 서로 가지려고 난리가 났어.

(개입하여 더 거칠게 압박하고 몰아세운다.)

– 죽어. 죽어. 죽어. 그냥 죽고 다시 태어나. 죽으면 편해질 수 있잖아. 왜 그렇게 버텨.

- 아이씨. 힘들어 죽겠네. 나 좀 살자. 미안하다고. 미안하다고 하잖아. 죽어줘. 제발!!! 죽어 죽어!!!

(음악변경)

- 네 지느러미는 떼어졌어. 넌 바다 밑으로 가라앉는다

- 저 멀리 수면 위의 불빛이 보여.

- 아. 나는 저 수면 밖이 언제나 궁금했어. 왜 저긴 저렇게 반짝일까.

- 나는 너에게 아무것도 하지 않았는데. 왜 나를 이렇게 끌어내릴까.

- 수면 아래로 쿵. 모래가 피어오른다.

- 점점 아득해진다.

(정적)

포식자의 손을 가져가 피식자를 어루만져줌

- 왜 울었어. 왜 발버둥쳤어.

- 살고싶었어요.........

- 그래. 그게 의지다. 그게 에너지야.

- 이거 아니면 살 수 없을 것 같은 사람만이 가질 수 있는거야.

- 그래서 연기 아니면 사는 의미가 없는 사람들이 연기를 잘하는거야. 그 에너지가 널 진실로 살게 하는거야. 이게 몰입이야.

- 인간의 삶은 죽음으로 완성되고, 인간은 죽음이 있기에 의미를 갖는다. 삶의 의미는 죽음이 있기에 부여될 수 있다. 끝이 있기에 돌아볼 수 있고 돌아보기에 의미를 찾는 것이다.

- 상어는 무엇을 빗대고 있냐. 끊임없이 발버둥쳐야 살아남을 수 있는 인간. 어부는 무엇을 빗대고 있나. 그게 인간이다. 누군가를 끌어내려야 올라설 수 있는 인간. 그럼 우리가 한 건 뭐냐. 이게 갈등이다. 드라마야. 이세 예술이다. 서로를 돌아보게 하는거. 전환의 가치야. 이 느낌 유지해. 이어서 가보자.

3. 몰입 및 안정
(음악변경)

- 어두운 에너지

- 아까와 똑같아. 텍스트를 느끼고 떠올려. 표현해봐.

- 뜨거운 열기

- 불타는 의자

- 부서지는 피아노

- 깨진 유리조각

- 아이들의 울음소리

- 번쩍이는 섬광

- 끌려간 핏자국

- 잠겨있는 문.

(중략)

- 오감각을 실체화 할수 있는 키워드를 연상하여 제시

(음악변경)

- 따스한 바람

- 흩날리는 코스모스

- 졸졸 흐르는 시냇물

- 커다란 느티나무

- 그 아래에 놓인 의자

- 높이 뻗은 소나무

- 커다란 옹이

- 자고 있는 다람쥐

- 바닥에 떨어진 도토리

- 황금빛 갈대

- 언덕 아래로 보이는 아이들

- 밥짓는 연기

- 밥짓는 냄새

- 아이들의 웃음소리

(이후 텍스트 제시 없이 음악만 틀어놓고 있음)

(즉흥 움직임)

4. 회고
- 내가 텍스트를 계속 불러줬어. 갑자기 빠르게 부르기도 하고 느리게 부르기도 했지. 연달아 텍스트가 나올 때 어땠어.

- 그치. 몰입하다가 몰입이 깨졌지. 그러니까 뭘 느껴. 짜증이 나지. 그게 자유 갈망의지야. 네 자유의지를 방해하니까 화가 나는거다. 그게 에너지야. 그걸 승화하는게 예술가다.

- 마지막에 아무 말 없이 음악만 틀어주니까 어때? 알아서 영감을 발견했지. 수업 시작때와 다르게 지금은 계속 무언가를 발견하고 떠올리고 끊임없이 움직였어. 무언가를 보는 듯 했어. 이제야 타인의 시선이나 압박에서 벗어나 오로지 너의 세계만 바라본거다. 이게 해방감이야.

- 내가 처음에 오늘 애들 없으니까 연습 좀 하고 있으라 할 때 어땠어?

- 아무 생각 없었어요. 선생님이 하라고 하면 하는거니까.

- 사실 좀 짜증났어요. 난 뭐라도 하나 더 배우려고 온건데

- 알고 있었어. 거기서부터 수업은 시작된거다.

- 그 반감. 저항욕구. 그게 자유의지다. 의지다. 에너지야.

- 저항하지 않으니까 네 연기가 변하지 않는거다. 너는 순응하는게 습관이 되버렸어. 네 권리를 찾아야지. 일상에서도 마찬가지야. 저항하면 목표가 생기고 전략이 생기고 말과 행동이 달라져.

- 내가 하게 만들어야지. 그게 택틱이야. 내가 원하는대로 되게 만드는 것. 일상 속 대화도 마찬가지다. 모두가 자유의지를 갖고 보이지 않는 전쟁을 치루는 중이다.

- 그럼 왜 너는 그러지 못했을까. 고압적인 세상에 짓눌려 살아온거야. 그러니까 아무것도 떠오르지 않는거다. 저항해야 한다. 왜? 인간이라서 인간답게 살고 싶으니까. 넌 인간이야. 자유의지를 가진 인간. 만물의 영장로 태어난 이유가 있는거야.

- 반면에 이 친구와 달리 항상 너는 너무 적극적이야. 그래서 과잉된 에너지로 부담스럽게 만들기도 하지. 적당한 경계와 간격을 알아야 한다. 어느정도의 선을 지켜야 하는지. 나에게 당연한 것이 남들에게 당연하지 않거든. 어떻게 해야 그들

을 자극하고 끌어낼 수 있을지 기획하고 설계하는 요령을 알아야해. 그래서 즉흥의 단계를 설명해준거다.

- 나는 오늘 예술을 했나? 아니. 니들이 예술가였지. 나는 완전히 빠져들지 못했어. 이성을 지키고 전체를 지켜봤으니까.

- 예술과 교육은 닮은 부분이 많아. 교육은 가르치는게 아니야. 일깨우는거지. 에듀케이션의 어원이 그래. 밖으로 꺼내다. 내가 뭘 대단한 기술을 가르쳐서 그렇게 과격하게 움직였을까. 난 아무것도 가르치지 않았어. 니가 원래 갖고있던거 꺼내준거야. 그러니 뭔가 배웠다면 니가 배운거다. 이게 즉흥의 가치다.

- 그렇다면 이렇게 과격한 즉흥은 아름다운가? 누군가에게는 그럴 수 있어. 근데 이걸 과연 모두가 만족하면서 볼까? 그렇지는 않을거야. 왜? 쏟아지는 광기에 거북할 수도 있지. 또는 정제되지 않는 날것이라 볼품 없다고 느낄 수도 있겠지.

- 그럼 어떻게 해야 괜찮다고 느낄까. 그래서 기본과 기술을 배우는거다. 무얼 해도 멋있어 보이도록 갈고 닦는거야.

- 그렇다면 그 다음에는 어떤 예술을 해야할까. 내가 생각하는 이상적인 예술은 수준 낮은 창작자의 의도 30에 수준높은 관객의 바램 70이 조합된 예술이다. 그런 작품들이 모든 관객을 만족시킬 수 있다고 느껴.

- 고흐는 어땠어. 수준 높은 창작자의 의도 100이었지. 그러니까 그 시대에는

인정을 받지 못했겠지. 물론 그 집요함. 혼신의 노력. 숭고하지. 자신이 옳다고 생각한 신념을 끝까지 관철하는거. 아무나 못해. 그게 진정한 자유의지다. 죽음마저 두려워하지 않는거. 오롯이 내가 살고자 하는대로 사는거. 근데 그게 내가 추구하는 예술은 아니다. 당대에 아무도 알아주지 못했잖아. 내가 생각하는 예술은 교육과 일맥한다. 이 시대를 살아가는 사람들을 꼬집어서 바로 깨워줄 수 있어야해.

 – 오늘 이 순간은 누구로 인해 생겨났겠어. 너희다. 오늘 둘만 나왔고 서로의 세계를 공유하고 있었으니 너희 둘의 관계와 비교 속에 피어난거다. 나도 오늘 출석률이 저조해서 하기 싫었어. 하지만 동시에 분노했다. 게으른 나에 대한 분노. 그게 에너지가 되었다. 그래서 이 상황에 맞서기로 한거야. 이처럼 저항하는거다. 이것이 승화다. 위기는 곧 기회가 될 수 있어.

 – 내가 텍스트 제시할 때 미리 생각해서 했겠니. 그냥 연관지어 떠올리는거야. 지금 당장 내 눈에 보이는걸 말한거야. 점을 이어 선을 그리듯 일단 하나의 점을 찍으면 다른 점을 떠오르게 된다.우리가 찍는 점은 서로 달라. 우리는 서로 다른 점을 찍고 그려나간다.

 – 너는 너대로. 나는 나대로 각자의 세계를 그려나갔어. 이게 즉흥이고 바로 창작이 된다. 이래서 세상은 살아가는 것만으로도 재밌는거야. 뭐가 어떻게 될지 알 수 없으니까.

 – 자. 다시 상기해보자. 그럼 상상력의 원천이 뭐야. 그것은 의지다. 자유의지. 저항정신.

- 움직임은 뭐야. 추상이다. 칸트가 정의한 예술처럼 구상력과 상상력의 자유로운 유희다. 날것 그대로 자유의지의 표출이야. 그래서 연기도 몸부터 바뀌어야 잘하는거다. 육체가 바로 서야 에너지가 나오고. 에너지가 니 영혼을 바꾸는거야.

자유란 무엇인가?

자유란 무엇인가. 무엇에도 속박되지 않는 상태. 우리는 자유로운가. 성별이 달라서, 사상이 달라서, 성향이 달라서, 종교가 달라서. 다르기 때문에 배척당할까 두려워 하고 싶은 말을 삼킨다. 양보와 배려라는 가면 속에 자신을 우선하지도 못하며 시스템과 관계에 갇혀 자유를 포기하고 산다. 자유는 어떻게 쟁취할 수 있을까. 완전한 자유란 무엇인가. 즉흥을 살펴보며 깨달았듯 자유는 속박을 깨부술 때 금기를 넘어설 때 찾아온다. 평판이나 먹고사는 불안을 뒤로하고 원하는 것을 쟁취할 때 찾아온다. 결국 완전한 자유란 죽음을 두려워하지 않는 것이다. 그리고 그런 인간을 우리는 고결하다 일컫는다. 죽음마저 두려워하지 않게 하는 힘은 무엇인가. 그 힘은 관철된 신념이다. 옳다고 믿는 신념. 하지만 그 신념이 아무리 바르고 옳대도 편견 가득한 세상은 그것을 있는 그대로 바라봐주지 않는다. 자유를 포기하고 그저 사는 것에 익숙한 인간들은 다른 것을 배척하기에 옳은 신념은 그대로 전해질 수 없다. 그래서 조용히 서서히 스며들도록 가공 되어야 한다. 그래서 예술이 있다.

예술가는 허구를 통해 무엇을 전해주고자 하는가?

예술은 거짓을 통해 진실을 깨닫게 한다. 허구를 통해 사람들이 스스로 반문하며 오롯이 자신을 바라보게 만든다. 양극단으로 치우쳐 벌어진 혐

오의 세상의 간극을 조금씩 채워준다. 장미빛으로 서서히 물들인다. 배우의 연기는 그 중심에 있다. 인간의 삶. 그 자체를 있는 그대로 보여준다. 우리는 모두 연기를 하며 살아간다. 그렇다면 우리가 살아가는 삶은 진실인가. 거짓인가. 매트릭스의 세상처럼 0과1로 이루어져 있는 것은 아닐까. 어쩌면 이 지구는 결핍과 권태라는 고통의 굴레에서 형기를 채워야 하는 감옥은 아닐까. 그렇다면 이 거짓된 고행은 진실을 깨닫게 하는 과정이다. 삶 자체가 정말 멋진 예술이다. 진실을 깨닫기 위해선 이 거짓의 고문에 꺾이지 않아야 한다. 그래야 완전한 자유를 향유할 수 있다.

맺음말

나는 지독한 몸치였다. 어릴 적에는 허약하여 주로 집에서 시간을 보냈다. 그러다 보니 자연스레 몸 쓰는 일에는 자신이 없었다. 재능이란 자신에게는 숨 쉬듯 쉬운데 다른 사람들은 어려워하는 일이라 하던가. 그렇게 보면 나는 정말 몸 쓰는 재능이라고는 전혀 없는 사람이었다. 내 사지는 항상 어딘가에 묶여있는 듯 비틀대고 삐걱거렸다. 그런 나를 보며 누군가는 비웃었고 누군가는 혀를 찼다. 부끄럽게 생각한 적은 없었다. 노력으로 바꿀 수 있는 유일한 것이 몸뿐이라서 그저 거울 앞에 발 디딜 틈 하나가 주어지는 것에 행복했다.

재능은 선택할 수 없지만 꾸준함은 선택할 수 있다. 나는 더이상 재능에 대해서 고민하지 않는다. 내가 재능이 있다고 여겼던 많은 사람들은 더이상 이 길에 남아있지 않다. 모두가 한때의 추억으로 여기며 떠나갔다. 나는 오랜시간 이 세계에 머물며 지켜보았다. 꾸준함 없는 재능이 어떻게 힘을 잃는지 재능 없는 꾸준함이 얼마나 막강해지는지 말이다. 많은 사람들이 나의 재능없음을 걱정했다. 내게 단념하라고 꿈깨라고 했다. 나는 그 말이 무척 듣기 좋았다. 그 말은 내가 지금 꿈을 꾸고 있다는 말이잖는가. 그 말은 내 꿈을 부정하는 말이 아니었다. 내 꿈을 긍정하는 말이었다.

사지 멀쩡히 태어났음에 감사했고, 살아있음에 감사하며, 배울 수 있기에 감사하다. 여전히 나는 한참 부족하지만 상관없다. 누군가에게 꿈은 잠시 반짝이고 사라지는 강렬한 섬광이고 누군가에게는 영원히 닿을 수 없음을 알아도 바라보는 무지개다. 나는 여전히 그 무지개 너머를 바라본다. 한때의 추억이 되느니 영원한 기다림으로 남기로 했다. 이것 아니면 나를 살아있다고 느끼게 하는 것은 없었으니까.

손가락 사이를 아무리 빈틈없이 모아도 결국 빛은 새어 들어온다. 사람이 하는 일에 완벽이란 있을 수 없다. 틈새로 새어 들어오는 빛을 바라보라. 그리고 그대로 가만히 멈추어 보라. 손은 멈춰있는가. 그렇지 않다. 멈춘 것처럼 보이려고 애쓰고 있다. 모두의 눈에 정체된 것처럼 보여도 사실 끊임없이 노력하는 중이다. 내가 애쓰고 있다는 사실은 오직 나만이 알 수 있다. 내가 나의 꾸준함을 인정한다면 그것으로 충분하다. 내일을 위한 내 일. 내 일을 위한 내일. 오늘이 있어 내일이 있다. 당신을 응원한다.

함께 공부해 주셔서 고맙습니다.